AF238291

ACCESO GRATIS a la Lectura en la Nube

Para visualizar el libro electrónico en la nube de lectura envíe junto a su nombre y apellidos una fotografía del código de barras situado en la contraportada del libro y otra del ticket de compra a la dirección:

ebooktirant@tirant.com

En un máximo de 72 horas laborables le enviaremos el código de acceso con sus instrucciones.

TRANSPARENCIA Y COMUNIDADES AUTÓNOMAS: UNA PERSPECTIVA MULTINIVEL

TRANSPARENCIA Y COMUNIDADES AUTÓNOMAS: UNA PERSPECTIVA MULTINIVEL

ANDRÉS BOIX Y JORGE CASTELLANOS

Coordinadores

tirant lo blanch
Valencia, 2021

© Andrés Boix, Jorge Castellanos
y otros

© TIRANT LO BLANCH
EDITA: TIRANT LO BLANCH
C/ Artes Gráficas, 14 - 46010 - Valencia
TELFS.: 96/361 00 48 - 50
FAX: 96/369 41 51
Email:tlb@tirant.com
www.tirant.com
Librería virtual: www.tirant.es
DEPÓSITO LEGAL: V-3540-2021
ISBN: 978-84-1113-281-7
MAQUETA: Disset Ediciones

Si tiene alguna queja o sugerencia, envíenos un mail a: *atencioncliente@tirant.com*. En caso de no ser atendida su sugerencia, por favor, lea en *www.tirant.net/index.php/empresa/politicas-de-empresa* nuestro procedimiento de quejas.

Responsabilidad Social Corporativa: http://www.tirant.net/Docs/RSCTirant.pdf

Autores

ANA ABA CATOIRA

CONCEPCIÓN BARRERO RODRÍGUEZ

JUAN LUIS BELTRÁN AGUIRRE

ANDRÉS BOIX

JORGE CASTELLANOS CLARAMUNT

ANDRÉS GOMIS FONS

EMILIO GUICHOT

ANA IBARZ MORET

JOAQUÍN MESEGUER YEBRA

MARÍA DOLORES MONTERO CARO

ROSA PÉREZ GARIJO

RAFAEL RUBIO NÚÑEZ

ELISABET SAMARRA

Índice

LAS CAUSAS DE INADMISIÓN DE LAS SOLICITUDES DE ACCESO A LA INFORMACIÓN: ALGUNAS CUESTIONES SOBRE LAS QUE REFLEXIONAR

CONCEPCIÓN BARRERO RODRÍGUEZ

LAS LIMITACIONES DEL DERECHO/ DERECHOS DE ACCESO EN LOS PROCEDIMIENTOS SANCIONADORES

ANA ABA CATOIRA

LAS LEYES DE TRANSPARENCIA COMO NECESIDAD DEMOCRÁTICA

JORGE CASTELLANOS CLARAMUNT

LA ASIMETRÍA DE SUJETOS ACTIVOS EN EL DERECHO DE ACCESO A LA INFORMACIÓN Y LA APLICACIÓN DE LA DISPOSICIÓN ADICIONAL DE LA LEY DE TRANSPARENCIA

ELISABET SAMARRA

EL PROYECTO DE LEY DE TRANSPARENCIA, ACCESO A LA INFORMACIÓN Y REUTILIZACIÓN DE CASTILLA Y LEÓN: UNA VUELTA DE TUERCA MÁS HACIA UNA TRANSPARENCIA EFECTIVA

JOAQUÍN MESEGUER YEBRA

LEGITIMACIÓN DE LOS PARLAMENTARIOS DE NAVARRA EN EL EJERCICIO DEL *IUS IN OFFICIUM* PARA FORMULAR RECLAMACIONES ANTE EL CTN

JUAN LUIS BELTRÁN AGUIRRE

CONSEJO DE TRANSPARENCIA Y PARTICIPACIÓN DE LA COMUNIDAD DE MADRID: COMPARATIVA DE SU NATURALEZA JURÍDICA CON OTRAS AUTORIDADES DE TRANSPARENCIA ESPAÑOLAS

RAFAEL RUBIO NÚÑEZ Y ANA IBARZ MORET

ANÁLISIS DE LA TRANSPARENCIA EN ANDALUCÍA: APLICACIÓN EFECTIVA DE LA LEY 1/2014, DE 24 DE JUNIO, DE TRANSPARENCIA PÚBLICA DE ANDALUCÍA Y PROPUESTAS DE MEJORA

MARÍA DOLORES MONTERO CARO

HACIA UNA NUEVA LEY VALENCIANA DE TRANSPARENCIA Y BUEN GOBIERNO: ANÁLISIS DE LA PROPOSICIÓN DE LEY DE TRANSPARENCIA Y BUEN GOBIERNO DE LA COMUNITAT VALENCIANA

ANDRÉS GOMIS FONS

PRESENTACIÓN

En las siguientes páginas encontrarán el fruto de la colaboración institucional entre la Conselleria de Participación, Transparencia, Cooperación y Calidad Democrática y la Universitat de València, materializada a través de la Cátedra Pagoda de Participación Ciudadana, Gobierno Abierto y Open Data.

Esta colaboración ha hecho posible, ya durante varios años, el fomento, el desarrollo y la investigación en el ámbito de la transparencia, la participación ciudadana y el gobierno abierto, aplicando en todo momento una mirada interdisciplinar, capaz de poner en común consideraciones de carácter politológico, social, jurídico, así como tecnológico, de la información y la comunicación.

Concretamente, esta obra monográfica recoge muchas de las aportaciones realizadas en el marco del VIII Congreso del Avance del Gobierno Abierto y el VI Congreso de Buen Gobierno y Transparencia de la Comunitat Valenciana que tuvieron lugar el pasado mes de marzo de 2021. Ambos encuentros indicados se centraron en el análisis de las asimetrías multinivel en la regulación y aplicación de las normas en materia de transparencia.

Los ocho años transcurridos desde la aprobación de la Ley 19/2013, de *Transparencia, Acceso a la Información Pública y Buen Gobierno* abarcan un espacio temporal significativo, que permite analizar los avances y las diferencias existentes entre diferentes comunidades autónomas en cuanto al cumplimento de las obligaciones y la protección de los derechos que recoge esta norma.

La participación de diversos expertos académicos y miembros de organizaciones e instituciones estatales y autonómicas responsables de velar por la transparencia y el derecho de acceso a la información ha facilitado el análisis exhaustivo de las variables que favorecen una transparencia efectiva, los distintos modelos organizativos de garantía de la transparencia, la protección del derecho fundamental de acceso a la información, así como los límites de aplicación de la ley.

Aprovecho estas palabras de introducción para mostrar mi especial agradecimiento al profesor Joaquín Martín Cubas por el trabajo realizado a lo largo de estos años al frente de la Cátedra Pagoda, como también a los profesores Jorge Castellanos Claramunt y Andrés Boix Palop, coordinadores de esta obra monográfica colectiva.

Desde la Conselleria que dirijo vamos a seguir trabajando junto a las instituciones académicas por la difusión de los valores de la transparencia y el buen gobierno impulsando este tipo de iniciativas. Lo hacemos con el convencimiento de que son un pilar fundamental en la mejora de la calidad democrática de nuestras instituciones, como también lo son el fomento de una cultura política más abierta a la participación ciudadana, la rendición de cuentas y la asunción de responsabilidades por los representantes públicos.

Rosa Pérez Garijo

Consellera de Participación, Transparencia, Cooperación y Calidad democrática

INTRODUCCIÓN

Andrés Boix y Jorge Castellanos

Tras ya casi una década de experiencia desde que las incipientes experiencias autonómicas y, sobre todo, la Ley estatal 19/2013, de *Transparencia, Acceso a la Información Pública y Buen Gobierno*, de carácter básico en la mayor parte de su contenido y que afecta a todas las administraciones, también a las locales y autonómicas, puede comenzar a hacerse balance sobre su impacto a muchos niveles: profundización de las exigencias de transparencia en línea con lo exigido por las instituciones europeas, actualización del mandato constitucional que reconoce desde 1978 el derecho de los ciudadanos al acceso a archivos y registros, mejora de los instrumentos de lucha contra los abusos y la corrupción, impulso del gobierno abierto y de la participación ciudadana que tienen como base la transparencia...

Todos estos análisis se han venido haciendo a lo largo de estos años, también en parte con la contribución de quienes firman estas líneas o del equipo de autores de esta obra colectiva, así como de otros muchos académicos y trabajadores públicos, y con la contribución de instituciones como la Cátedra PAGODA de Gobierno Abierto, Participación y Open Data de la Universitat de València y la Generalitat Valenciana (a través de la Conselleria de Participación, Transparencia, Cooperación y Calidad Democrática), que ha desarrollado una intensa actividad de formación, estudio, análisis y difusión de cuestiones referidas a la aplicación de las nuevas normas en materia de transparencia a lo largo de los últimos años. De una de ellas, en forma de unas jornadas organizadas por el profesor Lorenzo Cotino Hueso y nosotros mismos en la Universitat de València a lo largo del (complicado) curso académico 2020-2021, trae causa la presente obra, que trata de abordar desde una perspectiva ligeramente diferente algunas de las experiencias que nos ha traído el proceso de asentamiento de nuestro modelo de regulación de la transparencia pública.

En efecto, la idea de este volumen, como lo fue de las jornadas con las que se inició esta reflexión, es centrarnos en el análisis de la aplicación de las normas en materia de transparencia en España y de las enseñanzas que nos ha ido dejando desde una perspectiva muy concreta y muy precisa: atender a la dimensión autonómica de todo el proceso de puesta en marcha y consolidación de este entramado jurídico e institucional de control sobre el quehacer público o, más bien, a las peculiaridades que se han deducido de este modelo de control a una escala multinivel, donde una norma básica estatal se relaciona con legislaciones autonómicas que pueden profundizarla y en la que a la estructura institucional de control puesta en marcha por la Ley 19/2013 se le pueden adicionar, en cada Comunidad Autónoma (como ha sido el caso paulatinamente en la mayoría de ellas), instituciones propias para el control de su sector público autonómico y local, que generan unas peculiares relaciones de coordinación, emulación, competición y colaboración que hace mucho más complejo, pero también más rico, el panorama. A analizar algunas de estas dificultades, pero también las fortalezas y ventajas de un modelo como este se dedica este volumen, prestando una gran atención a las diversas maneras en que se han producido las dinámicas de desarrollo y emulación multinivel, a los problemas que pueden generar las posibles asimetrías y cómo el sistema las integra y a describir algunos ejemplos de prácticas a distintos niveles que hemos considerado ilustrativos. El resultado global, en nuestra opinión y esperamos que también en la del lector, es extraordinariamente informador y sugerente, además de permitir aprender sobre el estado, aquí y ahora, de la transparencia en nuestro país y sus peculiares formas de articulación en un contexto de importante distribución territorial del poder... y también de asimetrías sobre los controles respecto de esos poderes.

Para acometer este esfuerzo hemos tenido la suerte de contar con un plantel de colegas, compañeros, especialistas y trabajadores públicos especializados en la materia de primer nivel, como demuestran los resultados plasmados en esta obra. El libro se inicia con un capítulo de Emilio Guichot Reina (Catedrático de Derecho Administrativo, Universidad de Sevilla) sobre el acceso por parte de los interesados a la información pública donde hace un repaso general a esta cuestión totalmente nuclear a la luz de la interpretación de las normas en la materia hecha por los distintos consejos de transparencia, repasando los avances y la forma en que unas decisiones han acabado influyendo a la hora de crear un *corpus* de decisiones tendencialmente cada vez más ricas, mejor perfiladas y por lo general más exigentes para con las Administraciones Públicas. A continuación Concepción Barrero

Rodríguez (Catedrática de Derecho Administrativo, Universidad de Sevilla) completa esta visión con un excelente capítulo sobre algunas de las cuestiones todavía pendientes en relación a las solicitudes de acceso a la información pública (en concreto, en relación a las causas de inadmisión y hasta dónde puedan llegar éstas, en qué casos pueden ser invocadas) que demuestra hasta qué punto se ha ido profundizando a lo largo de esta década en el entendimiento de la legislación básica y su articulación con las normas autonómicas y cómo de ello se ha derivado la construcción de un mucho más matizado conjunto de reglas que permiten a día de hoy tener ya algo más claro el alcance, al menos en muchos supuestos y aunque quede trabajo por hacer, de las causas de inadmisión. Completando estos primeros trabajos de la obra que permiten una aproximación general a cómo se ha acabado declinando la aplicación de nuestro modelo de control en materia de transparencia, Ana Aba Catoira (Profesora Titular de Derecho Constitucional, Universidade Da Coruña) nos ilustra sobre los déficits y carencias que todavía existen a la hora de aplicar de forma consistente y que extraiga todo el partido de esta riqueza multinivel que genera el modelo autonómico en materia de límites al derecho de acceso a la información pública por parte de los ciudadanos y, más en concreto, respecto de los procedimientos sancionadores.

A continuación uno de nosotros, Jorge Castellanos Claramunt (Profesor de Derecho Constitucional, Universitat de València) trata de enmarcar las leyes de transparencia como necesidad democrática, punto de partida y destino de cualquier sociedad avanzada, y cómo en este sentido y para esta finalidad el enriquecimiento que supone un modelo multinivel, aun con sus dificultades y asimetrías, como el nuestro, puede ser un activo indudable. En este capítulo se aboga por aprovechar las sinergias que pueden generarse a partir de la actuación de estos diversos órganos para lograr un decidido avance en la aplicación de la transparencia, de manera que no se quede en un modelo formal de control sino que nos lleve a un decidido avance que permita una transformación de la relación de los poderes públicos con los ciudadanos, de consecuencias profundamente transformadoras.

A partir de aquí, y a partir del capítulo quinto de la obra, presentamos trabajos de un contenido más aplicado y referidos a experiencias concretas a partir del trabajo desarrollado por especialistas y trabajadores públicos en materia de transparencia, empezando por un interesantísimo estudio respecto de las asimetrías en cuanto a la consideración de sujetos activos en el derecho de acceso a la información (y en concreto respecto de la aplicación de la Disposición Adicional de la Ley de Transparencia) a cargo de Elisabet Samarra (Presidenta de la Comisión de Garantía del *Derecho de Acceso a la Información Pública* de Cataluña) aprovechando su experiencia en el que probablemente es el órgano autonómico que más actividad ha realizado en la materia estos años y que más honda influencia ha tenido y está teniendo en el diseño y delimitación de esas relaciones multinivel de las que tanto hablamos en esta obra. A continuación Joaquín Meseguer Yebra (Director General de Transparencia y Buen Gobierno, Junta de Castilla y León) nos expone el proyecto de ley de transparencia, acceso y reutilización que se está elaborando en Castilla y León, que tiene el interés añadido de venir de una Comunidad Autónoma que se ha mostrado particularmente comprometida con la transparencia pública y que, por ejemplo, ha sido un ejemplo a la hora de transmitir a los ciudadanos durante toda la pandemia de COVID-19 la información pública sobre la situación. Por su parte, y desde Navarra, Juan Luis Beltrán Aguirre (Presidente del Consejo de Transparencia de Navarra) nos relata la doctrina de este órgano sobre la legitimación de concejales y parlamentarios en el ejercicio de sus funciones a la hora de exigir acceso a la información pública, donde es perceptible la importancia de la doctrina de otros órganos autonómicos y la importancia de los desarrollos propios de cada uno de ellos como medio de profundización que acaba ayudando a la construcción de ese modelo global multinivel analizado en la obra.

A continuación, Rafael Rubio Núñez (vocal del Consejo de Transparencia y Buen Gobierno de la Comunidad de Madrid y Profesor Titular de Derecho Constitucional de la Universidad Complutense de Madrid) y Ana Ibarz Moret (Directora del Gabinete de Comunicación, Transparencia y Relaciones Institucionales del Consejo de Transparencia de la Comunidad de Madrid) realizan una interesantísima comparación entre el Consejo de Transparencia y Participación de la Comunidad de Madrid con otras autoridades de transparencia autonómicas, que además de analizar las peculiaridades de su naturaleza jurídica y realidad institucional, con una completa comparativa respecto de los distintos modelos en materia de estructura, composición, tipo de autoridades, situación de los consejeros... pero también respecto de las diferencias que ello trae en cuanto al funcionamiento de estos órganos e incluso como la dotación de medios económicos, materiales y personales influye en una mayor o menor profundidad en el ejercicio de estas funciones. Igualmente completo e ilustrativo, en este caso sobre el caso andaluz, es el trabajo de María Dolores Montero Caro (Profesora de Derecho Constitucional, Universidad de Córdoba) analizando la aplicación efectiva de la Ley 1/2014, de Transparencia Pública de Andalucía y cómo ha sido ahí el proceso de implantación de su autoridad en la materia, la integración de sus postulados con los de la ley estatal y la experiencia andaluza a la hora de evaluar el modelo y extraer propuestas de mejora.

Por último, cerrando esta obra, y centrados en la experiencia de la Comunitat Valenciana, pero sobre todo en las experiencias extraídas desde la aprobación en 2015 de la primera norma propia en materia de transparencia y proyectándolas de cara al futuro a efectos de extraer las debidas enseñanzas para tratar de poner en marcha mejoras, Andrés Gomis Fons (Director general de Transparencia, Atención a la ciudadanía y Buen gobierno de la Generalitat Valenciana) expone los elementos esenciales del texto en estos momentos en tramitación en les Corts valencianes de nueva ley de transparencia y buen gobierno, con importantes novedades en materia de publicidad activa, apertura de datos, derecho de acceso y, especialmente, en el sistema de garantías y evaluación que traen causa de las enseñanzas de la propia actuación de las instituciones valencianas, pero también de las fecundas relaciones y ejemplos derivados de la actuación de otros órganos de control, en lo que constituye un excelente ejemplo de la riqueza y aprovechamiento de estas relaciones multinivel existentes en nuestro país en esta materia, mostrando, a su vez, hasta qué punto quedan cosas por hacer y posibilidades de mejora y profundización por acometer y desarrollar.

Como coordinadores de esta obra queremos dejar constancia expresa de nuestro agradecimiento a todos los autores por su participación con trabajos de tanto interés y calidad, que esperamos que resulten tan interesantes y enriquecedores para los lectores como lo han sido para nosotros. Por último, y como es debido, querríamos también agradecer a la Cátedra PAGODA de Participación, Gobierno Abierto y Open Data de la Universitat de València y la Generalitat Valenciana (a través de la Conselleria de Participación, Transparencia,

Cooperación y Calidad Democrática) y a su director, el Profesor Joaquín Martín Cubas, la confianza depositada en nosotros para desarrollar tanto las jornadas de las que trae causa esta obra como la posibilidad misma de poder editar y publicar un libro como este, pues sin su apoyo económico habría sido imposible. Quede constancia de ello y de la importancia de iniciativas como esta para ayudar de forma efectiva a la reflexión, también multinivel y de especialistas de muy diversas procedencias, sobre los retos pendientes en materia de transparencia que tan importante es para lograr mejoras y una adecuada evolución en un entorno que, debido a esas asimetrías y mayor complejidad derivadas de la existencia de distintos niveles de gobierno, exige todavía más que otros esta constante puesta en común de experiencias, resultados, propuestas y nuevos proyectos e ideas.

València, 23 de julio de 2020
ANDRÉS BOIX PALOP
JORGE CASTELLANOS CLARAMUNT

EL ACCESO POR LOS INTERESADOS A INFORMACIÓN RELATIVA A PROCEDIMIENTOS EN CURSO Y LA LEY DE TRANSPARENCIA[*]

Emilio Guichot

Catedrático de Derecho Administrativo. Universidad de Sevilla

La disposición adicional primera (en adelante, DA1) de la Ley 19/2013, de 9 de diciembre, de transparencia, acceso a la información pública y buen gobierno (en adelante, LTAIPBG), bajo el rótulo "Regulaciones especiales del derecho de acceso a la información pública", dispone lo siguiente:

> "1. La normativa reguladora del correspondiente procedimiento administrativo será la aplicable al acceso por parte de quienes tengan la condición de interesados en un procedimiento administrativo en curso a los documentos que se integren en el mismo.
>
> 2. Se regirán por su normativa específica, y por esta Ley con carácter supletorio, aquellas materias que tengan previsto un régimen jurídico específico de acceso a la información.
>
> 3. En este sentido, esta Ley será de aplicación, en lo no previsto en sus respectivas normas reguladoras, al acceso a la información ambiental y a la destinada a la reutilización."

Obsérvese que la propia LTAIPBG considera que todas estas regulaciones, incluida la que regula el acceso de los interesados a los

---

[*] Trabajo realizado en el marco de los Proyectos "Observatorio de la Transparencia", DER2017-88456-P financiado por MCIN/AEI/10.13039/501100011033/ y por FEDER Una manera de hacer Europa, y "Nuevos retos de la contratación pública: transparencia y compromiso social y ambiental", US/JUNTA/FEDER, UE, 1262172 y del Grupo de Investigación SEJ-193: "Transparencia y Sostenibilidad de la acción administrativa".

documentos que se integran en un procedimiento administrativo, son manifestaciones de un mismo derecho, el derecho de acceso a la información pública, a las que les da la consideración de normativa especial respecto de la general, que sería la propia LTAIPBG.

El apartado primero de la DA1 remite a la normativa que regule el correspondiente procedimiento administrativo la regulación del acceso de los interesados a la información obrante en procedimientos en curso, lo que plantea interesantísimas cuestiones en torno al respectivo ámbito de aplicación de esa normativa y el de la normativa reguladora del acceso a la información pública (1), a la integración de ambos bloques normativos (2) y a la competencia de las autoridades de transparencia para la resolución de reclamaciones referidas a información en curso (3)[1].

---

[1]   Las dos primeras ya fueron lúcidamente discernidas por el profesor Antonio Descalzo en su comparecencia ante la Comisión Constitucional del Congreso de los Diputados con ocasión de la tramitación de lo que sería la LTAIPBG: "En relación con el primer punto habría que decir que se plantean dudas del ejercicio del derecho de acceso a los no interesados en el procedimiento en tramitación. Esa disposición habla de la normativa reguladora del correspondiente procedimiento administrativo de quién tendrá la condición de interesado y quien no será interesado en ese expediente en curso, es decir, los terceros, los ciudadanos, su derecho de acceso a esa información no se aplica, solamente tienen derecho de acceso los interesados, que es lo que establece la Ley 30/1992 ahora en el artículo 37, en el que se establece que el derecho de acceso a los archivos y registros es en relación con los expedientes finalizados, en relación con los procedimientos finiquitados. El acceso a la información en los procedimientos en curso es para los interesados. En esta normativa se estipula que quien tenga la condición de interesado se rige por su procedimiento específico. Aquel que no lo tiene puede esgrimir aquí la ley de transparencia y de acceso a información o siguen siendo solo los interesados, con lo cual se plantea a su vez cuál es la información a la que se tiene acceso. En el artículo 10, información pública —que ustedes ya conocen—, son todos los contenidos, pero según la interpretación que se haga a lo mejor no son todos. Los contenidos referidos a los procedimientos en curso se siguen regulando por la Ley 30/1992, es decir, solamente para los interesados. ¿Cómo se aplican esas previsiones? ¿Pueden ser de peor o de mejor condición los interesados o los terceros respecto de los expedientes en curso? ¿Va a tener un interesado menos derechos en un procedimiento en curso que los que tenemos los ciudadanos por virtud de esta ley o al revés o no tiene nada que ver? En este ámbito parece claro que en los procedimientos en curso deben aplicarse con más rigor los límites del artículo 11.1, apartados e) y g), que son, dentro de los límites, el de la prevención, investigación y sanción de los ilícitos penales administrativos o disciplinarios y las funciones administrativas de vigilancia, inspección y

I. LA APLICACIÓN DE LA NORMATIVA SOBRE ACCESO A LA INFORMACIÓN PÚBLICA A CUALQUIER INFORMACIÓN, INCLUIDA LA QUE OBRE EN PROCEDIMIENTOS EN CURSO, SALVO EN EL CASO DE LOS INTERESADOS

En el modelo establecido en la Ley 30/1992, de 26 de noviembre, de régimen jurídico de las Administraciones públicas y del procedimiento administrativo común (en adelante, LRJAP-PAC), normativa general de procedimiento administrativo en vigor cuando se aprobó la LTAIPBG, se incluía, entre los derechos de los ciudadanos en sus relaciones con las Administraciones Públicas, el derecho "a conocer, en cualquier momento, el estado de la tramitación de los procedimientos en los que tengan la condición de interesados, y obtener copias de los documentos contenidos en ellos"[2]. De forma diferenciada y en un artículo diferente, se reconocía también el derecho de los ciudadanos a acceder a los documentos que, formando parte de un expediente, obren en archivos administrativos [...] siempre que tales expedientes correspondan a procedimientos terminados en la fecha de la solicitud"[3]. De este modo, el respectivo ámbito de aplicación era claro: el primero se aplicaba solo a los interesados en acceder a información relativa a procedimientos en curso y el segundo a cualquier ciudadano que pretendiera acceder a información relacionada con procedimientos finalizados. *Ergo*, los ciudadanos que no tuvieran la condición de interesados no podían acceder a documentos relacionados con un procedimiento en tramitación.

Sin embargo, como es sabido, la LTAIPBG no exige la motivación de las solicitudes de acceso, ya que la titularidad del derecho es ajena a la noción de "interesado". Tampoco limita el acceso a la información relacionada con expedientes terminados y archivados, y,

---

control. Cuando se trata —si se pudiera— de acceso a la información de procedimientos en curso, en trámite, habría que ser más escrupuloso en la aplicación de esos dos límites por la defensa de los derechos e intereses de interesados en ese mismo procedimiento".

[2] Artículo 35.
[3] Artículo 37.

de hecho, no requiere que se trate de información relacionada con un concreto procedimiento administrativo. Y, por su parte, la actual Ley 39/2015 de 1 de octubre, del Procedimiento Administrativo Común de las Administraciones Públicas (en adelante, LPAC) regula también el derecho de los interesados a acceder y a obtener copia de los documentos y la vista del expediente en el trámite de audiencia[4], remitiendo el derecho general de acceso a la LTAIPBG[5]. La conclusión es que, hoy, cualquier persona puede solicitar acceso a la información referida a un procedimiento en curso, aun careciendo de la condición de interesado; conclusión que hemos venido sosteniendo desde la aprobación de la Ley y que es mayoritaria en la doctrina, aunque no

---

[4]   El artículo 53.1 LPAC prevé que "además del resto de derechos previstos en esta Ley, los interesados en un procedimiento administrativo, tienen los siguientes derechos", entre los que figura, en su letra a), el derecho "a conocer, en cualquier momento, el estado de la tramitación de los procedimientos en los que tengan la condición de interesados; el sentido del silencio administrativo que corresponda, en caso de que la Administración no dicte ni notifique resolución expresa en plazo; el órgano competente para su instrucción, en su caso, y resolución; y los actos de trámite dictados. Asimismo, también tendrán derecho a acceder y a obtener copia de los documentos contenidos en los citados procedimientos. Quienes se relacionen con las Administraciones Públicas a través de medios electrónicos, tendrán derecho a consultar la información a la que se refiere el párrafo anterior, en el Punto de Acceso General electrónico de la Administración que funcionará como un portal de acceso. Se entenderá cumplida la obligación de la Administración de facilitar copias de los documentos contenidos en los procedimientos mediante la puesta a disposición de las mismas en el Punto de Acceso General electrónico de la Administración competente o en las sedes electrónicas que correspondan". Y al regular la participación de los interesados en el trámite de audiencia en su artículo 82, dispone que "instruidos los procedimientos, e inmediatamente antes de redactar la propuesta de resolución, se pondrán de manifiesto a los interesados o, en su caso, a sus representantes, *para lo que se tendrán en cuenta las limitaciones previstas en su caso en la Ley 19/2013, de 9 de diciembre*" (el resalte en cursiva es nuestro).

[5]   Artículo 13. *Derechos de las personas en sus relaciones con las Administraciones Públicas.* "Quienes de conformidad con el artículo 3, tienen capacidad de obrar ante las Administraciones Públicas, son titulares, en sus relaciones con ellas, de los siguientes derechos: d) Al acceso a la información pública, archivos y registros, de acuerdo con lo previsto en la Ley 19/2013, de 9 de diciembre, de *transparencia, acceso a la información pública y buen gobierno* y el resto del Ordenamiento Jurídico."

unánime[6], y que, al derivar del texto de la LTAIPBG, no puede desvirtuarse por vía reglamentaria, aunque así lo haya admitido, a nuestro juicio erróneamente, el CTBG en una ocasión[7].

---

[6]   De la misma opinión, O. Mir Puigpelat, *Transparencia y procedimiento administrativo. El derecho de acceso al expediente y su conexión con el derecho de acceso a información pública*, Civitas-Aranzadi, Madrid, 2019, págs. 37-45. La cuestión, como hemos defendido en otros trabajos, parece clara en una interpretación gramatical, histórica, sistemática y finalista de la LTAIPBG, pero, como señala el propio Mir Puigpelat, ha sido cuestionada por algunos autores. O. Mir Puigpelat desgrana argumentos a favor de forma convincente (la propia literalidad de la LTAIPBG, que ya no circunscribe su objeto a información relacionada con procedimientos terminados; la ampliación del objeto del derecho operada por la Ley; la propia Exposición de Motivos, que señala como una deficiencia a superar del antiguo artículo 37LRJAP-PAC el que el acceso estuviera "limitado a documentos contenidos en procedimientos administrativos ya terminados", y la supresión de ese requisito ya en la legislación sobre acceso a la información ambiental; la previsión en la nueva LPAC de los principios de transparencia y publicidad entre los que deben guiar la tramitación del procedimiento; el entendimiento en este sentido por parte de doctrina autorizada –y la crítica a la exclusión en la antigua LRJAP-PAC– y Consejos de Transparencia; el situarse en línea con la regla general en el Derecho comparado y en el Derecho de la Unión Europea). O. Mir Puigpelat apunta las bondades de esta solución –refuerza la función de control del derecho de acceso, complementa el derecho de acceso al expediente de los interesados y les permite acceder a informaciones que no constan en el expediente y pueden serle de utilidad en el ejercicio de su derecho de defensa en el marco del procedimiento, refuerza la función participativa del derecho de acceso y permite acceder sin demora a información necesaria, sea a particulares o a otras Administraciones públicas–, y desmonta con datos el temor a la "avalancha de solicitudes" que algunos pudieron albergar antes de la aplicación de la normativa de transparencia.

[7]   En efecto, el CTBG ha llegado a dar por buena una ordenanza de transparencia que limita el acceso a expedientes en tramitación sin distinguir entre interesados y no interesados, anteponiéndola a lo previsto por la LTAIPBG. Lo ha hecho en la RT 191/2018, de 19 de noviembre, en que una asociación de policías locales pide información sobre una auditoría y un expediente disciplinario. El CTBG constata que el solicitante no es interesado, pero "teniendo en cuenta que la Ordenanza de Transparencia [del Ayuntamiento de Albacete] prevé como causa de inadmisión que se trate de solicitudes que se "refieran a información correspondiente a un procedimiento en tramitación", procede desestimar la reclamación en este punto concreto. Ello no obstará, a juicio de este Consejo, para que una vez que la información se haya tramitado se pueda poner a disposición de los ahora reclamantes". La decisión parece en todo punto criticable, pues se trata de una Ordenanza *contra legem*.

La clave, pues, no está en que unos sujetos –interesados– puedan solicitar acceso a una información y otros –no interesados– no, sino en que si el solicitante es un interesado y el procedimiento está en curso, la normativa aplicable no será la normativa de transparencia sino la reguladora del correspondiente procedimiento –la LPAC, salvo que haya normativa específica respecto de la materia en cuestión–. Aún más, como veremos enseguida, los límites aplicables son, en principio, los mismos; ahora bien, una cuestión adicional es la de si a ambos, interesado y no interesado, han de aplicarse del mismo modo.

II. LAS CONDICIONES QUE HAN DE CONCURRIR PARA LA APLICACIÓN DEL APARTADO PRIMERO DE LA DA1 EN LA DOCTRINA DEL CTBG

Conforme a la doctrina del CTBG, para que pueda ser invocada la DA1.1 LTAIPBG como motivo de inadmisión: a) debe existir un específico procedimiento administrativo aplicable al caso; b) el reclamante debe ser un interesado en el mismo, lo que tendría que acreditar la Administración o reconocer el interesado, y c) el procedimiento debe estar en curso[8]. Veamos cada uno de ellos.

a) Sobre el procedimiento específico, la norma que regula el acceso a los interesados no es necesariamente la LPAC, sino, de haberla, la sectorial aplicable en cada caso[9]. Por lo demás, hay que advertir que en alguna ocasión el CTBG ha interpretado la noción de "procedimiento" de forma genérica, como realización

---

[8] Doctrina general. Por todas, R 95/2015, de 30 de junio.

[9] Así, RRTT 282/2017, de 21 de junio de 2018, en que una empresa solicita información sobre un proceso de concentración parcelaria que afecta a sus terrenos y considera que se aplican las normas del procedimiento administrativo de concentración parcelaria; y 496/2017, de 23 de marzo de 2018, en que una persona afectada por un expediente disciplinario solicita copia de la resolución de una alcaldía por la que se acordaba la ampliación del plazo para formular pliego de cargos, y considera que se aplican las normas del reglamento de régimen disciplinario de los funcionarios de la Administración General del Estado.

de actuaciones materiales, y no en sentido estricto, como *iter* normativamente formalizado, lo que no compartimos[10].

b) En cuanto a la condición de *interesado*, el CTBG acoge el concepto general acuñado en Derecho administrativo[11]. En el caso de las solicitudes de información llevadas a cabo por sujetos que tienen la condición de denunciantes, su doctrina no es uniforme. El supuesto se ha planteado reiteradamente en relación con el acceso a información en relación con la actuación (o inactividad) de la Inspección de Trabajo y Seguridad Social a raíz de denuncias. Su normativa reguladora establece que en la fase de investigación el denunciante no se considera interesado, si bien puede tener acceso a determinada información si afecta a sus derechos, mientras que, si la investigación da paso a un procedimiento sancionador, la condición o no de interesado se deriva de las reglas generales de la normativa sobre procedimiento administrativo[12]. El CTBG considera, por ello, que, si el

---

[10] Así, en la R 487/2016, de 13 de febrero de 2017, que considera como procedimiento en curso las actuaciones del Centro de Investigaciones Energéticas, Medioambientales y Tecnológicas de estudio y planificación de rehabilitación de una zona afectada por un accidente nuclear.

[11] RRTT 260/2017, de 16 de mayo de 2018, en que un partido local solicita al Ayuntamiento acceso a la documentación de un proceso de selección de un profesor y, en especial, al acta de valoración de la comisión; y 266/2017, de 16 de mayo de 2018, en que un solicitante que no participa en el proceso selectivo solicita el acceso al expediente de contratación de una plaza en un instituto de secundaria.

[12] Artículo 20.4 de la Ley 23/2015 de 21 de julio, ordenadora del sistema de Inspección de Trabajo y Seguridad Social: "La acción de denuncia del incumplimiento de la legislación de orden social es pública. El denunciante no podrá alegar la consideración de interesado a ningún efecto en la fase de investigación, si bien tendrá derecho a ser informado del estado de tramitación de su denuncia, así como de los hechos que se hayan constatado y de las medidas adoptadas al respecto únicamente cuando el resultado de la investigación afecte a sus derechos individuales o colectivos reconocidos por la normativa correspondiente al ámbito de la función inspectora. Los representantes unitarios o sindicales de los trabajadores tendrán derecho a ser informados del estado de tramitación de las denuncias presentadas por los mismos en el ámbito de su representación, así como de los hechos que se hayan constatado y de las medidas adoptadas al respecto. En el supuesto de que la denuncia diera lugar al inicio de un procedimiento sancionador, el denunciante podrá tener, en su caso, la condición de interesado, en los términos y con los requisitos establecidos en el artículo 31 de

denunciante solicita información sobre la fase de investigación, no tiene la consideración de interesado, y por tanto es de aplicación la LTAIPBG. Eso sí, no da acceso a todo el expediente, sino solo a los hechos constatados y las medidas adoptadas[13], y, por coherencia, señala que tampoco podría admitirse en este caso el acceso por terceros a más información[14]. Si la denuncia da lugar al inicio de un procedimiento sancionador, este se encuentra en curso y el denunciante tiene la condición de interesado, entonces sí sería de aplicación la DA1.1[15]. Si no la tiene, seguiría el régimen general de la LTAIPBG como cualquier otro solicitante. En el caso de que el procedimiento sancionador estuviera concluso, todos –denunciantes, sean interesados o no, y terceros–, tendrían acceso a través de la normativa sobre acceso, con los límites generales en ella contenidos –y que, como

---

la Ley 30/1992, de 26 de noviembre, de Régimen Jurídico de las Administraciones Públicas y del Procedimiento Administrativo Común. En el mismo supuesto, se reconoce expresamente la condición de interesados en el procedimiento a los representantes de las organizaciones sindicales o representantes de los trabajadores, en su condición de titulares de los intereses legítimos que derivan de su representación".

[13] RR 399/2016, de 25 de noviembre, 311/2017, de 26 de septiembre y 563/2018, de 20 de diciembre, ratificada esta última por la SJCCA núm. 10, de 2 de septiembre de 2019, 97/2019, y confirmada por SAN de 6 de marzo de 2019 (58/18).

[14] En la R 318/2018, de 23 de agosto, en que una federación sindical solicita un informe de la Inspección de Trabajo y Seguridad Social elaborado a raíz de una denuncia, el CTBG se remite a las RR 399/2016 y 311/2017, citadas, pero considera que en este caso se persigue un objetivo ajeno a la LTAIPBG y apela al abuso de derecho y al fraude de ley, constatando que si se diera acceso a la información se permitiría al no denunciante obtener más información de la que la normativa citada permite obtener al propio denunciante, y, por ello, llamaría a los denunciantes a actuar por persona interpuesta para obtener la información, por lo que desestima la reclamación.

[15] R 621/2019, de 26 de noviembre: "cabe indicar que, en virtud del párrafo segundo del apartado 4 del artículo 20 de la mencionada Ley 23/2015 [de 21 de julio, ordenadora del sistema de Inspección de Trabajo y Seguridad Social], la condición de interesado la obtendría el denunciante, en su caso, en el supuesto de que la denuncia diera lugar al inicio de un procedimiento sancionador, circunstancia que, conforme consta en el expediente, se ha reflejado en los antecedentes de hecho, y tanto el reclamante como la Administración han reconocido, ocurre en el presente supuesto, en el que el denunciante ha adquirido la condición de interesado al haberse iniciado un procedimiento sancionador".

es sabido, en la ponderación, tiene en cuenta el interés público o *privado* superior, de tal modo que el denunciante interesado podría obtener, teóricamente al menos, información que al tercero no interesado se le denegaría[16]–. Sin embargo, en otros casos, ya no referidos a la Inspección de Trabajo y Seguridad Social, el CTBG sí ha reconocido al denunciante la condición de interesado e inadmitido las reclamaciones[17]. No parece, en fin, manejar como criterio de fondo que el denunciante tenga un derecho o interés afectado por la actividad o por el hecho denunciado, o por el resultado de la actuación inspectora y, en su caso, sancionadora, y ello pese a que, como señala el artículo 62.5 LPAC, "la presentación de una denuncia no confiere, *por sí sola*, la condición de interesado en el procedimiento" (lo que dependerá de esa circunstancia). Finalmente, hay que constatar que, si el denunciante invocó la LPAC para obtener la

---

[16]   En la posterior R 643/2018, de 4 de febrero de 2019, en que el solicitante sí era el denunciante, estima que, al no acoger la normativa sobre inspección un régimen específico de acceso, "con independencia de la condición o no de interesada que tenga la Reclamante, la solicitud de acceso al expediente instada por el Reclamante debe entenderse amparada por la LTAIBG, salvo que se dé la circunstancia de que dicho expediente esté todavía en curso y el solicitante de acceso tenga la condición de interesado en el mismo, en cuyo caso, se aplicarían las normas concretas del procedimiento administrativo en curso, conforme prevé su Disposición Adicional Primera, apartado 1". No entra en la cuestión de si el denunciante es interesado, y pasa a analizar si concurren límites al derecho de acceso.

[17]   RR 377/2018, de 17 de septiembre (acceso por el denunciante a un expediente del Instituto de Contabilidad y Auditoría de Cuentas) y 410/2018, de 23 de agosto (acceso por el denunciante a un expediente de la Dirección General de la Policía). En la RT 103/2018, de 5 de septiembre, un denunciante solicita a un Ayuntamiento información sobre los expedientes generados por sus denuncias por ruido. El CTBG entiende que: "teniendo en consideración dicha Disposición adicional no puede por menos que considerarse que en el caso que nos ocupa nos encontramos ante el ejercicio de un derecho que se encuentra reconocido en las propias normas de procedimiento administrativo. Son, por lo tanto, las normas del procedimiento administrativo de denuncias, en este caso la Ley 39/2015 de 1 de octubre, del Procedimiento Administrativo Común de las Administraciones Públicas, en el que se desarrolló el expediente y se generó la información sobre la que se interesa ahora el reclamante las que serían de aplicación. De modo que, en consecuencia, procede inadmitir la presente reclamación".

información, inadmite la reclamación acudiendo a la proscripción del "espigueo"[18].

c) El procedimiento se halla *en curso*, en la doctrina del CTBG, no solo hasta el momento en que se dicta resolución[19] –incluido, por supuesto, durante el tiempo en que el procedimiento se encuentre eventualmente suspendido[20]–, sino también en tanto que la resolución no es firme, bien porque no ha transcurrido aún el plazo para recurrirla en vía administrativa o judicial[21], o bien porque se ha interpuesto en plazo el recurso correspondiente[22], lo cual conecta con su conexión con el derecho de defensa de los interesados[23]. Su doctrina es contradictoria en los casos de información relativa a procedimientos de subvenciones sometidos a posterior seguimiento y, en su caso, al ejercicio del procedimiento de reintegro[24]. Eso sí, un posterior procedi-

---

[18] R 828/2019, de 16 de diciembre.

[19] O, si se pide información sobre la notificación, hasta que se incorpora el acuse de recibo al expediente. Así, R 345/2019, de 13 de agosto, que presume que "posiblemente estuviera todavía en fase de notificación".

[20] R 557/2018, de 14 de diciembre.

[21] Doctrina general. Por todas, R 206/2019, de 20 de junio. En contra, el Consejo andaluz, que considera que el procedimiento termina con la resolución (por todas, R 25/2019), que nos parece la solución correcta.

[22] Doctrina general. Por todas, R 592/2019, de 12 de noviembre, en que aclara que "incluso aunque ambos recursos estuvieran ya resueltos, también tendría que contabilizarse el plazo de dos meses para recurrir en vía contencioso-administrativa. En cualquier caso, en el momento de presentar la solicitud de transparencia, ambos recursos se encontraban en plazo de resolución".

[23] En este sentido, O. Mir Puigpelat, *Transparencia y procedimiento administrativo. El derecho de acceso al expediente y su conexión con el derecho de acceso a información pública, Op. Cit.*, pág. 85.

[24] Así, la R 413/2016, de 14 de diciembre, considera que no obsta a la consideración de procedimiento finalizado el dato de que las resoluciones por las que se conceden ayudas estén sometidas a un procedimiento posterior de comprobación del cumplimiento de las condiciones a las que se sometió su otorgamiento. Sin embargo, la R 2/2018, de 27 de marzo, en que una federación de organizaciones sindicales, que recibió una subvención para la realización de acciones formativas, solicita copia de los informes emitidos en las visitas de seguimiento, deniega el acceso a los informes emitidos al estimar que se trata de un procedimiento en curso mientras dura el plazo de ejecución de la subvención y la R 466/2017, de 16 de enero de 2018 deniega igualmente el acceso a información en atención a la existencia de un procedimiento de reintegro de subvenciones. El Consejo andaluz (R 301/2018) o el aragonés (R 17/2017) consideran que el

miento por alcance por el Tribunal de Cuentas no implica que el procedimiento de concesión de la ayuda se halle aún en curso[25]. Considera, incluso, que la existencia de un procedimiento de apremio en curso implica que el procedimiento administrativo del que deriva la resolución cuya ejecución forzosa se lleva a cabo se halla en curso[26]. Si se solicita información estando el procedimiento en curso –incluida la propia información sobre la tramitación de un recurso y sus responsables[27]–, entendido el concepto de "procedimiento en curso" en el amplísimo sentido que acabamos de reseñar, se inadmite la reclamación[28]. El CTBG se sitúa, en fin, en línea con la interpretación que hace la jurisprudencia europea del concepto de procedimientos "en curso", a los efectos de aplicar los límites al acceso conectados con la protección de la integridad de los procedimientos[29]. En caso de desconocer el dato sobre si el procedimiento estaba o

---

       procedimiento termina con la resolución por la que se concede la resolución, solución que juzgamos la correcta.

[25]   RR 878/2019, 53/2020, de 6 de marzo de 2020 y 923/2019, de 18 de marzo de 2020.

[26]   R 783/2020, de 16 de febrero.

[27]   RT 143/2018, de 3 de abril.

[28]   Por todas, R 646/2019, de 16 de diciembre. Las RRTT 426, 431 y 433/2019, de 4 de julio, y 457/2019, de 7 de octubre añaden: "No obstante, debe recordarse que la finalidad de la disposición adicional primera de la LTAIBG aplicada en este caso no es denegar el acceso a la información a quien tiene la condición de interesado, sino proteger esta condición que deriva de un interés privado en el procedimiento y que, por tanto, supone una posición reforzada respecto a un tercero ajeno al mismo que sólo puede acudir a la LTAIBG. Así, estos interesados gozan de los derechos recogidos en el artículo 53.1 de la Ley 39/2015, de 1 de octubre, del Procedimiento Administrativo Común de las Administraciones Públicas, entre ellos acceder y a obtener copia de los documentos contenidos en los procedimientos en los que ostentan la condición de interesados. La diferencia es que este derecho se debe ejercer como interesado en el procedimiento correspondiente y en virtud de la normativa que lo rige".

[29]   Al respecto, véase E. Guichot, "Límites", en E. Guichot y C. Barrero Rodríguez, *El derecho de acceso a la información pública*, Tirant lo Blanch, Valencia, 2020, págs. 273-282. No obstante, debe reseñarse que, en algunos casos, por el contrario, ha considerado que el procedimiento ha finalizado con la resolución, de modo que la posterior interposición de recursos administrativos o judiciales no impide la aplicación de la LTAIPBG. Así, en RT 280/2016, de 22 de septiembre o en R 63/2018, de 30 de abril.

no en curso, por un principio de interpretación favorable, admite la reclamación[30]. Si detecta que se trata de una solicitud y posterior reclamación referida a un procedimiento en curso realizadas por el interesado "por persona interpuesta", inadmite la reclamación[31]. Ha de añadirse que en algunas ocasiones ha ido más allá, a nuestro juicio, sin fundamento normativo: así, ha estimado que el acceso a información de otros procedimientos finalizados, requerida en relación con un procedimiento en curso, ha de tener el mismo tratamiento, y ha inadmitido la solicitud[32]; o directamente ha prescindido del dato de que el procedimiento esté o no en curso y lo ha aplicado a procedimientos terminados[33].

Cuando concurren estas notas (específico procedimiento administrativo aplicable al caso; solicitud por un interesado y procedimiento en curso), el CTBG considera que es de aplicación la normativa sobre acceso por los interesados a información relativa a procedimientos administrativos en curso, incluidos los recursos generales en ella previstos, con independencia de la normativa que haya invocado el solicitante, y no, pues, la LTAIPBG y la reclamación en ella prevista. Cuando la información se ha pedido por las dos vías, o bien por la

---

[30] R 122/2020, de 1 de junio. ad
[31] R 870/2020, de 18 de marzo. El CTB estima que "la solicitud de acceso y la posterior reclamación se han presentado con la finalidad de intentar eliminar las barreras que impiden el acceso del verdadero interesado –el esposo de la reclamante– a los documentos contenidos en el procedimiento administrativo incoado –y aun no terminado– por la Administración. La reclamante ahora pretende suplantar la condición de interesado de su esposo, que no tendría derecho a solicitar el amparo de la LTAIBG por aplicación de su disposición adicional primera, apartado primero."
[32] RT 244/2017, de 12 de abril, en que se solicita la relación de resoluciones estimatorias de reclamaciones previas a la vía laboral declarando el carácter laboral indefinido no fijo de personal a su servicio que hayan tenido entrada en el Registro general de personal. El CTBG considera que la solicitud se inscribe en el seno de un procedimiento de revisión de oficio acordado por la Consejera frente a la resolución del Presidente del Consejo consultivo autonómico por la que se declaraba al solicitante personal laboral, y apela a la RT 180/2017, con el mismo reclamante, que se inadmitió en relación con su procedimiento en curso.
[33] RRTT 397/2017, de 6 de noviembre, 194/2017, de 19 de junio y 394/2018, de 10 de octubre.

de procedimiento para después reclamar por la vía de la normativa de acceso a la información, inadmite o desestima la reclamación[34], acudiendo a su teoría de la proscripción del "espigueo"; esto es, de la selección táctica de grupos normativos[35].

Por lo demás, cabe constatar que el CTBG ha aplicado la DA1.1 LTAIPBG, no ya a información relativa al procedimiento en curso, sino también sobre las propias circunstancias de la tramitación en curso[36].

Si, por el contrario, el CTBG constata que el procedimiento está terminado, en el sentido antes indicado, en principio admite la reclamación, aunque el solicitante haya sido interesado en el procedimiento[37].

Ahora bien, hay que resaltar que, de forma cada vez más recurrente, el CTBG está haciendo valer que la vía natural que tienen los interesados para solicitar información referida a los procedimientos de los que son parte es hacerlo conforme a la normativa que rija el concreto procedimiento cuando este está en curso, acudiendo, en caso de que se les deniegue, a los recursos administrativos pertinentes. La utilización *a posteriori* de la normativa de acceso a la información y, en caso de denegación de la solicitud, de la reclamación ante la autoridad de transparencia, sería una desnaturalización del sentido de esta normativa, de su finalidad, expresada en el Preámbulo de la LTAIPBG.

---

[34] R 286/2018, de 26 de julio, RT 398/2017, de 6 de noviembre de 2017.

[35] R 564/2018, de 20 de diciembre: "A mayor abundamiento, debe mencionarse el uso que el Reclamante ha hecho, en el presente caso, de la llamada "técnica del espigueo", consiste en mantener la validez de las normas favorables e impugnar la de otras que puedan tener relación con ellas o, dicho de otra manera, utilizar en un procedimiento la norma que más conviene en cada momento, desechando otra que no interesa. O incluso, seleccionar los artículos más favorables -o sólo parte de ellos- de diferente normativa, en principio incompatibles, para ejercer o disfrutar de un derecho". En el mismo sentido, RR 612/2018, de 5 de diciembre, 179/2019, de 4 de abril, 469/2019, de 25 de julio o 776/2019, de 22 de noviembre.

[36] RR 110/2016, de 14 de junio, 119/2017, de 20 de abril, 100/2017, de 26 de mayo y 236/2018, de 13 de julio.

[37] RR 15/2016, de 30 de marzo, 319/2018, de 24 de agosto, 568/2018, de 27 de diciembre, 722/2018, de 21 de febrero de 2019, 833 y 834/2019, de 13 de febrero.

Esta "advertencia" la ha realizado, en particular, en materia de empleo público. El CTBG hace constar que la LTAIPBG no es la vía adecuada para revisar acuerdos y decisiones administrativas dictadas en los procedimientos de selección, sino que la obtención de la información obrante en el expediente que los participantes necesiten para hacer valer sus derechos debe obtenerse por la vía general que regula estos procedimientos y los recursos contra los actos dictados en su seno; lo contrario constituye un uso desviado de la normativa sobre transparencia y acceso a la información, ya que se persigue una finalidad puramente privada para cuya defensa existen las vías generales de recurso, para cuya preparación el interesado puede solicitar el acceso al expediente[38]. Lo comenzó afirmando al hilo de la inadmisión o desestimación de las reclamaciones relacionadas con procedimientos en curso, en el sentido analizado: cuando aún no se ha adoptado la resolución[39], cuando se está en plazo para recurrirla[40] o cuando ha

[38] R 132/2018, de 10 de abril, en que un participante en un proceso selectivo solicita copia de su examen y de los demás aspirante, actas de las sesiones de calificación con las puntuaciones de cada uno desglosadas y de las revisiones: "Por otro lado, debe señalarse que el objetivo de la Ley de Trasparencia y, derivado de ello, el medio de impugnación de las decisiones que se adopten en materia de acceso, esto es, la Reclamación ante el Consejo de Transparencia y Buen Gobierno, no es otro que controlar la actuación pública y conocer el proceso de toma de decisiones como medio para facilitar la rendición de cuentas de los organismos públicos frente a los ciudadanos. Este principio debe contraponerse por lo tanto frente a la consideración del Consejo de Transparencia y Buen Gobierno como instancia revisora de acuerdos y decisiones de carácter administrativo en el marco de procesos selectivos en los que existen vías de recurso específicas a disposición del interesado".

[39] R 325/2017, de 30 de agosto, en que un opositor pide información sobre un proceso selectivo aún no resuelto en el momento de la solicitud. Además de constatar que el procedimiento estaba en curso cuando se planteó la solicitud, repite la misma fórmula. En el mismo sentido, RR 349/2018, de 6 de septiembre; 422/2018, de 5 de septiembre; 440/2018, de 22 de octubre; 457/2018, de 6 de septiembre; 461/2018, de 10 de septiembre, 636/2018, de 28 de enero de 2019 y RRTT 55/2017, de 16 de marzo, 104/2017, de 30 de junio, 158/2017, de 31 de octubre, 448/2017, de 4 de diciembre de 2017, 460/2018, de 16 de noviembre.

[40] Así, en la R 66/2017, de 12 de abril, en que un interesado solicita información en relación con un concurso para la provisión de plazas. Considera se trata de un interesado y que, aunque se había publicado en el BOE la lista de puntuaciones definitivas, estaba vigente el plazo de consulta y abierto el plazo para recurrir, y añade el mismo *obiter dicta*. En la R 350/2018, de 7 de septiembre, una persona

sido objeto de recurso[41] o, incluso, cuando los candidatos selecciona-

que fue excluida de un proceso selectivo por no estar empadronado en una Comunidad Autónoma y quiere recurrir la resolución solicita copia del expediente administrativo, de los participantes y de las actas del órgano de selección, con la documentación y valoración de los aspirantes. Tras repetir el *obiter dicta* reproducido, concluye que en este caso no concurre un interés público en el acceso a la información "puesto que no se trata de conocer cómo se toman las decisiones en el ámbito del CSIC, ni de cómo maneja el dinero público, ni permitiría a posteriores concursantes adquirir una información que les ayude a defender mejor sus derechos en caso similares al presente". "Tampoco este asunto tiene una trascendencia pública notoria que exija el acceso a los datos, por influir positivamente en los derechos o en el interés general de la ciudadanía en su conjunto". La solicitud, en fin, persigue un interés estrictamente privado, pero aquí el requisito de empadronamiento era objetivo y reglado, no sujeto a interpretación. Y la relación de admitidos y excluidos dispone de su propio procedimiento de revisión e impugnación, que fue utilizado por el reclamante y para el que queda abierta la vía de los tribunales. Por ello, inadmite la reclamación. En la R 636/2018, de 28 de enero de 2019, en que un opositor no seleccionado pide la identificación de los miembros de la comisión permanente de selección del INAP y las actas de aprobados, el CTBG constata que el reclamante ha interpuesto recurso de alzada y añade que la LTAIPBG no ampara el planteamiento de cuestiones privadas o que afecten a un procedimiento en el que los interesados cuenten con sus propias vías de recurso y desestima la reclamación.

41 En la R 239/2017, de 21 de junio, en que un interesado que ha interpuesto recurso administrativo solicita la clave de acceso para acceder a un expediente, añade la misma fórmula e inadmite la reclamación. En la R 271/2017, de 4 de septiembre, en que una persona solicita información sobre la oposición en la que participa antes de que haya finalizado el proceso, y después interpone recurso administrativo, que se desestima. El CTBG argumenta que: "Lo que el interesado hace al reclamar ante este Consejo de Transparencia, sin alegación previa de la LTAIBG, es duplicar la vía de reclamación administrativa, algo no contemplado en el artículo 23 de la LTAIBG, que considera la presente Reclamación ante este Consejo como sustitutiva y no acumulativa o adicional a la reclamación administrativa ordinaria, ni en el artículo 122.2, de la Ley 39/2015, de 1 de octubre, del Procedimiento Administrativo Común de las Administración Públicas, que también establece la posibilidad de sustituir el Recurso de Alzada por otros procesos de reclamación, y cuya resolución podría abrir de nuevo la vía contencioso-administrativa, en otro recurso distinto del anterior ante la vía judicial, vía que ya tiene abierta en virtud de su propia actuación procesal. Es decir, contra la resolución de un Recurso de Alzada no es válido interponer, además del judicial, otro recurso, como es la Reclamación ante este Consejo de Transparencia, por estar expresamente prohibido por el precitado artículo 122.2, de la Ley 39/2015, de 1 de octubre, según el cual "contra la resolución de un recurso de alzada no cabrá ningún otro recurso administrativo, salvo el recurso extraordinario de revisión, en los casos establecidos en el artículo 125.1". En la R 536/2018, de 3 de

dos están en fase de período de formación[42]; pero, más recientemente, lo ha aplicado, incluso, al acceso por los interesados a información relativa a procedimientos selectivos ya concluidos, razonando que el acceso a los listados que se fueron publicando conforme disponía la convocatoria pudo y debió hacerse en el tiempo y forma en que esta dispuso, y que acceder a ellos fuera de este plazo no casa con la finalidad de la normativa sobre transparencia[43].

---

diciembre, un aspirante a una plaza solicita información sobre la titulación de los demás aspirantes. El reclamante interpuso recurso de reposición contra la lista definitiva de admitidos y excluidos. El CTBG afirma: "Así, debe recordarse lo ya razonado por este Consejo de Transparencia y Buen Gobierno en otros expedientes en el sentido de que, existiendo un perjuicio a otros derechos igualmente dignos de protección –como ocurre en este caso con el derecho a la protección de datos personales– la labor de control del cumplimiento de la legalidad que corresponde a la Administración no puede pretender ser suplida por el control que realice el ciudadano mediante la obtención de información que implique esa vulneración de derechos a la que nos referimos". En la R 636/2018, de 28 de enero de 2019, en que un opositor no seleccionado pide la identificación de los miembros de la comisión permanente de selección del INAP y las actas de aprobados, el CTBG constata que el reclamante ha interpuesto recurso de alzada y añade que la LTAIPBG no ampara el planteamiento de cuestiones privadas o que afecten a un procedimiento en el que los interesados cuenten con sus propias vías de recurso y desestima la reclamación. Una formulación similar a la R 271/2017, citada, en la RT 197/2018, de 15 de noviembre, en que se solicita acceso al expediente de un proceso selectivo por parte de un participante, que impugnó judicialmente la resolución, tras denegársele el recurso de alzada.

[42] R 195/2018, de 29 de junio, en que una persona que se presenta a un proceso selectivo de reservistas voluntarios solicita información sobre las personas que se presentaron a cada plaza y la puntuación obtenida, así como la persona adjudicataria de cada plaza. Considera que el procedimiento está en curso por hallarse aún los escogidos en período de formación. Por lo tanto, el derecho a acceder a información contenida en un expediente administrativo que, como en este caso, es ejercitado por la interesada en el procedimiento, tiene su vía propia y natural en la normativa de procedimiento administrativo. En este caso, desestima, no inadmite.

[43] En la R 563/2019, de 5 de noviembre, se solicita acceso a la lista de candidatos interinos de un procedimiento selectivo terminado: "A pesar de lo anterior, no podemos obviar el hecho de que, en su condición de partícipe en un procedimiento de selección de personal, el reclamante tiene cauces para obtener la información que solicita y que, tal y como se indica expresamente en la solicitud, está destinada a conocer su situación en los procesos selectivos y, en consecuencia, si ha superado o no los mismos... así, no se aprecia una acción de control de los poderes públicos en la solicitud efectuada, sino un puro interés estrictamente

Este recurso argumental a la "finalidad" de la normativa sobre transparencia no solo la ha desplegado en relación con estos procedimientos selectivos. Así, ha considerado necesario hacer una precisión general sobre el acceso a procedimientos finalizados por parte de los interesados, que es la siguiente: el interesado en un procedimiento administrativo tiene derecho en cualquier momento a acceder a la documentación obrante en el expediente en el que haya ostentado esa consideración de interesado. Por lo tanto, el derecho a acceder a información contenida en un expediente administrativo por un interesado tiene su vía propia y *natural* en la normativa de procedimiento administrativo. No obstante, el CTBG es consciente de que es difícil sustraer al amparo de la LTAIPBG, incluyendo el mecanismo de impugnación en ella prevista, a aquellos supuestos en que se solicita información cuando el procedimiento ha concluido, entendiendo la DA1 *a sensu contrario*. De este modo, admite las reclamaciones en coherencia con la literalidad de la DA1.1[44], pero, en ocasiones, añade que podría entenderse como un uso no plenamente conforme con la finalidad de la LTAIPBG[45] .

En definitiva, el CTBG parece debatirse entre el respeto a una interpretación literal de la LTAIPBG –conforme a la cual, *sensu contrario*, el acceso a la información referida a procedimientos terminados se rige por la normativa de transparencia y acceso a la información,

---

privado en la obtención de la información que no está destinado a *conocer cómo se toman las decisiones que les afectan, cómo se manejan los fondos públicos o bajo qué criterios actúan nuestras instituciones*. Las listas pedidas son públicas y el interesado dispone de un plazo suficientemente amplio para consultarlas y alegar lo que a su derecho estime conveniente frente a las autoridades competentes en la materia, sin que deba solicitar amparo de este Consejo de Transparencia".

[44]   R 527/2019, de 17 de octubre, en que un participante en el procedimiento, ya finalizado, solicita información sobre los candidatos incorporados a la Administración por consolidación de empleo temporal.

[45]   R 182/2018, de 25 de junio, en que una candidata a un concurso de provisión de puestos de trabajo solicita acceso al documento que contiene la puntuación que obtuvo desglosada por méritos: "En definitiva y aunque, como señalamos, la redacción de la LTAIBG no lo impide, no podemos sino señalar que, a nuestro juicio, el acceso a la documentación obrante en un expediente administrativo por el interesado en el mismo debería realizarse siempre y en todo caso al amparo de la Ley 39/2015". En el mismo sentido, RR 722/2018, de 21 de febrero de 2019., 302/2019, de 15 de julio o 776/2019, de 22 de noviembre.

con independencia de la condición o no de interesado del solicitante–, y una interpretación finalista de la misma, conforme a la cual los interesados han de acudir a la normativa sobre procedimiento administrativo para obtener información en relación con los procedimientos, en curso o finalizados, en los que sean o hayan sido parte, estándoles vedada la vía de la normativa sobre transparencia[46]. Parece entender, por cierto, que el acceso por el interesado a la documentación obrante en el expediente, previsto, en referencia a la normativa común de la LPAC en el artículo 53.1.a), es de aplicación también a los procedimientos ya tramitados, lo cual es ambiguo en la dicción legal[47].

Esta última perspectiva basada en la finalidad, también adoptada en su interpretación de los límites[48], revela las graves faltas de precisión e incoherencias de la LTAIPBG, que encierra una contradicción interna entre dos visiones del derecho de acceso. Por una parte, una visión del acceso a la información como derecho de ciudadanía para el control y la rendición de cuentas, en coherencia con la cual los solicitantes no han de acreditar interés alguno ni precisan motivar la solicitud –y si lo hicieran voluntariamente debiera ser para enfatizar el interés público de la información–, visión según la cual la solicitud puede inadmitirse como abusiva por no estar justificada por la finalidad de transparencia y el interés a ponderar, cuando la solicitud afecta

---

[46] Así, p. ej., R 844/2019, de 24 de febrero de 2020: "Sentado lo anterior, debe concluirse que el interesado en un procedimiento administrativo tiene derecho en cualquier momento a acceder a la documentación obrante en el expediente *en el que haya ostentado esa consideración de interesado*. Por lo tanto, el derecho a acceder a información contenida en un expediente administrativo que, como en este caso, es ejercitado por la interesada en el procedimiento, tiene su vía propia y natural en la normativa de procedimiento administrativo". La cursiva es nuestra. En este caso, desestima la reclamación, no la inadmite.

[47] Artículo 53.1 LPAC: "Además del resto de derechos previstos en esta Ley, los interesados en un procedimiento administrativo, tienen los siguientes derechos: a) A conocer, en cualquier momento, el estado de la tramitación de los procedimientos en los que tengan la condición de interesados; el sentido del silencio administrativo que corresponda, en caso de que la Administración no dicte ni notifique resolución expresa en plazo; el órgano competente para su instrucción, en su caso, y resolución; y los actos de trámite dictados. Asimismo, también tendrán derecho a acceder y a obtener copia de los documentos contenidos en los citados procedimientos".

[48] Al respecto, véase E. Guichot, "Límites", en E. Guichot y C. Barrero Rodríguez, *El derecho de acceso a la información pública, Op. Cit.*, 2020, págs. 202-232.

a un límite, es el interés público de la información. Por otra, una visión que añade una perspectiva "instrumental" del derecho de acceso para la defensa de derechos e intereses individuales, que permite tener en cuenta el interés privado en esa ponderación, interés que parece, más bien, debiera tener su valoración en la normativa reguladora del procedimiento administrativo. Mientras que se mantenga esta contradicción interna, este pie quebrado, la doctrina del CTBG tendrá que operar con estos mimbres averiados, incurriendo, también ella, en contradicciones internas.

Para alcanzar, en fin, el "objetivo" pretendido por el CTBG, debería cambiarse la dicción del artículo 14.2, eliminando la referencia como criterio de ponderación al interés "privado" superior; la del 15.3.a) en su apelación con criterio ponderativo a la "justificación por los solicitantes de su petición en el ejercicio de un derecho", y la de la DA1.1, eliminando la referencia a "en curso", y modificar el artículo 53.1 LPAC para incluir al acceso de los interesados al expediente en procedimientos terminados[49]. De este modo, las solicitudes de interesados de acceso al expediente por los interesados tendrían como única vía la de la normativa del correspondiente procedimiento y en ella los límites serían, como veremos, de apreciación matizada, más favorable al acceso por cuanto están en juego los derechos de defensa. Ciertamente, los interesados siempre podrían actuar a través de la normativa sobre transparencia "camuflados", sin mencionar su relación con el asunto, o por persona interpuesta, pero en ese caso tendrían sus posibilidades de acceso más reducidas si se enfrentan a un límite, como veremos a continuación.

Mientras la dicción legal sea la que es, no cabe desestimar solicitudes referidas a información obrante en procedimientos terminados por la mera circunstancia de que el solicitante persiga un interés "meramente privado", si no concurre una causa de inadmisión o un límite, como de forma contundente se ha encargado recientemente de apuntar el Tribunal Supremo, para el que no cabe derivar ese efecto de una mera referencia al Preámbulo de la LTAIPBG ni del concepto

---

[49] Compartimos con O. Mir Puigpelat, *Transparencia y procedimiento administrativo. El derecho de acceso al expediente y su conexión con el derecho de acceso a información pública, op. cit.*, pág. 85, nota 11, que por razones sistemáticas no parece ser ese el sentido actual del artículo 53.

de "información pública" acogido en el artículo 13 de la Ley[50], y para
el que, aún más, las finalidades "privadas" también tienen cabida en
el Preámbulo de la Ley, "[...] que entre otras incluye la posibilidad de
que los ciudadanos puedan "conocer cómo se toman las decisiones
que les afectan", sin perjuicio además de que la solicitud de acceso a
una información pública por razones de interés privado legítimo no
carezca objetivamente de un interés público desde la perspectiva de la
transparencia que fomenta la LTAIBG, pues puede contribuir-de forma indirecta si se quiere- a esa finalidad de la LTAIBG, reseñada en su
preámbulo, de fiscalización dela actividad pública que contribuya a la
necesaria regeneración democrática, promueva la eficiencia y eficacia
del Estado y favorezca el crecimiento económico."

Siendo este el estado de la cuestión legal y jurisprudencial, en su
más reciente doctrina, el CTBG está optando por desestimar las solicitudes, no ya por entender que sea de aplicación la normativa sobre
procedimiento, ni tampoco invocando sin más de oficio la incompatibilidad de los fines privados con el concepto de información pública
y la finalidad general de la Ley, sino conectándolo con la causa de
inadmisión del artículo 18.1.e), referida a las solicitudes tengan un
carácter abusivo no justificado con la finalidad de transparencia de
la Ley, lo que no deja de entrar en contradicción con la visión del
Tribunal Supremo para el que, como acabamos de ver, posibilitar que
el personalmente afectado por una información la conozca, es una las

---

[50] El caso era el de una persona que solicitó al Ministerio del Interior el listado de toda la correspondencia que envió y recibió durante su permanencia en
un centro penitenciario, para conocer el número de registro y hacerlo valer en
un procedimiento administrativo. El CTBG en su R 333/2017, de 6 de octubre
consideró que, aunque lo solicitado sea información pública, la solicitud no per-
seguía una finalidad de control público o rendición de cuentas, sino un mero
interés privado. De modo que si el reclamante quiere conocer si se ha producido
alguna irregularidad de tipo administrativo en la actuación de los funcionarios
de los centros penitenciarios encargados del registro de correspondencia, o en los
contenidos de dichos registros, debe utilizar los cauces que la normativa le pone
a su disposición, como las quejas administrativas. La STS de 12 de noviembre de
2020 (1529/2020), casa la SAN de 27 de mayo de 2019 (3/2019), que a su vez
había ratificado la SJCCA núm. 2, de 9 de julio de 2018 (94/2018), que a su vez
había confirmado la conformidad a la ley de la R 333/2017.

finalidades de transparencia de la Ley[51], y parte de considerar que es posible que en vía de reclamación se aprecien causas de inadmisión que no han sido esgrimidas por la Administración en vía de solicitud y ni tan siquiera en alegaciones[52]. Con esta interpretación, el interesado

---

[51]   Así, en la R 763/2020, de 8 de febrero de 2021, una profesora solicita a la ANE-CA información sobre la valoración de unas publicaciones suyas a los efectos de una convocatoria pasada de sexenios de investigación a la que se presentó. Ante la falta de respuesta, presentó reclamación. El CTBG "aunque no haya sido expresamente invocado por la Administración", analiza si la solicitud tiene amparo en la LTAIPBG y estima que es de aplicación la causa de inadmisión del artículo 18.1.e), al concluir que: "En el caso analizado, no se cumple con esa finalidad de control de la actuación pública que exige la LTAIBG. Entendemos que se solicita una información que no persigue conocer cómo se toman las decisiones públicas, cómo se manejan los fondos públicos o bajo qué criterios actúan nuestras instituciones, sino que se persigue conocer la puntuación asignada a cada una de las publicaciones presentadas por el reclamante, de las que es coautora, para su baremación en una convocatoria de investigación, interés ajeno completamente a la finalidad de la Ley." En la R 772/2020, de 11 de febrero de 2021, un denunciante solicita información sobre el archivo o no de sus solicitudes de inspección y en caso afirmativo, copia del acta de inspección, ya que solo le habían informado de que no se había constatado ningún comportamiento lesivo de la libertad sindical. La Inspección de Trabajo entendió concurrente la causa de inadmisión del artículo 18.1.b). referida a documentos auxiliares o de apoyo. En la reclamación, la Inspección de Trabajo no formuló alegaciones. El CTBG considera que no concurre esa causa de inadmisión, pero, una vez más de oficio, argumenta que: "En el caso ahora analizado, se solicita el acceso a ese acta de inspección no para cumplir con la finalidad que persigue la LTAIBG (conocer cómo toma las decisiones que le afectan, cómo maneja los fondos públicos o bajo qué criterios actúa esa Institución), sino para saber en qué situación se encuentra un expediente de inspección como consecuencia de la denuncia impuesta por el propio reclamante. Sin embargo, [...] más bien parece que se trata de un conflicto propio del ámbito laboral, que no debe entenderse enmarcado dentro d*el derecho de acceso a la información pública* contenido en la LTAIBG, pudiendo devenir en abusiva, en los términos que señala el artículo 18.1 e) de la Ley, relativo a solicitudes abusivas [...]"

[52]   Sobre esta cuestión, véase C. Barrero Rodríguez, "El ejercicio del derecho y el régimen de impugnaciones", en E. Guichot y C. Barrero Rodríguez, *El derecho de acceso a la información pública*, Tirant Lo Blanch, Valencia, 2020, págs. 541-546. La cuestión es especialmente polémica porque la postura inicial del CTBG fue justo la contraria, la de que las causas de inadmisión no podían ser alegadas en la reclamación si no habían sido argumentadas frente al solicitante en el momento de la contestación, interpretación que fue avalada por la Audiencia Nacional, que no obstante posteriormente en otras ocasiones consideró que la excepción a esta prohibición eran los casos en que la resolución había sido

que solicita información que le concierne referida a procedimientos concluidos nada puede esperar de la normativa de transparencia y acceso a la información.

III. UNA INTERPRETACIÓN ARMONIZADORA DE LAS RELACIONES ENTRE EL ACCESO POR LOS INTERESADOS A LA INFORMACIÓN OBRANTE EN PROCEDIMIENTOS Y EL ACCESO POR EL RESTO DE LOS CIUDADANOS

¿Ha de regir supletoriamente la LTAIPBG en lo no regulado por las normas que regulen los respectivos procedimientos administrativos y, en particular, por la LPAC?

Nótese al respecto que la cláusula de supletoriedad se contempla expresamente en el apartado segundo de la DA1, pero no en el primero, si bien ambos se engloban en el rótulo "Regulaciones especiales del derecho de acceso a la información", de tal modo que, desde nuestro punto de vista, puede hablarse de relaciones norma general-normas especiales.

Frente al régimen generoso y antiformalista de la LTAIPBG, las determinaciones sustantivas y procedimentales de la LPAC sobre acceso a la información brillan por su ausencia. Desde la aprobación de la LTAIPBG, hemos venido defendiendo que procedía hacer una interpretación de la normativa de procedimiento a la luz de la LTAIPBG, aplicando esta de forma supletoria, para rellenar estas enormes lagunas y, en particular, que nunca podría ser de peor condición el acceso por el interesado que el acceso por terceros a la hora de acceder a información obrante en un procedimiento cuya resolución afecta a su esfera jurídica, so pena de incurrir en un atentado, ya no solo a la

---

presunta. Posteriormente, el CTBG comenzó a admitir la alegación de causas de inadmisión en sede de reclamación, fuera frente a resoluciones por silencio o fuera frente a resoluciones expresas en las que no se habían hecho valer dichas causas. Ahora va más lejos, apreciando de oficio las causas de inadmisión aun cuando no hayan sido alegadas por la Administración.

tutela judicial efectiva en relación con el principio de no discriminación, sino, nos atrevemos a decir, a la propia lógica y sentido común[53].

---

[53] El principio general de no situar paradójicamente al interesado en peor condición que al tercero a la hora de acceder a la información parece ser el sentir doctrinal generalizado. Por nuestra parte, lo hemos sostenido en E. Guichot, "Transparencia: aspectos generales", en E. Guichot, coord., *Transparencia, Acceso a la Información Pública y Buen Gobierno*, Tecnos, Madrid, 2014, págs. 35-62, en págs. 52-53. S. S. Fernández Ramos y J. M. Pérez Monguió, *El derecho de acceso a la información pública en España*, Aranzadi, Cizur Menor, 2017, estiman que, por encima de interpretaciones literales, si se admite que el reenvío de la legislación de procedimiento no afecta a terceros, no tiene sentido que el interesado sea de peor condición, y citan en esta misma línea a Dolors Canals Ametler y a Leonor Rams Ramos. J. Meseguer Yebra, "El acceso al expediente por parte de los interesados y la reclamación ante los comisionados de transparencia", *Revista Española de la Transparencia*, núm. 6, considera que la posibilidad de acceso de los interesados a la información obrante en un procedimiento debe ser plena, esté o no en curso, por lo que sorprende que se extiendan en el artículo 82.1 LPAC al caso de los procedimientos en curso los límites de la LTAIPBG, cuando está en juego el artículo 24 de la Constitución. Es de obligada lectura la reciente obra de O. Mir Puigpelat, *Transparencia y procedimiento administrativo. El derecho de acceso al expediente y su conexión con el derecho de acceso a información pública*, Civitas-Aranzadi, Madrid, 2019. Parte también del presupuesto de que el derecho de acceso al expediente no puede ser en ningún caso más reducido que el de los terceros. Es más, considera que solo debe poder verse reforzado como consecuencia de la extraordinaria expansión que ha experimentado el derecho general de acceso a información pública. Ambos derechos se distinguen en cuanto a sus titulares, su objeto, su alcance temporal y su finalidad, si bien considera el profesor Mir Puigpelat que puede llegar a sostenerse que el primero constituye en realidad en el ordenamiento jurídico español vigente una especie o subtipo del segundo; un derecho *específico* de acceso, frente al derecho *general* de acceso. Les une, pues, una relación de especialidad y de complementariedad. Se impone así, a su juicio, una "interpretación integrada" que, "en caso de laguna", extiende al derecho de acceso de los interesados las previsiones más favorables que pueda contener la LTAIPBG. Esta directriz la extrae de una interpretación analógica, y no de una regla de supletoriedad, probablemente para huir de la objeción que podría formularse, en el sentido de que precisamente el apartado primero de la disposición adicional primera elude la referencia a lo "supletorio", que sí está contenida en el apartado segundo, referido a las materias que tienen previsto un régimen jurídico específico de acceso a la información. Esta "interpretación integrada" del acceso por los interesados, a la luz de la regulación general del acceso por terceros, le lleva a defender una interpretación restrictiva de qué debe entenderse excluido del concepto de "expediente"; un mayor peso en la ponderación en favor del acceso al interesado en la interpretación de los límites, que tendencialmente debería equiparar sus posibilidades de acceso a las que se le reconocen

Es decir, en todo caso, no podrían aplicarse al interesado límites más estrictos que los establecidos por la LTAIPBG, máxime cuando esta no exige acreditar interés alguno (y siempre podría, en caso contrario, solicitar el interesado la información "mediante persona interpuesta"). Pero es que, además, los derechos de contradicción y defensa deberían conllevar una inaplicación o una aplicación más reducida de los valores protegidos por algunos de los límites contemplados en el artículo 14 LTAIPBG como los relativos a la prevención, investigación y sanción de los ilícitos penales, administrativos o disciplinarios, las funciones administrativas de vigilancia, inspección y control, la garantía de la confidencialidad o el secreto requerido en procesos de toma de decisión, esos límites que pueden englobarse bajo el paraguas de "límites destinados a proteger la efectividad/integridad de los procedimientos administrativos o judiciales", que actúan, básicamente, respecto a procedimientos en curso, en el sentido del término que, hemos visto, tiene la expresión en este contexto, según se interpreta en el Derecho europeo y español, es decir, respecto de resoluciones que no han adquirido firmeza. Por aplicación de estos límites, el acceso por terceros a la información relacionada con esos procedimientos aún pendientes de una decisión inatacable es limitado. Hasta el punto de que, en el Derecho europeo, uno de los razonamientos acogidos es que es la normativa que regula el procedimiento la que establece qué personas tienen acceso a qué documentación, actuando como normativa específica respecto a la general de acceso a la información, cuya aplicación también a los procedimientos en curso desvirtuaría esta regulación, lo que se ha articulado a través del reconocimiento de una serie de presunciones de daño. En el caso del Derecho español, sin

---

cuando el asunto se judicializa –evitando así la práctica de interponer un recurso contencioso con la finalidad de poder acceder al expediente completo–; una interpretación de los requisitos procedimentales –huérfanos de regulación– que concilie eficacia, celeridad y simplificación y garantías para interesado y terceros, descartando que con carácter general se exija forma escrita; un procedimiento sencillo con intervención de terceros y un plazo de resolución nunca superior a un mes; una libertad general de elección de la modalidad de acceso y un reconocimiento del derecho a obtener copias, salvo en casos excepcionales cuando la protección de la confidencialidad exija el mero acceso presencial; o la gratuidad del acceso *in situ* o electrónico, pudiendo cobrarse en otro caso solo los costes de reproducción.

acoger presunciones generales, la interpretación llevada a cabo por el CTBG de los límites mencionados es también notablemente protectora de la reserva de un "espacio para decidir sin miradas ajenas" por parte de los sujetos obligados por la LTAIPBG. Cualquiera que sea la valoración que se tenga de esta "política interpretativa" –en nuestro caso, crítica, pues tanto en el sistema europeo como en el español los límites están sometidos al test del perjuicio o daño, por lo que la existencia de un procedimiento en curso no debería bastar, por sí, para excluir el acceso e impedir un debate informado en la sociedad sobre la cuestión pendiente de decisión–[54], lo cierto es que esos límites, solo excepcionalmente, serán aplicables a un interesado parte de un procedimiento en que están en juego sus derechos e intereses y en que la LPAC reconoce un acceso permanente a la documentación. Dicho de forma literaria, se podrá querer preservar un espacio para decidir sin miradas ajenas, pero sin excluir por esa razón al directamente afectado por la decisión a adoptar, que no es por tanto un extraño sino el propio sujeto "observado"[55].

Adicionalmente, merece destacarse una vez más que la LTAIPBG incluyó en la ponderación "el interés público o privado superior que justifique el acceso". Y, en relación con el límite de la protección de datos, como también vimos, se introdujo como criterio ponderativo "la justificación por los solicitantes de su petición en el ejercicio de un derecho". Se tenga una valoración favorable o desfavorable de ambas previsiones –la nuestra, desfavorable, ya la hemos argumentado en diversos trabajos–, lo cierto es que son claros asideros para decantar la balanza a favor del acceso por los interesados cuando está en juego su derecho de defensa. Y, de hecho, es lo que está ocurriendo en el día a día de las resoluciones de los Consejos que, en la práctica, están tomando en consideración la posición del solicitante de acceso a la información, lo que se manifiesta de modo muy claro en las solicitudes

---

[54] No es casual que, en el interminable proceso de reforma de la normativa europea, la Comisión pugne por excluir sin más el acceso a documentos referidos a procedimientos en curso. Al respecto, véase E. GUICHOT, *Transparencia y acceso a la información en el Derecho europeo*, Editorial Derecho Global, Sevilla, 2011, págs. 112-113.

[55] Sobre estos límites, véase E. Guichot, "Límites", en E. Guichot y C. Barrero Rodríguez, *El derecho de acceso a la información pública, Op. Cit.*, 2020, págs. 271-343.

de información por parte de personas que participan en unas pruebas selectivas o concurren a puestos en la función pública, o en las solicitudes de información por parte de representantes de los trabajadores, cuando han de ponderar el interés privado de los solicitantes y el derecho a la protección de datos de terceros.

La propia LPAC parece apuntar en esta dirección, al regular la vista del expediente en el trámite de audiencia, cuando dispone que *"se tendrán en cuenta* las limitaciones previstas *en su caso* en la Ley 19/2013, de 9 de diciembre"[56] (la cursiva es nuestra), sin operar, pues, una equiparación plena.

IV. ¿COMPETENCIA DE LAS AUTORIDADES DE TRANSPARENCIA PARA CONOCER DE RECLAMACIONES CONTRA DENEGACIONES DE ACCESO A LA INFORMACIÓN A LOS INTERESADOS?

Un punto muy polémico es el de si, en esta relación norma general-norma especial, y en ausencia de la mención a la supletoriedad, debería entenderse que cabe a los interesados plantear una reclamación ante las autoridades de transparencia cuando se les deniega información sobre procedimientos en curso. Ya hemos reseñado la negativa del CTBG, posición que han seguido algunos Consejos autonómicos como el de Andalucía[57], el de Canarias[58] o el de Baleares[59], y que, además, hace que no entren a conocer la cuestión de si el derecho de acceso de los interesados ha de interpretarse de forma integrada a la luz de la LTAIPBG. Otras autoridades de transparencia, en cambio, en número mayoritario, admiten su competencia, lo que les permite además entrar en esa cuestión. La Comisión de Garantía del Derecho de Acceso a la Información Pública de Cataluña ha sido pionera. Junto a múltiples resoluciones, su posición está reflejada en su Dictamen 7/2016, de 30 de noviembre. Considera que la condición de interesado

---

[56]   Artículo 82.1.
[57]   R 118/2016, de 7 de diciembre.
[58]   RR 30/2016, de 8 de marzo, y 225/2020, de 5 de febrero de 2021.
[59]   RR. 6/9391/2017, 10/4977/2018.

debe tenerse en cuenta a la hora de ponderar los posibles límites y el interés privado que en este caso se suma al público en el conocimiento de la información y que, en todo caso, el interesado, esté o no en curso el procedimiento, cuenta con la garantía de la reclamación ante la autoridad de control[60]. La ha seguido el Consejo de Transparencia de

---

[60] "Primera.- La disposición adicional 1ª apartado 1 LTAIPBGE, condicionada probablemente por la sustancialmente diferente regulación del acceso a la documentación que forma parte de procedimientos en trámite que hacían los artículos 35.a y 37 LRJAP-PAC, según si quien solicitaba el acceso era o no una persona interesada, remite a la legislación reguladora del procedimiento administrativo el acceso a esta información de las personas interesadas, con la condición de que también tienen derecho las no interesadas si invocan la legislación de transparencia y acceso a la información pública. Segunda.- La principal justificación material de la dualidad de regímenes de acceso apuntada a la conclusión 1ª es evitar que la tramitación y resolución de solicitudes de información formuladas por personas interesadas, las actuaciones de las que pueden ser relevantes para la conducción del procedimiento en trámite afectado, no alteren este al margen de lo previsto por la normativa (de procedimiento administrativo) que lo regula. También contribuye a justificar esta dualidad de regímenes el hecho de que el órgano competente para otorgar el acceso en el marco de la legislación de procedimiento administrativo es el responsable de tramitar el procedimiento, y no el competente según la LTAIPBGE, que lo sería para resolver las solicitudes formuladas por las personas no interesadas. Tercera.- La aplicación del régimen de acceso establecido por la legislación de procedimiento administrativo no puede comportar que los interesados tengan un derecho de acceso a la documentación de los procedimientos en trámite menor de lo que les garantizaría la legislación de transparencia y acceso a la información pública , sino más bien todo lo contrario: mayor o más reforzado. Cuarta.- Son personas interesadas en un mismo procedimiento administrativo en trámite las que se encuentren en alguna de las circunstancias previstas por el artículo 4 LPAC y a todas ellas les será de aplicación el mismo régimen y procedimiento de acceso a la información que forma parte: el definido por la legislación de procedimiento administrativo que sea aplicable al caso. Quinta.- El concepto de persona interesada es más preciso que el de persona afectada, ya que en principio reúnen esta condición las que sean titulares de derechos, a pesar de no se hayan personado en el procedimiento, mientras que para ser interesada las que sean titulares de intereses deben haberse personado antes de recaer la resolución definitiva. Sexta.- Si en el acceso a la documentación incluida en un procedimiento en trámite concurre el límite de igualdad de las partes en los procesos judiciales, en principio afecta por igual a las personas interesadas y las no interesadas. Séptima.- Aunque los límites legales aplicables al derecho de acceso son los mismos aplicando la legislación de transparencia o aplicando la de procedimiento administrativo cuando la persona solicitante es interesada en un procedimiento administrativo en trámite, la posición jurídica respectiva en un caso y en el otro es diferente, ya que

Valencia, rectificando una línea inicial desfavorable[61], el de Aragón, estudiando como acostumbra de forma pedagógica y clara las

---

al ponderar la aplicación de los límites concurrentes el interesado podrá ostentar un interés privado favorable al acceso, que se sumaría al público derivado de la legislación de transparencia, mientras que la no interesada cuenta a favor del acceso sólo con lo que resulte de estos intereses públicos. De ahí que la resolución de los dos procedimientos de acceso pueda ser diferente, en beneficio del de la persona interesada; lo que no sería explicable, y la Administración debe procurar evitar, es que en relación con un mismo objeto se otorgue mayor acceso a una persona no interesada, aplicando la LTAIPBGE, que a una persona interesada, aplicando la legislación de procedimiento administrativo. Octava.- Si una misma persona, que tiene la condición de interesada en un procedimiento en trámite, presenta dos solicitudes de información que forma parte de él, una al amparo de la legislación de procedimiento administrativo, y la otra en el amparo de la legislación de transparencia y acceso a la información pública, la Administración las debería reconducir a la unidad y acumularlas, ya que si tiene la condición de persona interesada su acceso a la información se debe tramitar y resolver siempre por el órgano competente sobre el procedimiento en trámite, que deberá aplicar la legislación de procedimiento administrativo, con independencia del circuito administrativo y de la fundamentación jurídica empleados por la persona solicitante. Novena.- Tanto si el procedimiento seguido para resolver sobre el acceso a la información es el de la LTAIPBGE, o el de la legislación de procedimiento administrativo, si el objeto de la solicitud es acceder a información pública las personas solicitantes pueden reclamar ante la GAIP, porque negar esta vía de reclamación a las personas interesadas significaría dispensarles un trato peor que el garantizado a las personas no afectadas por la legislación de transparencia y acceso a la información pública".

[61] R 3/2017, de 19 de enero.

diferentes posturas y decantándose por esta solución[62], y la Comisión de Transparencia de Castilla-León[63].

A nuestro juicio, en este concreto supuesto del acceso por los interesados, a diferencia de los previstos en los apartados segundo y tercero de la DA1[64], hay razones de peso para mantener la postura del CTBG y de los Consejos que le siguen, que ellos mismos no han argumentado pero que se pueden apuntar. Las decisiones relativas a la vista del expediente por el interesado en el seno de un procedimiento administrativo tienen la naturaleza de actos de trámite, de modo que el interesado puede impugnarlas por la vía de los recursos administrativos cuando se dicta la resolución definitiva – o, directamente, si se encuadran en el supuesto concreto, entre los actos de trámite cualificados a los que alude la normativa de procedimiento y que permiten

---

[62] R 23/2017, de 18 de septiembre: "A la vista de lo expuesto, y con el máximo respeto al criterio mantenido por el CTBG y otros Comisionados de Transparencia, a juicio del CTAR, si el reenvío de la legislación de procedimiento contenido en la D.A. 1ª de la Ley 19/2013 no afecta a las peticiones de acceso a la información pública por parte de terceros, no tiene sentido que el interesado sea tratado en peor condición que éste. Es decir, si las personas que no tienen la condición de interesados pueden solicitar acceder a la información relativa a un procedimiento en curso y, en su caso, reclamar ante el órgano independiente, con mayor motivo han de poder hacerlo los interesados, que gozan de un derecho de acceso al expediente reforzado por su derecho a la defensa. Procede, en consecuencia, la admisión a trámite de la reclamación. Además, teniendo en cuenta el tiempo transcurrido desde la interposición de la reclamación y el retraso en su resolución — achacable únicamente a este Consejo de Transparencia—, en la actualidad el proceso selectivo ha finalizado, por lo que la reclamación va a resolverse aplicando las normas previstas en materia de derecho de acceso en la Ley 19/2013 y en la Ley 8/2015". En el mismo sentido, RR 17/2018, 37/2018, 59/2018; 7/2019, 8/2020, 14/2020 y 16/2020. Esta doctrina, recalca, ha sido avalada por la STSJ de Castilla y León de 24 de octubre de 2019 (1253/2019).

[63] Así, RR 24/2016, de 8 de agosto, 46/2016, de 11 de noviembre., 70/2017, de 14 de julio, 11/2019, de 28 de enero, 8/2021, de 9 de febrero, 21/2021, 26/2021, 29/2021, 54/2020. La R 70/2017 fue impugnada y fue ratificada por la STJ de Castilla y León de 24 de octubre de 2019 (1253/2019).

[64] Entre otros trabajos monográficos sobre el tema, el más reciente E. Guichot, "El ámbito de competencia de las autoridades de transparencia para conocer de reclamaciones en materia de derecho de acceso a la información", en I. Martín Delgado, E. Guichot Reina, y A. Cerrillo i Martínez, *Configuración legal, actuación y funciones de las autoridades de transparencia*, Fundación Democracia y Gobierno Local, Serie Claves del Gobierno Local, Barcelona, 2019, págs. 71-122, en págs. 99-114.

dicha impugnación directa–[65]. Sustantivamente, estas cuestiones sobre acceso y vista del expediente son determinantes del sentido de la resolución –si se impugnan autónomamente en el caso de constituir actos de trámite cualificados– o del posterior recurso administrativo o judicial– si se alegan al impugnar la resolución, de tal modo que puede resultar coherente y funcional que sean conocidas y decididas por el órgano, administrativo o judicial que ha de resolver sobre la legalidad de la resolución–.

---

[65] Artículo 112 LPAC. Objeto y clases. "1. Contra las resoluciones y los actos de trámite, si estos últimos deciden directa o indirectamente el fondo del asunto, determinan la imposibilidad de continuar el procedimiento, producen indefensión o perjuicio irreparable a derechos e intereses legítimos, podrán interponerse por los interesados los recursos de alzada y potestativo de reposición, que cabrá fundar en cualquiera de los motivos de nulidad o anulabilidad previstos en los artículos 47 y 48 de esta Ley. La oposición a los restantes actos de trámite podrá alegarse por los interesados para su consideración en la resolución que ponga fin al procedimiento".

LAS CAUSAS DE INADMISIÓN DE LAS SOLICITUDES DE ACCESO A LA INFORMACIÓN: ALGUNAS CUESTIONES SOBRE LAS QUE REFLEXIONAR *

Concepción Barrero Rodríguez

Catedrática de Derecho Administrativo.
Universidad de Sevilla

I. CONSIDERACIONES INICIALES

Negar lo mucho que, en los últimos años, se ha avanzado en materia de transparencia pública supondría, sencillamente, faltar a la verdad. A la promulgación, en 2013, de la Ley estatal 19/2013, de 9 de diciembre, de *Transparencia, Acceso a la Información Pública y Buen Gobierno* (LTAIPBG), hito de por sí importante, le ha seguido un ordenamiento autonómico que ha completado tanto el régimen de la publicidad activa, como la regulación del derecho de acceso a la información pública. Disponemos, además, de una extensa doctrina de las autoridades independientes de control que con su interpretación de esta normativa en ámbitos como las causas de inadmisión o los límites al derecho de acceso, ha prestado, y está prestando, una decidida contribución a la efectiva implantación de esa nueva forma de gestión

* Trabajo realizado en el marco de los Proyectos de investigación "Observatorio de la Transparencia", DER2017-88456-P, y "Nuevos retos de la contratación pública: transparencia y compromiso social y ambiental", US/JUNTA/FERDER, UE, 1262172, y del Grupo de Investigación SEJ-193: "Transparencia y Sostenibilidad de la acción administrativa".

pública cuyos "ejes fundamentales", en términos del Preámbulo de la LTAIPBG, han de ser "la transparencia, el acceso a la información pública y las normas de buen gobierno". Contamos, de otra parte, con un número, ya significativo, de pronunciamientos judiciales en los que encuentran aclaración aquellos extremos más controvertidos del régimen legal y con los estudios, finalmente, de numerosos autores que vienen prestando a este Derecho la atención que por su importancia merece.

El tiempo transcurrido y la extraordinaria labor realizada desde todos estos ámbitos, nos sitúan en un momento idóneo y en un escenario adecuado para hacer balance, para, desde el reconocimiento de lo mucho hecho, detectar las carencias y problemas interpretativos que aún se advierten y, en su caso, formular aquellas propuestas que puedan contribuir a su mejora ante una eventual reforma legal. Basta con prestar algo de atención a lo declarado por las distintas autoridades de control para apreciar que uno de los focos principales de reflexión y análisis es el que se sitúa, justamente, en esa "perspectiva multinivel" que figura en el título de esta obra, en el examen de las simetrías, y también de las asimetrías, existentes en la aplicación de este régimen jurídico amplio y complejo, en la búsqueda de aquello que de común pueda haber en la doctrina de las autoridades de control, y en la detección de los "desvíos" que puedan existir. Efectuaré tal cometido en relación con las causas de inadmisión de las solicitudes de acceso a la información pública, respecto de las que me propongo dejar constancia de algunas cuestiones precisadas de reflexión, algunas cuestiones no del todo resueltas, a mi juicio, a consecuencia, unas veces, de la propia insuficiencia legal, y otras, de la interpretación que viene haciéndose de los mandatos legales.

II. LA INADMISIÓN DE LAS SOLICITUDES DE ACCESO A LA INFORMACIÓN: SUS CAUSAS Y SENTIDO

Procede, ante todo, recordar que hablamos de una serie de motivos, de naturaleza y alcance muy diferentes, que impiden, en el caso de concurrir en una solicitud, un pronunciamiento sobre el fondo del asunto, los recogidos, con carácter básico, en el artículo 18.1 de la LTAIPBG en términos que, seguidamente, desarrollaremos. Unas causas que reproducen las Leyes autonómicas, aunque con algunas excepciones significativas. Las representadas, de una parte, por aquellas disposiciones que incorporan motivos de inadmisión no previstos en la norma estatal, como hacen la Ley 4/2013, de 21 de mayo, de Gobierno Abierto de Extremadura al permitir la inadmisión de las solicitudes "que afecten a una pluralidad de personas cuyos datos personales pudieran revelarse con el acceso a la petición, en número tal que no sea posible darles traslado de la solicitud en el tiempo establecido para su resolución"[2], así como la Ley 19/2014, de 29 de diciembre, de Transparencia, Acceso a la información y Buen Gobierno de Cataluña y la Ley foral 5/2018, de 17 de mayo, de Transparencia, Acceso a la Información pública y Buen Gobierno, en relación con las solicitudes consistentes en consultas jurídicas o peticiones de informes o dictámenes[3], y esta última, también, respecto de aquellas "que se refieran a información que la ley excluya del derecho de acceso"[4]. De otra parte, existen disposiciones que eliminan causas de inadmisión recogidas en la norma estatal, como la Ley catalana que suprime, concretamente, las previstas en las letras d) y e) del artículo 18.1. Una eliminación que contó pronto con el juicio favorable de la GAIP, que entiende que al implantarse, por esta vía, un régimen de acceso a la información más favorable que el establecido en la LTAIPBG, se respetan plenamente las bases estatales[5]. Interpretación, quizás, que, como he desarrollado en otro lugar, necesite ser reconsiderada a la luz de la doctrina establecida por el Tribunal Constitucional en su Sentencia 104/2018, de 4 de octubre[6].

Con carácter general, cabe destacar la configuración de estas causas a partir de conceptos jurídicos indeterminados, lo que supone la

---

2   Artículo 21.d).
3   Artículos, respectivamente, 29.2 y 37.c). Sobre el alcance de estas previsiones puede verse, entre otras, la Resolución 19/2020, de 10 de enero, de la GAIP, o el Acuerdo del Consejo de Transparencia de Navarra 7/2019, de 28 de enero.
4   Artículo 37.a).
5   En tal sentido, Resolución 46/2017, de 15 de febrero, expresiva de otras muchas en igual sentido.
6   "Capítulo Cuarto. El ejercicio del derecho y el régimen de impugnaciones", E. Guichot y C. Barrero Rodríguez, *El derecho de acceso a la información pública*, Tirant lo Blanch, Valencia, 2020, pág. 536.

atribución a los sujetos que han de aplicarlas, una Administración
Pública normalmente, de un importante margen de apreciación que
se extiende a las autoridades de control y que pudiera, en principio,
llevar a pensar que existen interpretaciones diversas. Ahora bien, ello
no es así. Y no lo es, fundamentalmente, dado el valor adquirido por
los Criterios Interpretativos que, sobre la mayoría de ellas, ha dictado
el Consejo estatal de Transparencia y Buen Gobierno (CTBG), que,
aunque, lógicamente, no vinculan a las autoridades autonómicas, éstas toman "muy en consideración"[7], al entenderlos "muy útiles"[8], un
"apoyo hermenéutico" importante a la hora de resolver[9], lo que ha
propiciado una interpretación sustancialmente uniforme sobre estos
motivos. En definitiva, si de lo que se trata es de buscar qué hay de común, y qué de diferente, en el entendimiento y aplicación de las causas
de inadmisión, existen claramente más simetrías que asimetrías sobre
la base además de una interpretación claramente restrictiva del artículo 18.1 de la LTAIPBG que lleva a las autoridades de control a ser
extremadamente exigentes con la motivación que la Administración
que las aplica ha de ofrecer en cumplimiento del propio precepto. Una
interpretación coincidente que no es ya previsible que pueda romper-
se por cuanto contamos, en un número ya bastante significativo, con
pronunciamientos judiciales en términos que, por lo general, confirman la interpretación efectuada por estas autoridades, que, a su vez,
fundan ya sus resoluciones en tales sentencias.

Pasamos a exponer, seguidamente, algunos extremos de la interpretación de la que son objeto las diversas causas de inadmisión, no
sin, antes, detener nuestra atención en un aspecto general en el que
no hay hoy coincidencia, la relativa al momento en el que pueden ser
invocadas y apreciadas.

---

[7]   Como hace el Consejo de Transparencia, Acceso a la información pública y
      Buen Gobierno de la Comunidad de Valencia en sus Resoluciones, entre otras,
      127/2019, de 10 de octubre, 158/2019, de 21 de noviembre o 162/2019, de 12
      de diciembre.
[8]   Como afirma el Comisionado de Transparencia de Canarias en sus Resoluciones
      78/2016, de 15 de abril de 2017, 80/2016 de 17 de abril de 2017, y 86/2016, de
      23 de abril de 2017.
[9]   En expresión de la Resolución 34/2021, de 9 de febrero, del Consejo de Transpa-
      rencia y Protección de Datos de Andalucía.

III. UNA CUESTIÓN POR RESOLVER: CUÁNDO PUEDEN SER INVOCADAS Y APRECIADAS LAS CAUSAS DE INADMISIÓN

No existe, en la actualidad, una interpretación uniforme de la LTAIPBG en el extremo relativo a cuando pueden invocarse y, por consiguiente, aplicarse las causas de inadmisión, a consecuencia, fundamentalmente, del cambio de posición del CTBG en relación con la que fue su interpretación originaria. Inicialmente, este Consejo mantuvo que las causas de inadmisión habían de aplicarse "en el plazo de que dispone la Administración para contestar al solicitante", lo que significa que no se podían alegar "dentro del procedimiento posterior de reclamación" si previamente no habían sido "argumentadas frente al solicitante en el momento de la contestación que se le remita"[10]. Esta interpretación fue avalada por la Audiencia Nacional en su Sentencia de 7 de noviembre de 2016 (47/016)[11]. Sin embargo, este tribunal cambiará pronto de criterio y en su Sentencia de 27 de febrero de 2017 (64/2016), defenderá "la plena competencia del Consejo para analizar y valorar la causas de inadmisión" que pueda alegar la Administración en esta vía[12]. A partir de este nuevo pronunciamiento, el CTBG, aun cuando sigue expresando que el motivo de inadmisión "se debería haber alegado... en la respuesta a la solicitud de información", se adentrará, en el sentido marcado por la Audiencia Nacional,

---

[10]   Resoluciones, entre otras, 432/2016, de 22 de diciembre, 327/2017, de 2 de octubre, 403/2017, de 20 de noviembre, 439/2018, de 18 de octubre, o 548/2018, de 12 de diciembre.

[11]   La sentencia, que confirma la del Juzgado Central de lo Contencioso administrativo (JCCA) núm. 6, de 18 de mayo de 2016 (60/2016), sostiene que la recurrente, la Corporación Radio Televisión Española, "no adoptó acuerdo de inadmisión alguno respecto de la solicitud cursada por el interesado", sino que simplemente "dejó transcurrir el plazo de un mes" existente para resolver, "de manera que ahora no puede pretender que el CTBG inadmita a trámite la solicitud cuando en su momento no lo acordó así ni resolvió sobre lo pedido".

[12]   La sentencia estima el recurso de apelación interpuesto frente a la Sentencia del JCCA, núm. 2, de 3 de octubre de 2016 (116/2016) que había considerado que al CTBG "no le era dado apreciar una causa de inadmisión de solicitud de información, pues ello solo le cabía a las administraciones solicitadas, mediante resolución expresa, y al Consejo, en vía de reclamación, confirmar o revocar semejantes decisiones".

en el examen de esa causa que la Administración alega, *ex novo*, en el procedimiento de reclamación[13], planteamiento compartido por autoridades autonómicas como el Consejo de Transparencia de Aragón[14], el Comisionado de Transparencia de Canarias[15], el Consejo de Transparencia y Protección de Datos de Andalucía[16], el Consejo de Transparencia de Navarra[17], la GAIP[18], o la Comisión de Transparencia de

---

[13]   Así lo hacen, entre otras, las Resoluciones 146/2019, de 29 de mayo, 876 y 914/2019, de 5 de marzo de 2020, o 48/2020, de 17 de abril.

[14]   Su Resolución 16/2020, de 15 de junio, destaca, con apoyo en pronunciamientos anteriores, que las causas de inadmisión "no pueden ser alegadas, por vez primera y sin que hayan constituido el fundamento para denegar la información en el marco de la solicitud, en la tramitación de la reclamación...", pese a lo cual, y tras el pertinente examen, rechaza la existencia de las causas alegadas. La Resolución 12/2020, de 15 de junio, se adentra en la posible concurrencia del motivo de inadmisión planteado, aunque "únicamente por razones didácticas, pues no puede alegarse en el informe a la reclamación una causa de inadmisión... que no se hubiera incluido y motivado en la resolución inicial (por todas, Resolución 49/2018)".

[15]   Que en su Resolución, por ejemplo, 150/2018, de 15 de enero de 2020, considera que si "no se dicta una resolución motivada no procede *a posteriori* asumir que concurrió una causa de inadmisión ya que el efecto del silencio no es la inadmisión de la solicitud sino su desestimación".

[16]   Ya en su Resolución 103/2016, de 9 de noviembre, en un caso en que el Ayuntamiento concernido había planteado la causa de inadmisión en el informe que realiza para el Consejo, manifestó que "difícilmente puede considerarse este el momento procedimental", por lo que, como afirma en la Resolución 108/2016, de 23 de noviembre, si "el órgano reclamado no alegó dicha circunstancia en la resolución de la solicitud de información", no puede "realizar un pronunciamiento al respecto".

[17]   Que en su Acuerdo, por ejemplo, 31/2019, de 10 de octubre, y con base en el anterior 11/2018, de 24 de septiembre, sostiene que "no es posible alegar en fase de recurso causa de inadmisión si no se ha inadmitido por esta causa la solicitud recurrida". Una interpretación que declara asumida por la Sentencia 60/2016, de 18 de mayo, del JCCA núm. 6, confirmada en apelación por la de la Sentencia de la Audiencia Nacional 432/2016, de 7 de noviembre, y la Sentencia 116/2016 de 3 de octubre del JCCA núm. 2. Los posteriores Acuerdos 15/2018, de 12 de noviembre, y 18/2021, de 12 de abril insistirán en esta interpretación.

[18]   Su postura quedó ya expresada en la Resolución 119/2016, de 28 de septiembre, que afirma que "la eventual concurrencia de causas de inadmisibilidad se tiene que invocar en el momento de dar respuesta a la solicitud presentada, dentro del plazo de resolución que el ordenamiento jurídico da a la Administración, siendo más que cuestionable su alegación ex post, una vez ya finalizado el procedimiento de solicitud de información e iniciado el de reclamación". Una interpretación

Castilla y León[19], autoridades que, en efecto, se muestran claras en su exigencia de que las causas de inadmisión sean aplicadas en la resolución de acceso, pues así lo impone la necesidad de motivación impuesta por el artículo 18.1 de la LTAIPBG, lo que sin embargo, y por lo general, no les impide efectuar un pronunciamiento sobre la eventual concurrencia de esa causa que la Administración inicialmente no aplicó, normalmente porque no resolvió expresamente, pero que invocó, más tarde, en fase de alegaciones en la tramitación de la reclamación.

Ahora bien, en los últimos meses de 2020, han aparecido un buen número de resoluciones del CTBG en las que se aprecia un cambio de criterio respecto de su posición tradicional, toda vez que examinan de oficio y, en algunos casos aceptan, una posible causa de inadmisión que la Administración no había aplicado en la resolución de acceso – normalmente porque no dicta resolución expresa-, y que tampoco había planteado en la fase de alegaciones otorgada por el Consejo en el procedimiento de reclamación –en la mayoría de las ocasiones porque ni siquiera se había dignado a formularlas[20]-. Una de las primeras en hacerlo -hay otras dos en igual sentido de ese mismo día-, es la Resolución 1/2020, de 1 de junio, en la que el Consejo estima que el incumplimiento de la norma que impone que "la aplicación de una causa de inadmisión ha de ser debidamente justificada y argumentada... exige

---

que confirman las Resoluciones 388/2017, de 28 de noviembre, 93/2019, de 22 de febrero, y 176/2021, de 18 de febrero.

[19] Su Resolución 9/2021, de 9 de febrero (CT 245/2020), parte de la consideración de que si, a criterio del sujeto al que se dirigía la solicitud, esta "estuviera incursa en la citada causa de inadmisión, debía haber procedido a adoptar una resolución expresa de inadmisión de la petición en la cual se motivara suficientemente el carácter abusivo de la solicitud presentada", circunstancia que, sin embargo, no le impide adentrarse en su examen para negar su existencia. Una interpretación que ya había mantenido en las anteriores Resoluciones 41/2017, de 11 de mayo (CT 73/2016), y 166/2019, de 5 de noviembre (CT 312/2018), esta última en un supuesto en el que como Ayuntamiento afectado "no hizo referencia a la causa de inadmisión en la resolución impugnada", realiza alguna consideración sobre el posible carácter abusivo de la solicitud aunque "a título exclusivamente informativo".

[20] Es, de hecho frecuente, que el CTBG recuerde a la Administración su obligación de resolver en plazo (por ejemplo, Resolución 101/2020, de 1 de junio) y que le afee su falta de respuesta a la solicitud de alegaciones (entre otras, Resolución 499/2020, de 6 de noviembre).

analizarla de oficio por este Consejo de Transparencia"[21], de tal forma que examina si en la petición concurre alguno de los motivos del artículo 18.1 de la LTAIBG, en particular la necesidad de una acción de reelaboración de la información, concluyendo que no es así y que al constituir lo solicitado información pública y encajar en las finalidades propias de la norma, debe entregarse. Un razonamiento, este último, con el que, en realidad, el Consejo podría haber resuelto, sin plantearse una causa de inadmisión que no se aprecia necesaria a los efectos de la resolución de la reclamación. Otros muchos pronunciamientos posteriores se adentran de oficio en el análisis de un posible motivo de inadmisión que no ha quedado establecido en la resolución sobre el acceso y, ni siquiera, se ha invocado por la Administración en su respuesta, si es que se ha producido, a la solicitud de alegaciones formuladas por el Consejo. Son los casos de las Resoluciones 101/2020, de 1 de junio[22], 135/2020, de 1 de junio[23], 244/2020, de

---

[21]   La Resolución se pronuncia sobre una solicitud de información sobre gastos del Ministerio de Defensa en el pago a capellanes, mantenimiento de templos católicos y actividades religiosas militares.

[22]   En relación con una solicitud de información al Ministerio del Interior sobre programas llevados a cabo por entidades colaboradores y ONGs en el ámbito penitenciario, el Consejo estima que "aunque no haya sido invocado por la Administración, hay que analizar si esta elaboración de la información mezclando diferentes parámetros podría constituir una acción previa de reelaboración de las contempladas como causa de inadmisión en el artículo 18.1.c) de la LTAIBG", concluyendo que es así, por lo que desestima la reclamación.

[23]   Ante una solicitud sobre el número de recursos de alzada interpuestos por los aspirantes para ingresar en la escala básica del Cuerpo Nacional de Policía al no superar la prueba de ortografía, el Ministerio del Interior, ya expirado el plazo de resolución, contesta que para conocer ese número "habrá que esperar entre seis y ocho meses" que es el tiempo que calcula que será "necesario" para la tramitación de los mismos. Ante ello, la resolución sostiene que el Ministerio "debería, a juicio de este Consejo de Transparencia y Buen Gobierno, haber inadmitido la solicitud de información en virtud de la causa de inadmisión prevista en el artículo 18.1 a)...", en cuyo examen se adentra para concluir que no concurre.

1 de julio[24], 422/2020, de 15 de octubre[25], o 515/2020, de 11 de noviembre, cuyos términos pueden servirnos de exponente de esta nueva interpretación de la autoridad estatal. En un supuesto en el que el reclamante pedía los informes emitidos por cualquier organismo o persona de la Administración que justificaran el uso obligatorio de mascarillas regulado por la Orden ministerial de Sanidad 422/2020, de 19 de mayo, el Ministerio de Ciencia e Innovación, al que se dirige la petición, se limita a remitir al solicitante a unos enlaces que contenían diferente información sobre la covid-19, pero no los señalados informes, no formulando, de otra parte, alegaciones en el trámite que el Consejo le otorga a tal fin. En ningún momento, por tanto, se ha puesto sobre la mesa la posible existencia de una causa de inadmisión, lo que, sin embargo, no es óbice para que el Consejo se adentre en su examen, señalando que "a pesar de que la Administración no ha indicado nada al respecto, debemos analizar si pudiera ser de aplicación a la información solicitada la causa de inadmisión prevista en el art. 18.1 b)...", que analiza *in extenso* para concluir que no concurre en el supuesto examinado. Otras resoluciones relacionadas igualmente con solicitudes de diversa información sobre la pandemia

---

[24] En una solicitud de diversa información sobre propuestas de sanción desde el inicio de estado de alarma, el CTBG profundiza, "a pesar de que no se afirma expresamente" –el Ministerio del Interior no la había hecho valer en su respuesta y no responde a la petición de alegaciones- en el análisis de la posible aplicación, que rechaza, de la causa de inadmisión del artículo 18.1.c).

[25] En una solicitud al Ministerio de Ciencia e Innovación sobre diversos datos de "todos y cada uno" de los casos notificados de covid-19, el Consejo "aunque no ha sido alegada por la Administración... considera necesario analizar en primer lugar si estamos ante un supuesto de aplicación de la causa de inadmisión del artículo 18.1.e)... ", concluyendo que, efectivamente, se trataba de una solicitud repetitiva, pues la reclamante ya había presentado una anterior con el mismo contenido aunque la información se pida "de forma distinta".

–las Resoluciones 499/2020, de 6 de noviembre[26], 538/2020, de 17 de noviembre[27] o 586/2020, de 30 de noviembre[28]- dejan, también, constancia del análisis de oficio por el Consejo de los motivos de inadmisión que pudieran presentar las respectivas solicitudes. Una interpretación que se mantiene en resoluciones ya dictadas en 2021, como las Resoluciones 763/2020, de 8 de febrero de 2021, 869/2020, de 17 de marzo de 2021, 949/2020, de 15 de abril de 2021, o 53/2021, de 24 de mayo, que resuelven con base en la causa de inadmisión del artículo 18.1.e)[29]; o la Resolución 923/2020, de 8 de abril de 2021,

---

[26]   Resolución que resuelve la reclamación presentada frente a la desestimación por silencio de la solicitud formulada al Ministerio del Interior sobre el gasto efectuado por este Ministerio y sus organismos dependientes en ordenadores portátiles para el teletrabajo de su personal a partir del 14 de marzo de 2020. El Consejo, a pesar de que el Ministerio no respondió a su requerimiento de alegaciones, desestima la solicitud, sin entrar a valorar el fondo del asunto, por entender que se trata de "una solicitud que puede considerarse repetitiva en aplicación de lo dispuesto en el art. 18.1.e) de la LTAIBG".

[27]   El CTBG resuelve la reclamación presentada ante la falta de respuesta por el Ministerio de Sanidad –que tampoco formuló alegación alguna en el plazo que le concedió el Consejo a tal efecto-, a una solicitud de distinta información como, entre otra, la composición de las comisiones que hubieran asesorado al Gobierno para la declaración del estado de alarma, criterios empleados para la adopción de las decisiones adoptadas y posibles alternativas, o los fondos públicos empleados. Entre otros argumentos, se plantea, y rechaza, la posible presencia de la causa de inadmisión del artículo 18.1.b).

[28]   El Consejo que resuelve la reclamación presentada frente a una resolución presunta de la Secretaria General de la Presidencia del Gobierno, que también hizo caso omiso a la solicitud de alegaciones por el Consejo, relativa a la coordinación de los distintos Ministerios por el Director del Gabinete de la Presidencia del Gobierno, concluye, "aunque no ha sido alegada por la Administración", que se aprecia la causa de inadmisión del artículo 18.1 e) de la LTAIPBG.

[29]   Causa que la primera de estas resoluciones estima en una petición de información realizada a la ANECA en la que la solicitante se interesaba por las puntuaciones que se habían otorgado a determinados trabajos de los que es coautora en una convocatoria de sexenios de investigación; la segunda, en buena parte de la información pedida a la Secretaría General de la Presidencia del Gobierno sobre las reuniones de las conferencias de presidentes autonómicos celebradas en 2020; la tercera, en la planteada al Ministerio de Cultura y Deporte en relación con el acceso a "la base de datos de patrimonio (bic); la cuarta, y última, aprecia la causa de inadmisión en parte de la información solicitada a esa misma Secretaría General sobre test de coronavirus realizados a los ministros, formas de adquisición y costes.

que lo hace con apoyo en el motivo previsto en la letra a) del mismo precepto[30].

Cabe destacar también que se encuentran resoluciones, por ejemplo la Resolución 20/2020, de 13 de abril, en la que el CTBG, además de aceptar la causa de inadmisión aplicada por la Administración, en este caso, la naturaleza auxiliar de la información solicitada, advierte sobre la existencia de una segunda, el carácter manifiestamente repetitivo de la solicitud[31]. Y tampoco faltan, por último, supuestos, de los que dan cuenta las Resoluciones 50/2020, de 17 de abril o 772/2020, de 11 de febrero de 2021, que avalan la procedencia de la inadmisión de la solicitud, aunque por un motivo diferente del invocado por la Administración[32], o que se plantean, aunque sea también para rechazarla, una causa diferente de la barajada por la Administración, como ocurre en la Resolución 409/2020, de 15 de octubre[33].

---

[30] En una solicitud de información al Ministerio de la Presidencia, Relaciones con las Cortes y Memoria Democrática relativa a "Informes sobre el Anteproyecto de Ley de Memoria Democrática".

[31] La resolución se pronuncia sobre la solicitud planteada al Ministerio de Cultura y Deportes sobre informes emitidos por especialistas externos a petición de la Junta de Calificación, Valoración y Exportación de Bienes del Patrimonio Histórico en los procedimientos para la exportación de bienes culturales tramitados en los últimos cinco años.

[32] En la primera de ella, en una solicitud sobre procedimientos judiciales relacionados con licencias de Vehículos de Turismo con Conductor (VTC), el CTBG avala la procedencia de la inadmisión de la solicitud aunque por un motivo diferente del considerado por la Administración, en la necesidad de una acción de reelaboración de la información, cuando el invocado por el Ministerio de Transporte, Movilidad y Agenda Urbana en el trámite de alegaciones que le había dado el Consejo, no había contestado a la petición de acceso, había sido otro, el de la letra d) del precepto. En la segunda, en un supuesto en el que el Ministerio de Trabajo y Economía Social, en una petición de información relativa a actas de inspección, alegaba su carácter auxiliar, el Consejo rechaza este motivo de inadmisión, para, en su lugar, considerar que concurre el carácter abusivo de la solicitud.

[33] El Ministerio del Interior en su respuesta a la solicitud sobre el "número de denuncias formuladas por el Cuerpo Nacional de Policía por incumplir la obligación de usar mascarilla desde el 11 de junio de 2020", había apreciado el carácter abusivo de la solicitud que el Consejo rechaza, adentrándose, al entender que la Administración, aunque no la invoque expresamente, la está utilizando, en la prevista en el artículo 18.1 c) de la LTAIBG, que, sin embargo, también excluye. En los mismos términos se expresa la Resolución 410/2020, de 15 de octubre,

En definitiva, el CTBG analiza y aprecia, en su caso, de oficio las causas de inadmisión del artículo 18.1 de la LTAIPBG, al margen, pues, de que hayan sido aplicadas por la Administración en la resolución en la que se pronuncia sobre el acceso solicitado o invocadas con ocasión de las alegaciones formuladas en el procedimiento de reclamación. Una interpretación contraria a la inicialmente mantenida en la que apostaba con rotundidad por la necesidad de su declaración en la respuesta a la solicitud de acceso, oponiéndose, incluso, a su posterior alegación en vía de reclamación, si, previamente, no había quedado establecida en la resolución de acceso. Habrá que permanecer atentos para ver si esta interpretación se consolida o no, si encuentra, en su caso, respaldo en las resoluciones de otras autoridades de control –solo en algunos pronunciamientos aislados de la Comisión de Transparencia de Castilla y León[34] y del Consejo de Transparencia y Buen Gobierno de Valencia[35], se advierte, sin mayor consideración sobre la cuestión y sin referencia, en ningún caso, al cambio de criterio por el Consejo estatal, que la autoridad de control se adentre en el examen de causas de inadmisión que no les han sido alegadas–, y, sobre todo, a si es, o no, confirmada en vía judicial. Entre tanto, y aunque es evidente que cada resolución debe ser leída y valorada en

---

que resuelve la solicitud de información sobre las "denuncias de la Guardia Civil por incumplir la obligación de usar mascarilla", y la 411/2020, de 10 de octubre, que se interesaba por las "denuncias por incumplir la obligación de usar mascarilla en Salamanca".

[34] Ante solicitudes de información, generalmente voluminosas, dirigidas a municipios o entidades locales menores, y en relación con la alegación por su parte de falta de medios, esta comisión considera que "tampoco hubiera carecido de fundamentación jurídica" que la Administración hubiese considerado la solicitud abusiva, causa de inadmisión que entra a valorar. Así lo hacen las Resoluciones 123/2020, de 5 de junio (CT 69/2019), 59/2021, de 22 de abril (CT 232/2020), y 68/2021, de 7 de mayo (CT 273/2020). En otras ocasiones, como en las representadas por las Resoluciones 106/2021, de 11 de junio (CT 77/2021), y 123/2021, de 25 de junio (CT 159/2019), la Comisión reconduce el análisis, en atención a las características del supuesto enjuiciado, a la causa de inadmisión consistente en la necesidad de una acción de reelaboración de la información.

[35] Su Resolución 62/2021, de 22 de marzo, acepta la causa de inadmisión invocada por la Administración, la necesidad de una acción de reelaboración, en una solicitud de información sobre inspecciones realizadas en locales de ocio de la Comunidad. Además, y "aunque la cuestión no haya sido suscitada por la administración reclamada", le atribuye la condición de abusiva.

atención al supuesto que enjuician, sí que pueden apuntarse, con las debidas cautelas, algunas de las dudas que esta interpretación suscita. De entrada, la apreciación de oficio de las causas de inadmisión no casa bien con lo dispuesto en el artículo 18.1 de la LTAIPBG que impone a la entidad que resuelve sobre el acceso un pronunciamiento motivado sobre su existencia, requisito exigido con todo rigor por el propio CTBG que insiste, siempre, en que "la aplicación de una causa de inadmisión ha de ser debidamente justificada y argumentada"[36]. De hecho esta necesidad de motivación constituía para este Consejo, y sigue constituyendo para las autoridades autonómicas, uno de los argumentos fundamentales para mantener que las causas de inadmisión han de ser apreciadas en la resolución que se pronuncie sobre el acceso. De otra parte, habría que pensar si no estamos ante una interpretación contraria a la posición jurídica de los solicitantes de acceso que ven cómo, en muchos casos, la Administración deja transcurrir el plazo sin dictar resolución forzándolos a presentar una reclamación en la que se encuentran con un motivo de rechazo de su petición del que, en estricto cumplimiento del artículo 18.1, debieron ser advertidos en la respuesta a su petición. Finalmente, no puede pasar inadvertido, porque constituye el argumento principal contrario a esta interpretación, que aunque, en estos casos, el CTBG concluya con una desestimación de la reclamación, tal desestimación no deja de encubrir un pronunciamiento de inadmisión, que, como sostuvo ese primer pronunciamiento de la Audiencia Nacional, la Sentencia 432/2016, de 7 de noviembre, que avaló la postura originaria de CTBG, no encuentra apoyo ni en el artículo 24 de la LTAIPBG, que no "autoriza una resolución de inadmisión de la reclamación interpuesta por el interesado", ni en "la regulación del procedimiento en vía de recurso", en la actualidad, en los artículos 112 y siguientes de la Ley 39/2015, de 1 de octubre del procedimiento administrativo común (LPAC), supletoria de la LTAIPBG, "en la que no está prevista la inadmisión de recursos por causas sustantivas como la alegada".

---

[36]   Por ejemplo, Resolución 756/2019, de 24 de enero de 2020.

IV. ALGUNAS CUESTIONES DE INTERÉS SUSCITADAS POR LAS DIFERENTES CAUSAS DE INADMISIÓN

No es este el lugar indicado para efectuar un análisis en profundidad de las diferentes causas de inadmisión y de su interpretación por las autoridades de control y los tribunales. Nos proponemos, simplemente, dejar apuntados, en relación con cada una de ellas, algunos de los interrogantes que suscitan, aquellos extremos precisados, quizás, de una mayor atención, bien sea por el legislador o por el aplicador e intérprete de la norma.

1. Información en curso de elaboración o publicación general

Este primer motivo de inadmisión, previsto en la letra a) del artículo 18.1 de la LTAIBG, recoge, en realidad, dos causas distintas, las relativas a información, de una parte, que "está inacabada", que no "ha sido completada su elaboración"[37]; y, de otra, la que afecta a aquella cuya "cuya publicación general está siendo preparada"[38]. Respecto de ambas, el CTBG mantiene la necesidad de que se informe al solicitante de la fecha en la que está prevista la completa elaboración de la información o, en su caso, su publicación, en un medio, además, que "pueda ser conocido y usado con facilidad", exigencia recogida ya en la mayoría de las Leyes autonómicas y que será también reconocida en el Reglamento de desarrollo de la LTAIPBG, de aprobarse en los términos del borrador que hoy conocemos[39]. Ahora bien, aquí interesa destacar, en relación con el primero de los motivos indicados, que "lo que debe estar en fase de elaboración es la información o la documentación que se solicite, no el procedimiento dentro del cual se encuentra la misma", pues "no debe confundirse información en curso de elaboración con expediente en desarrollo o tramitación", dado

---

[37]   Las Resoluciones del CTBG 351/2020, de 11 de agosto, o 709/2020, de 22 de enero de 2021, nos ofrecen ejemplos recientes de supuestos en los que se analizan situaciones de este tipo.

[38]   Las Resoluciones del CTBG 725/2020, de 29 de enero de 2021, 856/2020, de 10 de marzo de 2021, y 882/2020, de 24 de marzo de 2021 enjuician hipótesis de esta naturaleza.

[39]   Artículo 21.2 del borrador fechado en abril de 2019.

que un procedimiento puede encontrarse inacabado y existir en él información finalizada, a la que, en consecuencia, sea posible acceder[40]. La frecuencia con la que la existencia de un procedimiento en curso justifica la aplicación de la causa de inadmisión puede que aconseje su expresa aclaración por la norma. En relación, de otra parte, con la información pendiente de publicación, cabe advertir, lo que quizás también pudiera aclararse a nivel normativo, sobre cómo el artículo 18.1.a) no legitima la inadmisión de solicitudes de información objeto de publicidad activa, pues el hecho de que la Administración tenga el deber de publicar de oficio determinadas informaciones no las excluye del derecho de acceso, como quedó tempranamente establecido en el Criterio Interpretativo del CTBG 9/2015, de 12 de noviembre.

2. La información auxiliar o de apoyo: ¿deben excluirse de su ámbito los informes?

El artículo 18.1.b) de la LTAIPBG permite la inadmisión de las solicitudes "referidas a información que tenga carácter auxiliar o de apoyo como la contenida en notas, borradores, opiniones, resúmenes, comunicaciones e informes internos o entre órganos o entidades administrativas". Se trata, probablemente, del motivo de inadmisión más discutido de cuantos recoge la norma y uno de los más aplicados, lo que explica que sean muy numerosas las resoluciones de las autoridades de transparencia que nos acercan a su contenido y alcance ante la falta de una definición legal de la información de esta clase, así como del conjunto de documentos en los que el propio precepto la ejemplifica. En su interpretación, sin embargo, por las autoridades de transparencia no se aprecian divergencias significativas, toda vez que, como por lo general explicitan, resuelven con la vista puesta en

---

[40]   Entre las más recientes, Resoluciones del CTBG 840/2020, de 5 de marzo de 2021, 863/2020, de 15 de marzo de 2021, 923/2020, de 8 de abril de 2021, 51/2021, de 11 de mayo, 12/2021, de 27 de abril, y 70/2021, de 25 de mayo. Las autoridades autonómicas comparten esta interpretación como puede comprobarse en las Resoluciones, entre otras, 370/2020, de 3 de diciembre, del Consejo andaluz, o 3/2021, de 2 de febrero (CT 302/2018), 63/2021, de 30 de abril (CT 263/2020), o 81/2021, de 14 de mayo (CT 351/2020), de la Comisión de Castilla y León.

el Criterio Interpretativo 6/2015, de 12 de noviembre, del CTBG sobre esta causa de inadmisión. No podemos profundizar en el análisis de esta causa. Baste con señalar, y este es el criterio verdaderamente determinante con el que resuelven tanto la autoridad estatal como las autonómicas[41], que nunca podrá ser considerada información auxiliar aquella que, sea cual sea su denominación, el tipo de soporte en el que se encuentre o su condición o no de parte de un procedimiento, sea relevante, como dice el Preámbulo de la LTAIPBG, para que "los ciudadanos pueden conocer cómo se toman las decisiones que les afectan, cómo se manejan los fondos públicos o bajo qué criterios actúan nuestras instituciones". En definitiva, y en expresión que repiten las resoluciones más recientes del CTBG, "los documentos a que se refiere el art. 18.1.b son los que tienen un ámbito exclusivamente interno, pero no los que pretenden objetivar y valorar, aunque sea sectorialmente, aspectos relevantes de la decisión"[42]. Desde esta base, la apreciación de la causa de inadmisión nos sitúa, lógicamente, ante una valoración inseparable del contenido y características de la información ante la que, en cada caso, se plantee, a cuyo efecto resultará fundamental la propia motivación ofrecida por la Administración. Hasta la fecha, puede hablarse de una interpretación favorable al acceso a la información o, si se prefiere, rigurosa o exigente con la aceptación de la causa de inadmisión a partir de ese juicio de valor sobre el significado de la información para el control de las decisiones públicas y la rendición de cuentas[43].

---

[41]   Como puede comprobarse en las Resoluciones 13/2019, de 25 de marzo, y 16/2019, de 27 de mayo, del Consejo de Transparencia de Aragón; 163/2020, de 11 de diciembre, 110/2021, de 14 de mayo, o 131/2021, de 28 de mayo, del Consejo de la Comunidad valenciana; 160/2018, de 2 de mayo de 2019, del Comisionado de Transparencia de Canarias; 250/2020, de 2 de julio, 312/2020, de 21 de octubre, y 34/2021, de 9 de febrero, del Consejo andaluz; 112/2019, de 7 de junio (CT 262/2018), y 4/2021, de 2 de febrero (CT 108/2020), de la Comisión de Transparencia de Castilla y León; o Acuerdo 5/2020, de 2 de marzo, del Consejo de Transparencia de Navarra. Aunque sin cita del Criterio Interpretativo del Consejo estatal, la GAIP mantiene una doctrina coincidente con la de sus homólogos autonómicos como puede comprobarse en su Resolución, por ejemplo, 534/2021, de 10 de junio.

[42]   Resolución, entre otras, 690/2020, de 11 de enero de 2021.

[43]   Ejemplos recientes de rechazo por el CTBG a la presencia de la causa de inadmisión en documentos de denominación y naturaleza diversa, pueden encontrarse,

Una mención especial merecen, dentro de la información de esta clase, "los informes internos", a los que específicamente se refiere el artículo 18.1.b). El Criterio Interpretativo 6/2015, del CTBG, reconoce la condición de información auxiliar a los "informes no preceptivos y que no sean incorporados como motivación de una decisión final". Ahora bien, el análisis de sus resoluciones evidencia, sin embargo, su oposición a la aplicación de la causa de inadmisión no solo, y en una interpretación *contrario sensu*, ante informes preceptivos, sino también, en un criterio ya avalado judicialmente, ante otros muchos que ni cuentan con este carácter ni han quedado incorporados a la decisión final pero que son "relevantes en el procedimiento de conformación de la voluntad del órgano". Desde luego, sería conveniente que el CTBG adecuara su Criterio Interpretativo a lo que realmente sostiene, pues aunque afirma siempre resolver con base en él, en realidad, no es así[44]. Es más, cabría plantear la conveniencia de una modificación de la LTAIPBG en este punto, para, como ya hace la Ley de Madrid, excluir de la información auxiliar a los informes preceptivos y a los que "sin serlo hayan servido de forma total o parcial, en su caso, directamente de motivación a resoluciones"[45], o para, como es el caso de la Ley catalana, eliminarlos, sencillamente, del listado de información de esta naturaleza de su artículo 29.1.a). En esta línea, el Consejo de Estado en su dictamen 344/2019, de 27 de junio, al Proyecto de Reglamento de la LTAIPBG, "ha sugerido ponderar la conveniencia de

---

entre otras muchas, en las Resoluciones 76/2020, de 1 de junio, 307/2020, de 12 de agosto, 433/2020, de 15 de octubre, 506/2020, de 11 de noviembre, o 772/2020, de 11 de febrero de 2021. Las Resoluciones 525/2020, de 17 de noviembre, 530/2020, de 17 de noviembre, 548/2020, de 23 de noviembre, y 100/2021, de 31 de mayo, nos ofrecen, por el contrario, supuestos de aceptación de la causa de inadmisión.

[44] Supuestos que reconocen el carácter auxiliar de un informe pueden encontrarse en las Resoluciones del CTBG 20/2020, de 13 de abril, 48/2020, de 17 de abril, 530/2020, de 17 de noviembre, 574/2020, de 30 de noviembre, y 855/2020, de 9 de marzo de 2021; expresivos del rechazo a esa consideración, son, por el contrario, los informes sobre los que se pronuncian las Resoluciones 792/2019, de 6 de febrero de 2020, 857/2019, de 2 de marzo de 2020, 241/2020, de 17 de junio, 284/2020, de 23 de julio, 506/2020, de 11 de noviembre, 515/2020, de 11 de noviembre, 690/2020, de 11 de enero de 2021, o 864/2020, de 17 de marzo de 2021.

[45] Artículo 40.2.b).

excluir del concepto de información auxiliar" a "todos los informes que no tengan carácter puramente interno".

3. La información precisada de una acción de reelaboración: algunas cuestiones sobre las que debe repararse

La letra c) del artículo 18.1 de la LTAIPBG recoge las solicitudes "relativas a información para cuya divulgación sea necesaria una acción previa de reelaboración". En un intento de concreción, algunas Leyes autonómicas excluyen la existencia de una acción de esta naturaleza cuando la información "pueda obtenerse mediante un tratamiento informatizado de uso corriente"[46] o ante la necesidad de "aglutinar la información dispersa en varios documentos existentes"[47]; otras las reconocen en hipótesis en las que para proporcionar la información sea necesaria "una tarea compleja de elaboración o reelaboración"[48]. Tampoco aquí, a pesar de la indeterminación de los términos legales, se aprecian diferencias significativas en la interpretación que ofrecen las autoridades de control, pues todas ellas resuelven con los mismos argumentos, con los que el CTBG dejara establecidos en su

---

[46] Leyes de Transparencia de Andalucía (artículo 30.c), Región de Murcia (artículo 26.4.c), Canarias (artículo 43.2.c), Aragón (artículo 30.1.c), Castilla-La Mancha (artículo 31.1.c), Cantabria (artículo 12.1.c) y Madrid (artículo 40.1.b). En términos parecidos, Ley de Transparencia, Buen Gobierno y Participación Ciudadana de Valencia (artículo 16.2.b).
[47] Ley foral de Transparencia, Acceso a la Información pública y Buen Gobierno de Navarra (artículo 37.g).
[48] Ley de Cataluña (artículo 29.1.c).

Criterio Interpretativo 7/2015, de 12 de noviembre[49], "cuyas líneas directrices", señala por ejemplo el Consejo andaluz, "resultan de gran utilidad[50].

No es posible exponer el contenido de este Criterio ni la extensa doctrina de las autoridades de control desarrollada a lo largo de estos años. Tan solo podemos dejar constancia de las conclusiones más destacadas que ella nos deja y de algunas ideas precisadas de reflexión ante un debate que alcanza incluso -tampoco podemos detenernos en ello-, a la posible eliminación de este motivo de inadmisión. La necesidad de una acción de reelaboración de la información, a tenor de la interpretación que viene realizándose, concurre, en primer término, cuando el órgano que ha de ofrecerla "carezca de los medios técnicos que sean necesarios para extraer y explotar la información", sobre todo, ante solicitudes de información voluminosas[51]. Esta primera concreción sobre el concepto de reelaboración nos deja dos conse-

---

[49] El estudio de la doctrina de las autoridades autonómicas, en la que no podemos detenernos, evidencia, en efecto, como resuelven con los mismos fundamentos y criterios que la autoridad estatal, aludiendo en la mayoría de los casos al Criterio Interpretativo 7/2015. En este sentido, y entre las más recientes, pueden verse las Resoluciones 72/2020, de 10 de junio, 160/2020, de 11 de diciembre, 172/2020, de 22 de diciembre, o 97/2021, de 29 de abril, del Consejo valenciano; 32/2020, de 14 de septiembre, y 35/2020, de 14 de septiembre, del aragonés; 149/2017, de 22 de febrero de 2020, o 255/2020, de 25 de febrero de 2021, del Comisionado de Transparencia de Canarias; 251/2020, de 2 de julio, 57/2021, de 17 de marzo, 73/2021, de 23 de marzo, 102/2021, de 6 de abril, o 201/2021, de 18 de abril, del Consejo andaluz; 218/2020, de 20 de noviembre (CT 201/2020), 83/2021, de 21 de mayo (CT 51/2020), 106/2021, de 11 de junio (CT 77/2021), y 123/2021, de 25 de junio (CT 159/2019), de la Comisión de Transparencia de Castilla y León; 53/2020, de 21 de diciembre, o 68/2020, de 25 de febrero de 2021, del Consejo de la Región de Murcia; y 40/2021, de 15 de marzo, 51/2021, de 23 de abril, y 82/2021, de 23 de abril de la Comisión vasca de acceso a la información pública. La GAIP, aunque nunca cita el Criterio estatal, resuelve en términos coincidentes a los de sus homólogos autonómicos, como se aprecia en sus Resoluciones, entre otras, 615/2020, de 29 de octubre, o 639/2020, de 5 de noviembre. Lo mismo puede decirse del Consejo de Navarra como puede comprobarse en sus Acuerdos 7/2020, de 2 de marzo, y 8/2021, de 1 de febrero.

[50] Resolución 73/2021, de 23 de marzo.

[51] Aceptan, por ejemplo, la inadmisión fundada en una falta de medios las Resoluciones del CTBG 824/2019, de 11 de febrero de 2020, y 701/2020, de 19 de enero de 2021. La rechaza, por el contrario, la Resolución 546/2020, de 23 de noviembre.

cuencias sobre las que conviene reparar y sobre las que habría que pensar. De una parte, que el ámbito de la causa de inadmisión podrá ser más o menos amplio en cada uno de los sujetos vinculados por la Ley. De otra, que una acción de igual naturaleza podrá o no quedar integrada en dicho concepto en función de los recursos con los que cuente el organismo al que se dirige la petición de acceso o de su mejor o peor hacer en la organización de la información. Es evidente que las posibilidades de tratar la información no son las mismas en la Administración estatal o autonómica que en los municipios de la España vaciada.

La necesidad de reelaboración existe, en segundo lugar, de acuerdo con ese Criterio Interpretativo, en los casos en los que la respuesta "debe elaborarse expresamente haciendo uso de diferentes fuentes de información", situación que se produce cuando se encuentra dispersa "en centros o unidades diferentes" o en una pluralidad de procedimientos, expedientes o soportes de otro tipo, normalmente aplicaciones informáticas o base de datos, de tal forma que su entrega exigiría al órgano obligado a proporcionarla "una labor específica para recabarla, ordenarla y ponerla a disposición". No puedo adentrarme en la rica casuística que ofrece la doctrina de las autoridades de control en este punto, aunque sí debe dejarse reseñada la que me parece la idea central que marca su evolución con la consecuencia de una importante reducción del ámbito de aplicación de la causa de inadmisión. Y es que la reelaboración, a diferencia de lo defendido en pronunciamientos más antiguos, trasciende hoy a la necesidad de recabar y ordenar esa información desperdigada en diversos centros o unidades, en distintos procedimientos o soportes, para vincularse, en una interpretación ya avalada por los tribunales[52], a la confección, con base en ellos, de una "información *ex novo*", hecha "ex profeso" a la medida de las pretensiones del solicitante[53]. En otras

---

[52] Por todas, pueden verse las dos Sentencias del Tribunal Supremo recaídas hasta la fecha, las de 16 de octubre de 2017 (75/2017) y 3 de marzo de 2020 (600/2018).

[53] Las resoluciones del CTBG nos dejan numerosos ejemplos tanto de supuestos en los que concluye que existe una acción de reelaboración como de aquellos otros en los que la niega. Entre los primeros, y con referencia solo a los más recientes, Resoluciones 707/2020, de 22 de enero de 2021, 816/2020, de 4 de marzo de 2021, 847/2020, de 5 de marzo de 2021, 909/2020, de 15 de abril de 2021, 937/2020, de 15 de abril, 946/2020, de 14 de abril, 15/2021, de 4 de mayo,

palabras, el eje sobre el que descansa la reelaboración parece haberse desplazado desde el inicial representado por una dispersión en las fuentes que contienen la información, hacia el que hoy constituye su verdadero elemento determinante, la necesidad de crear, a partir de los datos que se tienen, una información que satisfaga las demandas del solicitante. Quizás fuera oportuno que el CTBG dictase un nuevo Criterio que perfile el significado de esta causa de inadmisión desde la base aportada por sus propias resoluciones y lo ya dispuesto por los tribunales. También podría plantearse, y así lo hace el proyecto de reglamento de la LTAIPBG[54], la conveniencia -desde el bagaje que nos deja, igualmente, la importante doctrina desarrollada en aplicación de la LTAIPBG-, de la introducción en las normas de definiciones o reglas que permitan determinar con una mayor seguridad cuando concurre la causa de inadmisión fundada en este motivo.

4. Solicitudes "dirigidas a un órgano en cuyo poder no obre la información cuando se desconozca el competente

En estas hipótesis, previstas en el artículo 18.1.d) de la LTAIPBG, el órgano que acuerde la inadmisión deberá indicar en su resolución el que, "a su juicio, es competente para conocer de la solicitud". Cabe destacar la importancia de diferenciar estos supuestos, lo que no siempre se hace, de aquellos otros en los que la información, sencillamente, no existe, en cuyo caso, la causa de inadmisión no es aplicable[55]. Estas situaciones -y aquí la doctrina de las autoridades de control no ha suscitado nunca dudas a pesar de que la Ley pueda inducir a ello-, tampoco pueden confundirse con aquellas en las que la solicitud versa sobre información que "no obra en poder del sujeto al que se dirige", en cuyo caso, debe, en cumplimiento del artículo 19.1, remitirla "al competente, si lo conociera, e informará de esta circunstancia al solicitante". La causa de inadmisión solo es aplicable, por tanto, "en

---

40/2021, de 5 de mayo, 29/2021, de 30 de abril, o 61/2021, de 20 de mayo. Entre los segundos, Resoluciones 850/2020, de 10 de marzo de 2021, 895/2020, de 30 de marzo de 2021, 921/2020, de 5 de abril, de 2021, o 42/2021, de 6 de mayo.

54   Artículo 23.
55   En tal sentido, Resoluciones del CTBG 198/2020, de 17 de junio, 272/2020, de 28 de julio, o 636/2020, de 15 de diciembre.

supuestos de claro desconocimiento del organismo competente"[56], por lo que debe ser, en principio, una causa de escasa aplicación, en la medida en que lo normal será que quien recibe la solicitud conozca quien posee la información o pueda averiguarlo sin especiales dificultades, como expresamente impone ya la Ley de Madrid[57], en una previsión que, quizás, fuera oportuno establecer con carácter general.

5. Solicitudes manifiestamente repetitivas y abusivas ¿ha de cambiar, en algún punto, la interpretación de este motivo de inadmisión?

La letra e) del artículo 18.1 de la LTAIPBG recoge, en realidad, dos motivos diferentes de inadmisión: los referidos a solicitudes que "sean manifiestamente repetitivas" y a solicitudes, de otra parte, que presenten "un carácter abusivo no justificado con la finalidad de transparencia de esta Ley". A ambos se refiere el Criterio Interpretativo del CTBG 3/2016, de 14 de julio, que, de nuevo, inspira la doctrina de las autoridades autonómicas que, también aquí, nos dejan una interpretación sustancialmente uniforme que comparten con la de la autoridad estatal[58], doctrina en cuya rica casuística no puedo

---

[56]   Coinciden todas las autoridades de control en la interpretación de esta causa de inadmisión, que por lo general, rechazan. Al respecto pueden verse, entre las más recientes, las Resoluciones del CTBG 691/2020, de 14 de enero de 2021, 814/2020, de 2 de marzo de 2021, 866/2020, de 18 de marzo, 889/2020, de 31 de marzo de 2021, 931/2020, de 9 de abril de 2021, 940/2020, de 12 de abril de 2021, 948/2020, de 16 de abril de 2021, y 1/2021, de 16 de abril. O las Resoluciones 26/2019, de 7 de febrero, y 72/2019, de 20 de marzo del Consejo andaluz, y 73/2020, de 22 de diciembre, de la Comisión vasca de acceso a la información pública.

[57]   Artículo 41.2.

[58]   Todas ellas manejan, en efecto, las mismas reglas con cita, por lo general, del Criterio Interpretativo del CTBG. Al respecto, y entre las más recientes, pueden verse las Resoluciones 172/2020, de 22 de diciembre, y 91/2021, de 29 de abril, del Consejo valenciano; 12/2020, de 15 de junio, y 10/2021, de 15 de marzo, del Consejo de Aragón; 255/2020, de 25 de febrero de 2021, del Comisionado de Transparencia de Canarias; 58/2021, de 17 de marzo, y 102/2021, de 6 de abril, del Consejo de Andalucía; 9/2021, de 21 de febrero (CT 245/2020), 59/2021, de 22 de abril (CT 232/2020), 68/2021, de 7 de mayo (CT 273/2020), y 95/2021, de 4 de junio (CT 72/2021), de la Comisión de Transparencia de Castilla y León; 13/2021, de 5 de marzo, y 37/2021, de 16 de abril, de la Comisión vasca; o Acuerdos 34/2019, de 16 de diciembre, y 18/2021, de 12 de abril, del

profundizar. Tan solo destacaré que una solicitud es manifiestamente repetitiva cuando el solicitante conoce "de antemano el sentido de la resolución", lo que, según manifiesta el CTBG, comporta, a su vez, un ejercicio abusivo del derecho, con lo que establece una conexión entre los dos motivos de inadmisión previstos en el artículo 18.1.e) de la LTAIPBG, inexistente en el texto de la norma[59]. Más interés presenta la determinación del carácter abusivo de una solicitud. Si atendemos al citado Criterio Interpretativo y a las resoluciones de las autoridades de transparencia, podremos comprobar que el elemento que realmente les sirve para valorar su existencia viene dado por la finalidad de la solicitud, que no será abusiva cuando esté "justificada con la finalidad de la Ley", cuando, en expresión tomada del propio Preámbulo de la LTAIPBG, "se fundamenta en el interés legítimo de someter a escrutinio la acción de los responsables públicos, conocer cómo se toman las decisiones públicas, conocer cómo se manejan los fondos públicos, conocer bajo qué criterios actúan las instituciones públicas"[60]. Es importante reparar en cómo para el Consejo las finalidades posibles de las solicitudes de acceso quedan delimitadas por esa genérica afirmación del Preámbulo de la norma, cuando no son esos los únicos motivos que pueden llevar a una persona a ejercer el derecho de acceso tan ampliamente reconocido y para el que además no se exige motivación. En un estudio anterior, advertía sobre los riesgos de esta interpretación en lo que puede suponer de restricción infun-

---

Consejo navarro. Cabe añadir que aunque la Ley catalana no prevé esta causa de inadmisión, la GAIP viene reconociéndola, pues la prohibición del abuso del derecho constituye "un principio general del derecho" aplicable "a todo tipo de relaciones jurídicas que lo infrinjan" (Resoluciones 571/2020, de 16 de octubre, y 640/2020, de 5 de noviembre).

[59]   Las Resoluciones del CTBG 722/2020, de 28 de enero de 2021, 864/2020, de 17 de marzo de 2021, 887/2020, de 31 de marzo, o 14/2021, de 27 de abril, abordan supuestos en los que se plantea, con desigual resultado, el posible carácter repetitivo de una solicitud.

[60]   Entre las resoluciones más recientes en las que el CTBG ha considerado abusiva una solicitud por no acomodarse a esa finalidad, se encuentran las Resoluciones 712/2020, de 25 de enero de 2021, 858/2020, de 11 de marzo de 2021, 865/2020, de 12 de marzo de 2021, 869/2020, de 17 de marzo, 949/2020, de 15 de abril de 2021, 17/2021, de 29 de abril, o 53/2021, de 24 de mayo. Ejemplos, por el contrario, de supuestos en los que se ha apreciado que no hay desviación de la finalidad propia de la Ley se encuentran en las 591/2020, de 3 de diciembre, 11/2021, de 26 de abril, o 27/2021, de 5 de mayo.

dada al derecho de acceso[61]. Pues bien, una interpretación tal queda en entredicho tras la Sentencia del Tribunal Supremo de 12.11.2020 (5239/2019), que niega, concretamente, que la obtención de un interés privado legítimo no tenga cabida en la LTAIPBG. Nada indica que no pueda encontrarlo en su Preámbulo, "sin perjuicio además de que la solicitud de acceso a una información pública por razones de interés privado legítimo no carezca objetivamente de un interés público desde la perspectiva de la transparencia que fomenta la LTAIBG, pues puede contribuir -de forma indirecta si se quiere- a esa finalidad de la LTAIBG", Y es, además, una interpretación que no encuentra fundamento en las disposiciones que disciplinan el ámbito subjetivo de la Ley, su objeto y límites al derecho. Aunque el Tribunal advierte, en relación con el caso que enjuicia, que "como hipótesis podría plantearse que la denegación del CTBG del acceso a la información pública encuentra respaldo en la causa de inadmisión del artículo 18.1.e) de la LTAIBG..., pues al fin y al cabo, en dicha causa de inadmisión aparece citada *"la finalidad de la ley"*, y en este caso, el motivo determinante de la denegación, como acabamos de expresar, consistió en que el interés privado que guía al recurrente no tiene encaje, de acuerdo con la sentencia impugnada y la resolución del CTBG, con las *"finalidades"* de la LTAIBG expresadas en su preámbulo", concluye que "no cabe acoger la concurrencia de la indicada causa de inadmisión, porque no es citada como tal en la sentencia impugnada ni en ninguna de las resoluciones de las que trae causa"[62]. Ahora bien, su clara posición en defensa de que los intereses privados encuentran amparo en la LTAIPBG, exige un cambio en la interpretación que las autoridades de transparencia, el CTBG, vienen efectuando de esta causa de inadmisión, en la que quizás no puedan incardinarse supuestos en los

---

[61] "Capítulo Cuarto. El ejercicio del derecho y el régimen de impugnaciones", *Op. Cit.*, págs. 623-624.

[62] El Tribunal declara haber lugar al recurso de casación interpuesto contra la Sentencia de la Audiencia Nacional de 27 de mayo de 2019 (3/2019), que confirmaba la Sentencia del JCCA, núm. 2, de 9 de julio de 2018 (94/2018), avalando así Resolución del CTBG 333/2017, de 6 de octubre, que negaba al solicitante el listado de la correspondencia que había enviado y recibido durante su permanencia en el Centro Penitenciario Madrid VI" porque, "aunque sea información pública", difícilmente puede incardinarse dentro de la finalidad citada, se trata de un mero interés privado.

que el solicitante persigue obtener información para fines privados. Habrá que dejar transcurrir algún tiempo para valorar en qué medida esta doctrina se adecúa al pronunciamiento del alto Tribunal. Por el momento, y en las resoluciones del Consejo estatal, las referencias, en relación con esta cuestión, a esta sentencia son prácticamente inexistentes, aunque en esos supuestos en los que, en último término, puede intuirse un interés privado en la solicitud, la entidad, en un cambio de matiz que no debe pasar desapercibido, no siempre habla ya de una desviación de la finalidad propia de la norma en esos términos literales dispuestos en su Preámbulo, se refiere, al hora de justificar el carácter abusivo de la solicitud, a una actuación por el solicitante con la que persigue "una instrumentación de la normativa de transparencia con una finalidad que no se acomoda al espíritu y finalidad de la LTAIBG en los términos señalados por los tribunales de justicia"[63]. No obstante, no faltan resoluciones que siguen valorando ese carácter abusivo desde el parámetro ofrecido por esa finalidad consistente en "someter a escrutinio la acción de los responsables públicos, conocer cómo se toman las decisiones públicas, cómo se manejan los fondos públicos o bajo qué criterios actúan las instituciones públicas"[64]. Desde luego, el pronunciamiento del Tribunal Supremo obliga a la reconsideración de lo actualmente dispuesto en el proyecto de reglamento de desarrollo de la LTAIPBG que en su artículo 26.3.a), declara abusiva una solicitud cuando, entre otros supuestos, no se atenga a esa finalidad definida en el Preámbulo de la Ley.

---

[63]   Así puede verse en las Resoluciones 712/2020, de 25 de enero de 2021, que cita la sentencia, 827/2020, de 2 de marzo de 2021, y 865/2020, de 12 de marzo de 2021.

[64]   En este sentido puede verse la Resolución 949/2020, de 15 de abril de 2021.

LAS LIMITACIONES DEL DERECHO/ DERECHOS DE ACCESO EN LOS PROCEDIMIENTOS SANCIONADORES[1]

Ana Aba Catoira[2]

Profesora Titular de Derecho Constitucional.
Universidade de A Coruña

I. PRESENTACIÓN

Este estudio pretende responder hasta qué punto son necesarios y están justificados los límites que la normativa española establece a los derechos de acceso a la información pública. Una cuestión que nos planteamos partiendo de su desarrollo y aplicación por las administraciones y de las resoluciones dictadas por las autoridades de control y los órganos judiciales que, con posterioridad, controlan las decisiones denegatorias o limitativas del derecho de acceso. Será, a través del análisis de las resoluciones de las autoridades de control y, en su caso, de los pronunciamientos judiciales, como podremos aportar claridad a la aplicación de las normas[3].

Los límites al ejercicio de los derechos de acceso son muchos y variados además de que existe gran diversidad regulatoria. Por esta

---

[1]   Este trabajo se elabora en el marco del Proyecto de I+D+i Retos MICINN "Derechos y garantías frente a las decisiones automatizadas en entornos de inteligencia artificial, IoT, big data y robótica" (PID2019-108710RB-I00, 2020-2022).

[2]   http://orcid.org/0000-0002-9532-8177;
http://www.researcherid.com/rid/I-2494-2015;
http://www.scopus.com/authid/detail.uri?authorId=57210182321

[3]   E. Guichot Reina, "Los límites de la transparencia y el derecho a la información" en *Transparencia y Acceso a la Información Pública: de la teoría a la práctica*, Iustel, Madrid, 2019, pág. 51 y ss.

razón, en aras de acotar el estudio, nos ocuparemos del límite sobre el acceso a informaciones relativas a procedimientos sancionadores y, especialmente, a los de carácter judicial.

II. ALGUNAS CONSIDERACIONES SOBRE EL DERECHO DE ACCESO

1. Importancia para la salud democrática

El derecho de acceso a las informaciones públicas es una garantía democrática. Se trata de la realización del principio de publicidad, entendido como transparencia en el funcionamiento de lo público para garantizar el control democrático y la consiguiente rendición de cuentas[4]. Así, en el Preámbulo de la Ley 19/2013, de 9 de diciembre, de Transparencia, Acceso a la Información Pública y Buen gobierno (LTAIPBG), se establece la finalidad de la norma al declarar que "la transparencia, el acceso a la información pública y las normas de buen gobierno deben ser los ejes fundamentales de toda acción política".

Por otra parte, aun si bien es cierto que nuestro sistema contempla el principio de publicidad frente a la opacidad o secreto, también lo es, que se mantiene una inercia a favor de la opacidad que impide la transparencia. Como señala la doctrina "Si formalmente las diferentes modalidades de secreto que nuestro ordenamiento regula (secreto profesional, secreto del sumario, secretos oficiales, etc.) tienen un

---

[4]   A. Moretón Torquero, "Los límites del derecho de acceso a la información pública", *Revista Jurídica de Castilla y León*, núm. 33, mayo, 2014, pág. 4, se refiere a "cauce de profundización en la dimensión democrática del Estado"; A. Aba Catoira, "La participación ciudadana en la administración de justicia a través del acceso a la información pública", L. Cotino Hueso (ed. lit.), J. L. Sahuquillo Orozco (ed. lit.), L. Corredoira y Alfonso (ed. lit.), *El paradigma del gobierno abierto: retos y oportunidades de la participación, transparencia y colaboración*, Universidad Complutense de Madrid, Madrid, 2015; A. Aba Catoira, "Transparencia, Buen Gobierno y Derecho de Acceso a la Información Pública", *Dereito*, Vol.27, núm. extraordinario, xaneiro-decembro, 2018, págs. 137-159; L. Cotino Hueso, y R. Martínez Martínez, "Políticas de transparencia, calidad democrática y buen gobierno", AA.VV., *Política y gobierno en la Comunitat Valenciana*, Tirant lo Blanch, Valencia, 2020.

carácter excepcional y el recurso a su utilización exige, precisamente por ello, una fuerte justificación en cada caso concreto, no es menos cierto que, en la práctica, una concepción fuertemente limitada de la publicidad, unida a una regulación frecuentemente confusa (que ocasiona no pocos problemas interpretativos y de inseguridad en su aplicación, no solo para los ciudadanos sino también para los servidores públicos que tienen que responder a una eventual demanda de información) han contribuido a crear una base poco favorable a la divulgación de la información pública"[5].

A mayor abundamiento, las transformaciones provocadas por las tecnologías disruptivas y la gestión masiva de información, obligan a la adaptación al entorno digital. Sin embargo, es necesario un cambio cultural de quienes toman decisiones y de la sociedad en general; además de capacitación en gestión de la información para poder garantizar la efectividad del derecho de acceso[6].

2. Reconocimiento y garantía

El reconocimiento del derecho no ha sido ni es homogéneo. En algunos textos constitucionales se reconoce como derecho fundamental autónomo y, en otros, como es el caso de España, como un derecho de configuración legal[7]. Por otra parte, se ha configurado como una

---

[5]   A. Moretón Torquero, *Op. Cit.*, págs. 21-22.

[6]   J. Castellanos Claramunt, "Democracia, Administración pública e inteligencia artificial desde una perspectiva política y jurídica", *Revista Catalana de Dret Públic*, núm. 60, 2020, págs. 137-147.

[7]   La doctrina científica se divide entre quienes consideran que es un derecho fundamental de nueva creación y quienes no; y, dentro de los primeros, los que consideran su carácter de derecho fundamental instrumental respecto de otros derechos fundamentales ya consolidados. A favor de su fundamentalidad, entre otros, G. Röllnert Liern, "El derecho de acceso a la información pública como derecho fundamental: una valoración del debate doctrinal a propósito de la Ley de Transparencia", *Teoría y Realidad Constitucional*, núm. 34, 2014, págs. 349-368; L. Cotino Hueso, "El reconocimiento y contenido internacional del acceso a la información pública como derecho fundamental", *Teoría y Realidad Constitucional*, núm. 40, 2017, págs. 279-317; A. Aba Catoira, "El derecho de acceso a la información pública como derecho fundamental en América Latina. La acción constitucional de acceso a la información pública en el Ecuador", *Cuadernos Manuel Giménez Abad*, núm. 16, 2018, págs. 70-89; L. Cotino Hueso,

facultad instrumental integrada en el contenido de algunos derechos fundamentales, por lo que hablamos de derechos fundamentales de acceso a la información pública. La fundamentalidad del derecho específico irradia al derecho de acceso que se ve favorecido en orden a obtener una mayor protección y eficacia que va más allá de la reconocida al derecho del art. 105.b) C.E[8].

En el ámbito del Derecho Internacional y en el Derecho de la Unión Europea se ha producido una evolución sustancial en materia de acceso a través de su reconocimiento como derecho autónomo con máximo rango jurídico. En este sentido, tanto el Tribunal Europeo de Derechos Humanos como la Corte Interamericana consideran que es un derecho fundamental integrado en el derecho a la libertad de expresión y a recibir información[9]. Por lo que respecta a la Unión Europea, el derecho de acceso deviene en derecho fundamental a partir del art. 41 de la Carta de Derechos Fundamentales de la Unión Europea sobre derecho a una buena administración y del art. 42 que consagra el derecho fundamental del acceso a los documentos de las instituciones europeas.

"Los derechos fundamentales de acceso a la información pública, sus límites y la supletoriedad de la legislación general de transparencia", L. Cotino Hueso y A. Boix Palop, eds., *Los límites al derecho de acceso a la información pública*, Tirant Lo Blanch, Valencia, 2021, págs. 22-64.

[8]   Así lo manifiesta L. Cotino Hueso, *Op. Cit.*, pág. 23, refiriéndose a las Resoluciones del Consejo de Transparencia de la Comunidad Valenciana.

[9]   Así, en la interpretación que del art. 10 del CEDH se realiza en la jurisprudencia del TEDH o el Comité de Derechos Humanos de Naciones Unidas a partir del art. 19. Por todas, STEHD Gran Sala, de 8 de noviembre de 2016 *caso Magyar* afirma que "el derecho a recibir la información no puede ser interpretado como que impone a un Estado obligaciones positivas de recopilar y difundir información de oficio [...] el artículo 10 no confiere a los particulares un derecho de acceso a la información en poder de una autoridad pública, ni obliga al Gobierno a dar dicha información a la persona". Ello sin olvidar que "tal derecho u obligación puede surgir [...] en circunstancias en que el acceso a la información es fundamental para el ejercicio individual del derecho a la libertad de expresión, en particular, de "la libertad de recibir y difundir informaciones". Ver el análisis minucioso de L. Cotino Hueso, "El acceso a la información en el Derecho Internacional Universal", G. Escobar, dir., *Transparencia y acceso a la información pública, XIII Informe de la FIO* (Federación Iberoamericana de Ombudsman, Trama, Madrid, 2015, págs. 23-58.

Su reconocimiento como derecho de configuración legal (régimen general LTAIPBG) ha supuesto un importante avance respecto a la regulación anterior, pero susceptible de mejora si se abandona la concepción limitada del derecho y la regulación de un amplio sistema de límites[10]. Apostar por la efectividad del derecho general supone que el acceso a las informaciones en poder de los poderes públicos sea la regla general, interpretando restrictivamente las causas de inadmisión y las posibles limitaciones. Unas restricciones del acceso que no se podrán justificar en la existencia de un riesgo o peligro para intereses públicos o privados y derechos fundamentales puesto que ha de producirse un perjuicio efectivo.

Las carencias regulatorias del acceso y la inadecuación de la regulación de los límites, junto a la concurrencia complicada de regímenes especiales y sectoriales (DA1ª), han supuesto que, en la práctica, se invierta la relación entre la norma general y sus excepciones, de modo que la efectividad del derecho puede quedar reducida a mínimos. Dicho lo cual, si sumamos a las causas de inadmisión, que, en la práctica, pueden llegar a imposibilitar el acceso, todos los límites previstos, nos encontramos con un muro infranqueable para lograr acceder a la información pública solicitada contraviniendo el espíritu del Convenio sobre Acceso a la Información Pública.

No descubriremos nada nuevo si reiteramos que, tanto el Consejo de Transparencia y Buen Gobierno (CTBG) como el Tribunal Supremo, en sus resoluciones el primero y en sus sentencias el segundo,

---

[10] En efecto, su configuración ordinaria, ni siquiera se relaciona o conecta con la libertad de información, provoca su debilitamiento ante la ausencia de un sistema de garantías que reforzaría su efectividad. Así lo pone de manifiesto la autoridad valenciana destacando, entre los efectos jurídicos que proporciona la fundamentalidad, la intensificación de la protección constitucional del derecho de acceso a los datos solicitados y la reducción de las posibilidades de restringir el acceso a la información solicitado: CTCV Res. exp. 21/2016, 3.4.2017, FJ 4º; se produce "la potenciación e intensificación de la protección de este derecho" (FJ 5º). Su reconocimiento como derecho fundamental implica una intensa protección en la delimitación de su contenido y, sobre todo, frente a posibles limitaciones. Cfr., L. Cotino Hueso, "Algunas propuestas de mejora de la normativa del derecho de acceso a la información", L. Cotino Hueso y A. Boix Palop, eds., monográfico "De la Ética al Derecho: políticas y regulación del buen gobierno y la transparencia", *Dilemata. Revista Internacional de Éticas Aplicadas*, núm. 27, 2018, págs. 263-279.

afirman la obligatoriedad de realizar una interpretación restrictiva de los límites en sintonía con la Exposición de Motivos de la Ley que constituiría una vía suficiente para evitar problemas y garantizar la efectividad del derecho de acceso concebido, en palabras del legislador, como un derecho amplio. Por tanto, la norma general será dar información pública ante una solicitud debidamente presentada (esto es ha cumplido con los requisitos de admisión y, por tanto, no concurre ninguna causa de inadmisión) y la aplicación de los límites o limitaciones será, en consecuencia, restrictiva o estricta, lo que impide ampliarlas o extenderlas para denegar el acceso.

3. *Previsión legal de los límites y necesidad de una interpretación restrictiva*

Bien es sabido, que, en la teoría general, los derechos son concebidos como categorías jurídicas limitadas siendo imperativo conciliar su ejercicio efectivo con aquellos límites necesarios para garantizar el correcto funcionamiento del sistema; es decir, asegurar los derechos y otros bienes e intereses merecedores de protección. Así las cosas, el acceso a las informaciones públicas no puede configurarse como una posibilidad de conocer con alcance ilimitado siendo necesaria su regulación jurídica que establezca un ajustado régimen de ejercicio limitado.

Siguiendo lo establecido en el citado Convenio del Consejo de Europa, el acceso solo podrá ser denegado cuando pueda ocasionar un perjuicio efectivo y no meramente hipotético para el bien jurídico protegido por el límite en cuestión (test del perjuicio); dicho perjuicio deberá ser en todo caso ponderado con los intereses públicos o privados favorables al acceso que puedan concurrir y que pueden obligar a soportarlo (juicio de ponderación); aunque, en el juicio ponderativo, prevalezca el límite, su aplicación debe ser proporcionada y no impedir el acceso a la parte de la información solicitada no afectada por el límite de que se trate (principio de proporcionalidad y acceso parcial); y, en todo caso, se aplica la obligación de motivación suficiente por parte de la autoridad que resuelve la solicitud.

Ahora bien, como se ha señalado, la regulación resulta deficitaria y de baja calidad. Por una parte, la LTAIPBG no establece las líneas básicas del sistema de limitación que concreta en los arts. 14 y 15. Por otra, a esta regulación se suman las previsiones contenidas en los regímenes especiales a los que se refiere la DA1ª cuando dispone que "esta Ley tendrá carácter supletorio respecto de las regulaciones específicas"[11]. Una disposición que ha introducido importantes desequilibrios, pues se olvida el carácter común y transversal de la norma básica que debe ser aplicada en todos los supuestos salvo que la regulación específica resulte más favorable para la efectividad del derecho de acceso.

Los pronunciamientos judiciales resultan de utilidad práctica para realizar una correcta delimitación de los requisitos y elementos de las normas de limitación, así como su aplicación práctica. En este orden de cosas, el Tribunal Supremo recordaba que "Esa formulación amplia en el reconocimiento y en la regulación legal del derecho de acceso a la información obliga a interpretar de forma estricta, cuando no restrictiva, tanto las limitaciones a ese derecho que se contemplan en el art. 14.1º como las causas de inadmisión de solicitudes de información enumeradas en el art. 18.1º"[12]. Y ya en sus últimas sentencias:

---

[11]   El Consejo de Estado, en su Dictamen sobre el Anteproyecto de Ley, ya advertía que "la relación entre la ley y los regímenes especiales no siempre aparece claramente perfilada o construida, lo que puede provocar un solapamiento o duplicidad de regímenes".
En STS 748/2020, de 11 de junio, NRC 577/20, se fija el alcance de la DA 1ª, que la LTAIP se constituye como la normativa básica estatal transversal que regula el acceso a la información pública, de modo tal que sus previsiones solo pueden quedar desplazadas y actuar como supletorias cuando otra norma legal haya dispuesto un régimen jurídico propio y específico de acceso a la información en un ámbito determinado que regule esta cuestión de forma autónoma y diferenciada.
I. Martín Delgado, "Los límites efectivos al derecho de acceso", L. Cotino Hueso y A. Boix Palop, eds., *Los derechos fundamentales de acceso a la información pública*, Tirant Lo Blanch, Valencia, 2021, págs. 65-98., pág. 78, clasifica los límites al derecho de acceso en tres tipos: límites sustanciales (los recogidos en los arts. 14 y 15), límites formales (las causas de inadmisión del art. 18) y límites legales (la existencia de un régimen específico de acceso en aplicación de la DA 1ª, que lleva al Consejo a entender que no es competente para conocer de las reclamaciones en esos ámbitos de actuación).

[12]   Sentencia 1547/2017, de 16 de octubre (Rec. Casación nº 75/2017). En idéntica línea, Sentencia de la Audiencia Nacional 46/2017, de 6 de febrero de 2017. Ver Sentencia nº 60/2016, de 18 de mayo de 2016, del Juzgado Central de lo Contencioso Administrativo nº 6 de Madrid, dictada en el PO 57/2015: "(...) Este

"La Ley 19/2013, por lo que respecta al acceso a la información pública, se constituye como la normativa básica trasversal que regula esta materia y crea un marco jurídico que complementa al resto de las normas. Las previsiones de esta norma tan solo quedan desplazadas, actuando en este caso como supletorias, cuando otra norma legal haya dispuesto un régimen jurídico propio y especifico de acceso a la información en un ámbito determinado".

De la jurisprudencia extraemos los siguientes criterios en la línea marcada por el legislador en el Preámbulo de la Ley Básica: se reconoce y garantiza el acceso regulado como un derecho de amplio ámbito subjetivo y objetivo; el derecho podrá ejercerse sin necesidad de motivar la solicitud; solamente se verá limitado en aquellos casos en que sea necesario por la propia naturaleza de la información (art.

---

derecho solamente se verá limitado en aquellos casos en que así sea necesario por la propia naturaleza de la información –derivado de lo dispuesto en la Constitución Española– o por su entrada en conflicto con otros intereses protegidos. En todo caso, los límites previstos se aplicarán atendiendo a un test de daño (del interés que se salvaguarda con el límite) y de interés público en la divulgación (que en el caso concreto no prevalezca el interés público en la divulgación de la información) y de forma proporcionada y limitada por su objeto y finalidad". "La ley consagra la prevalencia del derecho subjetivo a obtener la información y correlativamente el deber de entregarla, salvo que concurran causas justificadas que limiten tal derecho, a las que se refiere el art. 14. Tales causas constituyen conceptos jurídicos indeterminados cuya relevancia y trascendencia deben ser concretadas en cada caso, ponderando los intereses en conflicto (...)".
En la Sentencia de 7 de noviembre de 2016, dictada en el Recurso de Apelación presentado frente a la Sentencia de instancia indicada previamente, la Audiencia Nacional expresamente señaló que "Y si concurre alguno de los límites del art. 14 reseñado deberá de acreditarlo" Sentencia nº 46/2019, de 22 de junio de 2019, del Juzgado Central de lo Contencioso Administrativo nº 2 de Madrid, dictada en el PO 38/2016: "El derecho de acceso a la información es un derecho fundamental reconocido a nivel internacional como tal, debido a la naturaleza representativa de los gobiernos democráticos; es un derecho esencial para promover la transparencia de las instituciones públicas y para fomentar la participación ciudadana en la toma de decisiones".
Sentencia nº 98/2017, de 22 de junio de 2017, del Juzgado Central de lo Contencioso Administrativo nº 11 de Madrid, dictada en el PO 49/2016 : "La ley consagra pues la prevalencia del derecho subjetivo a obtener la información y correlativamente el deber de entregarla, salvo que concurran causas justificadas que limiten tal derecho, a las que se refiere el art. 14, causas que constituyen conceptos jurídicos indeterminados cuya relevancia y trascendencia han de ser concretadas en cada caso, ponderando los intereses en conflicto (...)".

105.b) CE) o por entrar en conflicto con otros intereses protegidos; en todo caso, los límites previstos se aplicarán atendiendo a un test de daño y de interés público de especial trascendencia en la divulgación y de forma proporcionada y limitada por su objeto y finalidad. En consecuencia, si la administración que tiene la información considera que se da una excepción debe valorar si existe un interés público en la difusión de la información con más peso que el interés público o particular que se protege con la excepción, ya que en ese caso deberá permitir el acceso solicitado; la expresión "todas las personas" no excluye a los interesados; no hay obligación de motivar la solicitud (art. 17.3°), así que, el derecho se reconoce con independencia de cualquier interés o motivo (ya sea público o privado) del solicitante.

Dicho lo anterior, a la luz de la jurisprudencia citada y del criterio interpretativo CI/002/2015, de 24 de junio, conjunto del Consejo de Transparencia y Buen Gobierno y la Agencia Española de Protección de Datos, cabe concluir que las materias mencionadas en el art. 14.1° LTAIPBG en ningún caso se configuran como límites absolutos de modo que impidan totalmente el acceso a la información solicitada, sino que por el contrario, constituyen auténticas excepciones al principio general de acceso a la información, y en cuanto que excepciones, han de interpretarse y aplicarse restrictivamente, atendiendo a las circunstancias del caso concreto, y permitiendo incluso un acceso parcial respecto de aquella parte de la información que no resulte afectada por ninguno de los límites señalados por el art. 14.1° .

4. Sobre disparidad regulatoria y de límites: Normativa básica, normativa autonómica general y normativa sectorial

Los límites en sentido estricto actúan como esferas donde no se puede acceder, no cabe ejercitar el derecho frente a ellas. La regulación legal contenida en el art. 14 LTAIPBG supone una evidente ampliación respecto a las previsiones del art. 105.b) C.E, ya que, frente a la seguridad y defensa, averiguación de delitos e intimidad de las personas, se enumeran hasta 12 materias[13]. Junto a este catálogo de

---

13   Así, aplicando la regulación básica el derecho podrá ser limitado por la protección de intereses de naturaleza pública (SN, defensa, relaciones exteriores,

materias que pueden eventualmente limitar el ejercicio del derecho de
acceso a la información pública, el artículo 15 LTAIPBG regula las
relaciones entre este derecho y el derecho a la protección de datos de
carácter personal, de modo que si bien este último no se incluye formalmente dentro del precepto que la Ley dedica a establecer los límites al derecho de acceso a la información pública, no es menos cierto
que la relación entre ambos puede conllevar que, en determinados
supuestos, el derecho de acceso a la información pública ceda ante el
derecho fundamental a la protección de datos de carácter personal.

Nos encontramos ante las primeras perplejidades:

- El art. 105.b) reconoce el derecho con cierta amplitud previen-
  do el acceso "salvo en lo que afecte a la Seguridad y Defensa del
  Estado, la averiguación de delitos y la intimidad de las personas". Por tanto, la Constitución tasa tres materias o contenidos
  que constituyen límites "relativos" del derecho a conocer que
  podrán desplegar sus efectos restrictivos siempre que superen
  el test del daño.
- Por otra parte, en base a la sujeción constitucional, se generan
  dudas sobre la ampliación legislativa de las limitaciones o sobre
  la interpretación de extensiva de la cláusula "salvo en lo que
  afecten" que obliga a realizar la comprobación o test para su
  constatación.
- Dicho lo anterior, desde una lectura del art. 14, que supone una
  ampliación significativa del listado constitucional, cabe pregun-
  tarse si el legislador ha reconocido nuevos límites o si ha concretado aquellos previstos constitucionalmente.
- En el caso de responder afirmativamente a la primera opción,
  en consonancia en cualquier caso con el Derecho europeo, los
  límites tendrían que inferirse o deducirse del texto constitucional que recoge bienes o valores dignos de protección o derivarse

seguridad pública, prevención e investigación y sanción de delitos), protección
de derechos o intereses privados (PI e industrial), protección institucional como
la igualdad entre las partes en los procesos judiciales o el secreto profesional o
por la protección de derechos fundamentales como la tutela judicial efectiva o
la intimidad.

de otras normas por razón de la especialidad de la materia según dispone la DA 1ª.

La falta de concreción de la DA 1ª que en su apartado 2, establece que "se regirán por su normativa específica, y por esta Ley con carácter supletorio, aquellas materias que tengan previsto un régimen jurídico específico de acceso a la información" salvo la precisión contenida en el apartado 3 genera incertidumbres son la aplicación de la regulación básica.

El Consejo de Transparencia y Buen Gobierno (CTBG) viene haciendo una lectura bastante estricta de este precepto al entender que la norma sectorial podrá desplazar la regulación básica si contiene un régimen de acceso específico[14]. Así, sucede con la Ley 27/2006, de 18 de julio, por la que se regulan los derechos de acceso a la información, de participación pública y de acceso a la justicia en materia de medio ambiente, que regula un régimen de acceso que tiene en cuentas las características de la información que se solicita[15]; o con el Real Decreto 1708/2011, de 18 de noviembre, por el que se establece el Sistema Español de Archivos y se regula el Sistema de Archivos de la Administración General del Estado y de sus Organismos Públicos y su régimen de acceso, cuyos artículos 23 a 32 regulan el procedimiento de acceso a documentos y archivos".

---

[14]   Cabe objetar que el requerimiento de que exista un procedimiento administrativo específico para ejercitar el derecho de acceso no exige que sea a través de una norma con rango de ley, posibilitando la entrada de una norma reglamentaria.

[15]   Por otra parte, a ella se refiere el apartado 3 de la DA 1ª cuando recalca la aplicación supletoria de la LTAIBG al régimen de acceso a la información medioambiental regulado en esa norma.

III. TRANSPARENCIA A TRAVÉS DEL DERECHO DE ACCESO EN MATERIA DE PROCEDIMIENTOS SANCIONADORES[16]

Algunos límites legalmente previstos se justifican en la necesidad de proteger los procedimientos sancionadores que podrían resultar perjudicados o frustrados por el acceso a la información. Así, se desprende de la letra del artículo 14.1.e) LTAIBG que señala que "el derecho de acceso podrá ser limitado cuando acceder a la información suponga un perjuicio para: la prevención, investigación y sanción de los ilícitos penales, administrativos y disciplinarios".

Su antecedente directo se encuentra en el art. 37.3º de la Ley 30/1992, de 26 de noviembre, de Régimen Jurídico de las Administraciones Públicas y del Procedimiento Administrativo Común, que, en su redacción original, excepcionaba los procedimientos de carácter sancionador o disciplinario del acceso a documentos de carácter nominativo, por terceros que acrediten un interés legítimo y directo. Además, en su apartado 5, establecía que el derecho de acceso no podía ser ejercido, entre otros, respecto a los expedientes tramitados para la investigación de los delitos cuando pudiera ponerse en peligro la protección de los derechos y libertades de terceros, o las necesidades de las investigaciones que se estén realizando.

En el ámbito europeo, el art. 4.2º del Reglamento (CE) nº 1049/2001 del Parlamento Europeo y del Consejo, de 30 de mayo de 2001, relativo al acceso del público a los documentos del Parlamento Europeo, del Consejo y de la Comisión, excepciona el acceso a los documentos cuya divulgación suponga un perjuicio para el objetivo de las actividades de inspección, investigación y auditoría y a los

---

[16]   Véase el completo trabajo de E. Guichot Reina, "Límites a la transparencia que protegen la integridad de los procedimientos administrativos y judiciales y su relación con el acceso de los interesados a la información: ¿garantizar la efectividad de los procedimientos o la libertad de decidir sin la presión de la mirada ajena?", L. Cotino Hueso y A. Boix Palop, eds., *Los derechos fundamentales de acceso a la información pública*, Tirant Lo Blanch, Valencia, 2021, págs. 165-196; B. Contreras Soler, "La prevención, investigación y sanción de los ilícitos penales, administrativos o disciplinarios", VVAA, *Los límites al derecho de acceso a la información pública*, INAP, Madrid, 2017, págs. 103-115.

«procesos de toma de decisiones». La denegación del acceso por parte de las instituciones europeas se somete al test del perjuicio grave y a la ponderación con el interés público superior. En consecuencia, nos encontramos con excepciones que responden a la misma finalidad: impedir el acceso por terceros a información pública relativa a asuntos sobre los que todavía no ha recaído una decisión definitiva.

Asimismo, el art. 3.1° del Convenio del Consejo de Europa sobre el acceso a los documentos públicos recoge este límite, pero, únicamente, circunscrito al ámbito penal y al disciplinario: "la prevención, la investigación y el procesamiento de actividades criminales" y "las investigaciones disciplinarias"[17]. La finalidad de la limitación se recoge en los apartados n° 25 y 26 de la Memoria o Informe Explicativo del citado Convenio: asegurar la prevención, investigación y persecución de actividades delictivas y preservar la capacidad de las

---

[17]   La Memoria del Convenio delimita el alcance en el siguiente sentido: «la prevención, la investigación y el procesamiento de actividades criminales», encaminada a impedir obstáculos en las investigaciones, que los delincuentes se sustraigan a la acción de la justicia o destruyan pruebas; «las investigaciones disciplinarias», que trata de preservar la capacidad de las autoridades públicas para efectuar investigaciones disciplinarias en el seno de sus Administraciones; «la inspección, el control y la supervisión por autoridades públicas», que se dirige a preservar el buen desarrollo y la conclusión de actividades de tutela, de inspección y de control y las investigaciones o auditorías de otras organizaciones sobre individuos o internas, como los controles fiscales, los exámenes escolares o universitarios, las inspecciones llevadas a cabo por la inspección de trabajo, por los servicios sociales o por las autoridades responsables de la salud o el medio ambiente; «las deliberaciones dentro o entre autoridades públicas en lo referente al examen de un asunto», que abarca tanto las deliberaciones referidas a expedientes individuales como a procesos de toma de decisiones políticas, y se justifica por la necesidad de compatibilizar la participación y la calidad en la toma de decisiones y la preservación de un «espacio para pensar»; «la igualdad de las partes en los procesos judiciales y la efectividad de la administración de justicia», que deriva del artículo 6 CEDH, que garantiza el derecho a un proceso equitativo, y está destinado a proteger la igualdad de las partes en los procesos judiciales y el buen funcionamiento de la justicia tanto ante tribunales nacionales como internacionales y puede, por ejemplo, autorizar a una autoridad pública a denegar el acceso a documentos elaborados o recibidos —por ejemplo de su abogado— en relación con los procesos judiciales de los que sea parte; por el contrario, los documentos que no son creados con vistas a procesos judiciales no pueden ser denegados al amparo de este límite.

autoridades públicas para llevar a cabo investigaciones dentro de sus administraciones.

Volviendo a la ley básica constatamos la relación evidente entre los límites previstos en las letras e), f), g) y k) del artículo 14. Estos límites se refieren a «la prevención, investigación y sanción de los ilícitos penales, administrativos o disciplinarios»; «la igualdad de las partes en los procesos judiciales y la tutela judicial efectiva», «las funciones administrativas de vigilancia, inspección y control» y «la garantía de la confidencialidad o el secreto requerido en procesos de toma de decisión». Sin olvidar, además, que el art. 15 de la Ley establece otra limitación referida a las personas física cuando establece que "en los supuestos que la información incluyese datos relativos a la comisión de infracciones penales o administrativas que no conllevasen la amonestación pública al infractor, el acceso sólo se podrá autorizar en caso de que se cuente con el consentimiento expreso del afectado, o si aquél estuviera amparado por una norma con rango de Ley".

Por lo que se refiere a su previsión a nivel autonómico recogemos dos regulaciones bien diferentes. Por una parte, el art. 21.1°.b) de la Ley 19/2014, de 29 de diciembre, de transparencia, acceso a la información pública y buen gobierno de Cataluña que dice «El derecho de acceso a la información pública puede ser denegado o restringido si el conocimiento o divulgación de la información conlleva un perjuicio para: la investigación o la sanción de las infracciones penales, administrativas o disciplinarias». Si comparamos dicho contenido con la previsión estatal, constatamos una diferencia sustancial, ya que la legislación catalana no prevé que el derecho de acceso a la información pública pueda ser denegado o restringido cuando el conocimiento o la divulgación de la información conlleve un perjuicio para la prevención de infracciones penales, administrativas o disciplinarias. Nos encontramos, pues, ante una asimetría regulatoria que, a la postre, perjudicará el ejercicio del derecho en territorio catalán puesto que podrá ser limitado en aplicación de la legislación básica que si prevé expresamente dicha limitación.

En un sentido opuesto, la Ley gallega 1/2016, de 18 de enero, de transparencia y buen gobierno, establece, en un escueto art. 25 relativo a las limitaciones del derecho de acceso a la información pública, que "el derecho de acceso a la información pública solo podrá ser limitado o denegado en los supuestos previstos en la normativa básica".

Volviendo a la legislación básica, vamos a ceñirnos a la letra e del art. 14 que establece tres ámbitos de naturaleza diferente (ilícitos penales, administrativos y disciplinarios) y en tres fases diferenciadas (prevención, investigación y sanción). Esto viene a significar que el legislador ha establecido 9 límites: prevención de ilícitos penales, investigación de ilícitos penales y sanción de ilícitos penales; prevención de ilícitos administrativos, investigación de ilícitos administrativos y la sanción de ilícitos administrativos; la prevención de ilícitos disciplinarios, la investigación de ilícitos disciplinarios y la sanción de ilícitos disciplinarios.

Así las cosas, un límite extenso que, al englobar las fases de prevención, investigación y sanción de los ilícitos, se dirige a distintos y numerosos órganos de la administración pública con la intención de proteger bienes jurídicos diferentes en función de cada una de las fases del procedimiento previstas en la Ley. En este sentido, en la fase preliminar, se persigue asegurar la eficacia de la actuación administrativa respecto a la indagación y averiguación de los hechos; durante la tramitación del procedimiento, se trata de evitar interferencias que pudieran afectar al derecho del inculpado a un procedimiento justo; y, una vez concluido el procedimiento, la confidencialidad persigue preservar el derecho a la intimidad y a la protección de datos.

En el ámbito de las infracciones penales es un límite aplicable durante las investigaciones administrativas, básicamente las realizadas por las fuerzas y cuerpos de seguridad. Por otra parte, está relacionado con la facultad del órgano instructor de decretar el secreto sumarial total o parcial. Un secreto de sumario que impide que las propias partes puedan acceder prematuramente a determinados documentos para evitar que se comprometa de forma grave el resultado de la investigación o del proceso a través de las destrucción de pruebas o huida de la justicia; o un riesgo grave para la vida, libertad o integridad física de otra persona (art. 302 de la Ley de Enjuiciamiento Criminal)[18].

---

[18]   Resulta curioso recordar que España es el único país de la Unión Europea que contiene un régimen de secreto judicial de sumario no vinculado a procedimientos

Por tanto, cuando el órgano instructor declara el secreto sumarial, y este secreto afecte a un documento al que quiere acceder una determinada persona en ejercicio del derecho de acceso a información pública, la Administración podrá invocar el límite del art. 14 de la Ley estatal para impedir temporalmente el acceso al mismo. Una temporalidad obligada porque la Ley procesal obliga a alzar el secreto del sumario al menos diez días antes de que termine la fase de instrucción (art. 302 LECrim) e impide declararlo durante la fase de juicio oral que es pública (arts. 301 y 649 LECrim). Por otra parte, el secreto del sumario comprenderá normalmente documentos e informaciones obtenidos durante las investigaciones realizadas en el marco del proceso y no los documentos integrantes de la causa que hayan sido elaborados con anterioridad por las diversas administraciones en ejercicio de sus funciones ordinarias sin relación con el proceso en curso.

1. Interpretación del límite por los órganos de transparencia

El legislador estatal ha utilizado conceptos jurídicos poco precisos que abren la vía a una interpretación y aplicación amplia y extensiva de los límites que deben ser concretados en cada caso concreto, en orden a determinar si su relevancia y trascendencia resulta suficiente para que el derecho pierda su carácter de regla general frente a la excepción. Resultan fundamentales los pronunciamientos de los órganos de control si bien es cierto que el CTBG no tiene un criterio sólido para fijar cuando el acceso a una información supone un perjuicio cierto para la prevención, investigación y sanción. Lo cierto es que, en unos casos, considera que el mero hecho de que se pueda conocer información relacionada con un procedimiento de inspección y control supone un perjuicio para el bien protegido[19]; mientras que, en otros,

---

relacionados con la seguridad nacional. En Auto de la Audiencia Provincial las Palmas de Gran Canaria, de 12 de Abril de 2016, realiza una interpretación de la legislación española conforme a la normativa europea y, así, declara que "la falta de entrega al ahora recurrente o su defensa de los documentos obrantes en la causa necesarios para impugnar la privación de libertad, incumple las disposiciones legales antes citadas y le genera una indefensión, al impedirle articular su impugnación con una información suficiente y mermar su potencial eficacia".

19   Se aproxima a la posición del Tribunal de Justicia de la Unión Europea que sostiene un reconocimiento de presunciones que evita que la información relativa a

estudia si facilitar la información realmente perjudica al procedimiento y, en su caso, la posibilidad de sancionar de forma efectiva20.

Los asimilados autonómicos han dictado numerosísimas resoluciones que han ido clarificando la aplicación de la normativa. En este trabajo se dará cuenta de algunos de ellos, principalmente de la Comisión de Garantía del Derecho de Acceso a la Información Pública (GAIP) y del Consejo de Transparencia de Aragón (CTA).

En primer lugar, el Dictamen núm. 1/2017 que trae causa de la consulta general sobre el acceso a los expedientes sancionadores en materia de medio ambiente efectuada por la Agencia de Residuos de Cataluña (ARC) que, tras el análisis de la Ley 27/2006, de 18 de julio, por la que se regulan los Derechos de Acceso a la Información, de Participación Pública y de Acceso a la Justicia en materia de medio ambiente (LAIA); la Ley 19/2014, de 29 de diciembre, de Transparencia, Acceso a la Información Pública y Buen Gobierno (LTAIPBG), así como de otras disposiciones; pide a la GAIP que indique "de qué

---

un procedimiento de investigación y sanción de ilícitos en curso trascienda más allá de la Administración y el investigado.

[20]   El Consejo de Transparencia y Buen Gobierno a causa de la tramitación de varios expedientes ha entrado a interpretar este límite. En R/0015/2019; R/0308/2019, sobre el acceso a informes relativos a los fallecimientos de dos personas en sendos Centros de Internamiento de Extranjeros (CIEs); o en R/0167/2019. La administración defiende la aplicación de los límites previstos en el art. 14.1° letras e) y j). El órgano de control recuerda que la aplicación de los límites contemplados en la LTAIBG debe ser acorde con el Criterio Interpretativo CI/002/2015, de 24 de junio, de este Consejo de Transparencia, en el que se indica que: "Los límites a que se refiere el artículo 14 de la LTAIBG, a diferencia de los relativos a la protección de los datos de carácter personal, no se aplican directamente, sino que de acuerdo con la literalidad del texto del número 1 del mismo, "podrán" ser aplicados. De esta manera, los límites no operan ni automáticamente a favor de la denegación ni absolutamente en relación a los contenidos.

La invocación de motivos de interés público para limitar el acceso a la información deberá estar ligada con la protección concreta de un interés racional y legítimo. En este sentido su aplicación no será en ningún caso automática: antes, al contrario, deberá analizarse si la estimación de la petición de información supone un perjuicio (test del daño) concreto, definido y evaluable. Este, además no podrá afectar o ser relevante para un determinado ámbito material, porque de lo contrario se estaría excluyendo un bloque completo de información.

Del mismo modo, es necesaria una aplicación justificada y proporcional atendiendo a la circunstancia del caso concreto y siempre que no exista un interés que justifique la publicidad o el acceso (test del interés público)."

manera incide la LTAIPBG en esta normativa, concretamente respecto a la información que se puede facilitar en relación a los expedientes sancionadores".

El art. 21.1°.b) LTAIPBG-CAT, relativo a los límites al derecho de acceso a la información pública, dispone que puede ser denegado o restringido si el conocimiento o la divulgación de la información conlleva un perjuicio para "la investigación o la sanción de las infracciones penales, administrativas o disciplinarias". Sin embargo, la LAIA no impide que se facilite información relativa a expedientes sancionadores respecto a los que no se hace ninguna referencia en su art. 13.2°.c). Por otra parte, en la Orden AAA/1601/2012, de 26 de junio, por la que se dictan instrucciones sobre la aplicación de la LAIA en el Departamento (de Agricultura y Medio Ambiente), se establece que las excepciones a la obligación de facilitar información ambiental deben interpretarse de manera restrictiva y, en caso de duda, "la interpretación debe ser favorable a la divulgación de la información" (art. 6). Por otra parte, se prevé que "hay que evitar que la excepción pueda dar lugar a una denegación total de la información requerida y, por tanto, se facilitará cuando sea posible separar del texto de la información facilitada aquella parte que esté cubierta por los motivos de excepción".

Respecto a las restricciones concretas a la obligación de facilitar información ambiental contempladas por la LAIA, la Orden dispone que "no basta con que concurra un procedimiento o actuación judicial en curso, sino que hay que acreditar que la divulgación de la información afecta negativamente a la buena marcha de la justicia en ese caso concreto [...]". Asimismo, con relación a los expedientes sancionadores, se indica que, para garantizar la presunción de inocencia, "no pueden ser objeto de publicidad más que a partir del momento en que el expediente finalice".

Nos encontramos de nuevo ante la interpretación del alcance concreto de la supletoriedad de la legislación de transparencia, especialmente en todos aquellos casos en que la falta de pronunciamiento expreso de la legislación específica de aplicación preferente genera la duda de si procede suplirlo con la legislación de transparencia. En este sentido, tal como venimos sosteniendo, una interpretación favorable a los derechos obliga a que las dudas sobre el alcance de la supletoriedad de la legislación de transparencia deban resolverse en beneficio de la normativa más favorable al acceso a la información solicitada.

Por consiguiente, habrá que tener en cuenta que el art. 13.2° LAIA no incluye expresamente la investigación o sanción de infracciones administrativas en la lista de causas que pueden llevar a la denegación de solicitudes de información ambiental, pues se ciñe a causas o asuntos sujetos a procedimiento judicial o en trámite ante los tribunales o a investigaciones disciplinarias. Por otra parte, la legislación de transparencia no distingue según el derecho de acceso se ejerza en relación con expedientes abiertos o cerrados, no siendo este hecho motivo suficiente para denegar o limitar el acceso a un expediente incluso tratándose de expedientes sancionadores. Se podrá denegar el acceso a los expedientes administrativos, incluidos los sancionadores, si su conocimiento causara un perjuicio para la eficacia de las funciones administrativas de investigación y sanción de las infracciones no sólo por el hecho de que el procedimiento esté abierto o en curso.

Ya en materia de urbanismo, se ha de poner en valor que la legislación sectorial se ha caracterizado por garantizar la participación ciudadana regulando de forma favorable el derecho de acceso a la información pública obrante en los distintos expedientes urbanísticos. Ahora bien, la coexistencia del régimen específico de acceso contenido en la legislación urbanística y del régimen general establecido en la LTAIBG, suscita dudas sobre los casos en qué la ciudadanía puede acceder a la información pública contenida en expedientes urbanísticos y, en su caso, qué limitaciones resultan aplicables (DA 1ª, apartado 2°).

El Consejo de Transparencia de Aragón (CTAR) emitió un clarificador informe, Informe CTAR 5/2020, de 19 de octubre, a instancia de un municipio al que se le solicita "copia de las actas de inspección y de los informes técnicos y jurídicos de los expedientes urbanísticos incoados desde 13 de enero de 2010, junto con la resolución administrativa que finaliza cada expediente"; al tiempo que lo vecinos afectados se oponen a dicho acceso. En este Informe el CTAR entra a analizar con detalle el régimen aplicable al acceso a la información pública contenida en los expedientes de urbanismo, aclarando muchas de las dudas planteadas sobre esta cuestión y estableciendo criterios interpretativos.

La primera conclusión es que los documentos que integran los expedientes en los procedimientos urbanísticos (actas de inspección, informes técnicos y jurídicos y resoluciones) tienen el carácter de información pública a los efectos de la legislación en materia de transparencia. En segundo lugar, concluye que a las solicitudes de acceso a expedientes urbanísticos les resultan de aplicación los límites establecidos en la legislación básica. Asimismo, en el Informe se recuerda la irrelevancia, a efectos de este derecho, de que la información solicitada forme parte de un procedimiento abierto o de uno concluido, pues cualquiera podría acceder a la información pública obrante en un expediente urbanístico, aunque esté en tramitación, siempre que cumpla los requisitos establecidos. Ahora bien, si quien solicita la información tiene la condición de interesado en el procedimiento en tramitación, se le aplicarán las previsiones de la Ley 39/2015.

La GAIP en la resolución de las Reclamaciones 78/2016, 116/2016, 117/2016 y 118/2016, declara que la solicitud de información relativa a la identificación de las personas físicas contra las cuales se ha abierto el expediente sancionador y el motivo por el cual han sido sancionadas, debería ser desestimada si el solicitante del acceso es un ciudadano (arts. 23 LTAIPBG-CAT y 15.1º LTAIBG). Sin embargo, en estos casos siendo concejales, resulta aplicable el régimen específico que cuenta con unos límites tasados en el art. 164.3º TRLMRLC. En consecuencia, estima el acceso respecto a las informaciones relacionadas con la sanción, listado con nombres y apellidos, cargo público ocupado, número de expedientes sancionadores archivados referidos a estas personas física y el motivo del archivo; y lo hace en garantía del interés público por controlar el correcto ejercicio de la potestad sancionadora municipal y las posibles negligencias y tratos de favor.

Por lo que se refiere a la documentación que puede integrarse en procesos penales, señalar que los Comisionados de Transparencia no sostienen el mismo criterio. La GAIP, en Resolución 81/2017, de 7 de junio (Informes de auditoría del Consorcio del Palau de la Música elaborados por la Intervención General de la Generalitat desde 2006 hasta 2011 y alegaciones formuladas por dicho Consorcio) realiza una ponderación detallada de las circunstancias concurrentes para estimar la pretensión, con independencia de que el proceso penal esté, o no, abierto. La administración catalana se opuso a entregar la información solicitada considerando que, siendo informes incorporados a la causa penal en tramitación por los delitos cometidos en la gestión del Palau, a ellos sólo podrían acceder las partes y las personas que acrediten un interés legítimo y directo (art. 234.2° LOPJ). Asimismo, argumentaba que autorizar el acceso a esta información, antes de la finalización del proceso judicial, podría afectar negativamente a su desarrollo y suponer un perjuicio, en particular, para la sanción de las infracciones penales juzgadas y para la igualdad de las partes en dicho proceso judicial y la tutela judicial efectiva.

Sin embargo, la GAIP declara que no resulta de aplicación el precepto alegado, porque el reclamante no se dirige al Poder Judicial para acceder a las actuaciones judiciales, sino a la administración autonómica para acceder a unos documentos elaborados por su Intervención General. Se trata, pues, de documentos elaborados con independencia de todo proceso judicial que se han incorporado a la causa sin que esto suponga que queden cubiertos por dicha limitación. Frente a la argumentación de la administración de que el acceso por terceros ajenos al proceso, antes de que se dicte sentencia, puede perjudicar al correcto desarrollo del proceso se declara que no se afecta a la investigación penal.

La solicitud se presenta tras haber concluido la fase de instrucción y durante la fase del juicio oral, pero la administración considera que sigue siendo de aplicación en virtud de los arts. 21.1°.b LTAIPBG-CAT y 14.1°.e) LTAIBG que protegen la "investigación" de las infracciones penales y también su "sanción". En sentido opuesto, la autoridad catalana considera que se está haciendo una interpretación amplísima del límite legal que vendría a impedir el acceso a todo documento administrativo incorporado a una causa judicial penal (incluso a los no elaborados para el proceso judicial sino en ejercicio de las funciones ordinarias de la Administración) mientras el proceso se encuentre en curso y no se haya dictado sentencia firme. El derecho de acceso quedaría privado de toda efectividad y la legislación de transparencia sería papel mojado habida cuenta la duración de los procesos penales especialmente complejos.

Además, la solicitud de acceso se formula concluida la fase de instrucción y alzado el secreto del sumario, de modo que ya todas las partes han podido acceder al contenido de los informes que los responsables de la gestión del Palau conocían desde su emisión. Por tanto, la entrega de una copia al periodista reclamante no causará ningún perjuicio a la investigación penal, realizada y concluida, ni impedirá la imposición de las sanciones correspondientes. La GAIP entiende que concurre un interés público en el acceso por la ciudadanía y, en especial, por los medios de comunicación, dado que se trata de documentos relacionados con graves delitos cometidos. Dicho acceso contribuye a reforzar la garantía del correcto desarrollo del proceso penal y la adecuada depuración de las responsabilidades penales que correspondan y permite someter a control democrático las actuaciones públicas tal como obliga la legislación de transparencia y la ley procesal dando cumplimiento al principio de publicidad constitucional.

Este criterio sobre la información que está en sede judicial es el mantenido por el Consejo de Transparencia, Acceso a la Información Pública y Buen Gobierno de la Comunidad Valenciana, expuesto con claridad en su Informe 3/2018 (Expediente 74/2017). El Consejo valenciano declara que "Por lo tanto, las actuaciones llevadas a término en el marco de procesos judiciales ante la Administración de Justicia -salvo las declaradas expresamente secretas por el Juez- son públicas y puede establecerse que terceras personas ajenas a las partes personadas en el procedimiento puedan tener acceso a la información. [...] el Ayuntamiento debe en todo caso cumplir con sus obligaciones en materia de derecho de acceso en toda aquella documentación que se generó en la fase administrativa, siempre cumpliendo los procedimientos y los requisitos oportunos que recoge la normativa sobre transparencia, tanto de índole estatal como autonómica. De otro lado, el Ayuntamiento si desea puede facilitarle alguna información relativa a su condición de interesado en el proceso ante la Administración de justicia, siempre que se trate de información que tiene la consideración de pública, como podría ser la referencia de la Sentencia".

"Así pues, dado que lo solicitado es relativo a la fase administrativa y pese a su judicialización, no aplica directamente la excepción aludida. No aprecia este Consejo en qué medida facilitar la información requerida habría de situar en desigualdad a las partes."

2. Interpretación del límite por el Tribunal Supremo

El Tribunal Supremo en STS 748/2020, de 11 de junio (RC n° 577/2019) resolviendo sobre el límite en el acceso a actividades de investigación en materia tributaria "entiende que no se ha justificado que la información solicitada dificulte o impida la represión de ilícitos tributarios o las funciones de inspección, vigilancia y control de la Agencia Tributaria". Ciertamente, los objetivos generales que se persiguen en la lucha contra el fraude fiscal son públicos a través del Plan de Control Tributario y Aduanero que aprueba la Dirección General de la AEAT y que se publica en el BOE, o en el Plan de Objetivos Anual, sin desvelar aquellos datos que pudieran tener carácter reservado (art. 116 de la Ley General Tributaria). Pero, también lo es, que la información solicitada es más precisa, refiriéndose a distintas áreas, unidades, equipos y secciones de la delegación, respecto a ejercicios anteriores o al año en curso y no a objetivos futuros que puedan dificultar o impedir la investigación y control del fraude fiscal de posteriores ejercicios, sin que tampoco se aprecie que la información requerida afecte a los datos personales de los empleados o de terceros, ni mucho menos a los datos tributarios o fiscales de los contribuyentes sino que la información viene referida a datos cuantitativos de número de expedientes, actas, deuda recobrada etc. Por ello, el Tribunal concluye que "la información solicitada podría haberse proporcionado de forma que no se pusiese en peligro la actividad inspectora, y, en todo caso, si la Administración consideraba que algún extremo concreto podría suponer un peligro real en la lucha contra el fraude fiscal, debería haberlo justificado de forma expresa y detallada, explicado las razones por las que dicha información constituía un peligro para la prevención, investigación y sanción de los ilícitos penales, administrativos o disciplinarios o el desarrollo de la actividad investigadora del fraude fiscal". En consecuencia, la administración está obligada a aplicar los límites al derecho de acceso de forma justificada para controlar la adecuación de la restricción[21].

---

[21]   Cfr., S. FERNÁNDEZ RAMOS y J. Mª. PÉREZ MONGUIÓ: "Crónica de Jurisprudencia sobre transparencia y buen gobierno", en *La Administración al día*, INAP, 22/04/2021.

IV. CONCLUSIONES

Del análisis precedente sobre la aplicación del límite relativo a la prevención, investigación y sanción de los ilícitos penales, administrativos y disciplinarios pueden extraerse las siguientes conclusiones:

– El artículo 14.1. e) LTAIBG establece tres ámbitos de naturaleza diferente: ilícitos penales, administrativos y disciplinarios, en tres fases diferenciadas: la prevención, la investigación y la sanción; por lo que abarca un total de nueve límites

– El precedente en Derecho nacional lo encontramos en la LR-JAC-PAC y en Derecho supranacional en el artículo 3.1 del Convenio del Consejo de Europa sobre el acceso a los documentos públicos de 18 de junio de 2009.

– El límite tiene su fundamento en asegurar el buen fin de todos los actos de investigación que se pueden llegar a realizar en la fase de instrucción de un procedimiento penal, administrativo o disciplinario. Persigue, fundamentalmente, evitar que el acceso a la información afectada pueda obstaculizar las investigaciones, comportar la destrucción de pruebas o la sustracción de los delincuentes de la acción de la justicia.

– El límite protege a la Administración y no los derechos o intereses de los investigados (que, si concurren, serían protegidos por el artículo 15.1 LTAIBG), siempre que éstos sean personas físicas.

– El límite participa de los aspectos comunes del resto de los previstos en el artículo 14 LTAIBG. Esto es, carácter prevalente del derecho de acceso, acreditación de los daños derivados de la difusión de la información, "test del daño" y "test del interés público".

– Desde el punto de vista subjetivo se aplicará con independencia de que el solicitante sea, por ejemplo, una entidad local o el denunciante. Se reconoce un derecho cualificado a los grupos municipales, los concejales o los denunciados, aunque en estos casos el uso de la información quedará condicionado a la motivación o la finalidad alegadas y que hayan determinado su prevalencia en relación con otros derechos protegidos por los límites que concurran.

- En los procesos penales, estén o no abiertos, hay que valorar si la entrega de la documentación compromete de forma grave el resultado de la investigación o del proceso, o un riesgo grave para la vida, libertad o integridad física de otra persona.
- El hecho de que el procedimiento judicial esté en curso no supone la aplicación automática del límite sobre todo si los documentos solicitados han sido elaborados con independencia de todo proceso judicial, aunque estén incorporados a una causa penal.
- La protección de los datos de las personas físicas que hayan podido cometer infracciones penales o administrativas que no conlleven la amonestación pública al infractor, aplica tanto a los expedientes abiertos o en trámite, como a los cerrados o finalizados.
- En el caso de las personas jurídicas, el hecho de estar abierto o en curso no es motivo suficiente para denegar o limitar el acceso a un expediente determinado.
- En los procedimientos sancionadores finalizados con resolución de imposición de multas o sanciones, difícilmente se puede justificar que la divulgación de la información pueda perjudicar de alguna manera el éxito de unas investigaciones que habrán sido previas a la resolución del procedimiento sancionador, o comprometer el propio procedimiento, que ya ha finalizado.
- Si la información solicitada se puede proporcionar se facilitará sin necesidad de consentimiento, puesto que ya no existen datos personales merecedores de protección.
- Es frecuente que este límite se aplique en relación con otros como las funciones administrativas de vigilancia, inspección y control; los intereses económicos y comerciales; la igualdad de las partes en los procesos judiciales y la tutela judicial efectiva; o la protección de datos de carácter personal.

Ya, a modo de cierre, la exposición anterior permite concluir que las indeterminaciones en la interpretación y aplicación del sistema de límites del derecho de acceso se reducirían si fuera considerado genéricamente como un derecho fundamental. Resulta a todas luces evidente la inseguridad jurídica generada por la concurrencia de los derechos de acceso fundamentales y derecho ordinario de acceso, las carencias regulatorias de unos y otros, la falta de regulación de los límites y la interactuación de todo ello. La expansión de los derechos fundamentales de acceso lleva a que esta convergencia de derechos sea estructural y cada vez mayor.

Tal como se ha intentado exponer, la situación mejoraría notablemente con una acción normativa con una mejorada técnica legislativa, abordando la regulación de los derechos fundamentales de acceso a la información con un sistema de limitación claro y preciso que, como mínimo, no conduzca a una privación para estos derechos cualificados de las garantías previstas en el régimen ordinario. Tampoco estaría de más que, en la propia normativa, se le recordase al operador jurídico que, en caso de concurrencia entre un derecho fundamental con el ordinario derecho de acceso, resulta de aplicación el régimen jurídico específico y privilegiado del derecho fundamental, su más intensa protección y la mayor restricción de los límites (y por supuesto de las causas de inadmisión).

LAS LEYES DE TRANSPARENCIA COMO NECESIDAD DEMOCRÁTICA[*]

Jorge Castellanos Claramunt
Profesor Ayudante Doctor. Derecho Constitucional. Universitat de València

I. LA TRANSPARENCIA COMO PUNTO DE PARTIDA Y DE DESTINO DE LAS SOCIEDADES DEMOCRÁTICAS

1. Transparencia y democracia

Se suele atribuir a Winston Churchill la frase de que la democracia es el peor de los sistemas posibles, si exceptuamos todos los demás. Más allá del contenido de la expresión, la materia que subyace es mucho más significativa que el aparente juego con el lenguaje: la democracia es francamente mejorable. En aras de mejorar este sistema que, sin duda, evita conflictos (cabe recordar que no existen precedentes de dos Estados democráticos que hayan combatido bélicamente), también es cierto que deben pulirse ciertos elementos para mejorar dicho sistema. Y uno de ellos es, indiscutiblemente, el fomento de la transparencia.

La transparencia es una de las "palabras clave del discurso político actual",[2] puesto que la democracia exige un incesante proceso hacia la máxima transparencia de la Administración. Por este motivo, cuando ponemos sobre el tapete el concepto de transparencia, a lo que nos

---

[*] Este trabajo se ha realizado en el marco del Proyecto MICINN Retos «Derechos y garantías frente a las decisiones automatizadas en entornos de inteligencia artificial, IoT, big data y robótica» (PID2019-108710RB-I00).
[2] F. Sainz Moreno, "Secreto y transparencia", F. Sainz Moreno, dir., *Estudios para la reforma de la Administración Pública*, Madrid, Instituto Nacional de Administración Pública, 2004, pág. 165.

referimos es a un escenario en el que la acción de los responsables públicos se somete a escrutinio, a un contexto en el que los ciudadanos pueden conocer cómo se toman las decisiones que les afectan, cómo se manejan los fondos públicos o bajo qué criterios actúan nuestras instituciones, y, con ello, se configura, se da forma a una sociedad democrática[1]. Consecuencia de ello es que el principio de transparencia sea básico para el buen funcionamiento democrático. Y es que el principio de transparencia tiene que articularse como un paradigma de actuación global que debe configurarse como un "estándar de actuación genérica de los poderes públicos".[2] La transparencia deviene así en una cualidad inherente a todo proceso decisorio, un parámetro que debe informar la actuación administrativa, que fortalece la seguridad jurídica de los ciudadanos, que imprime racionalidad al proceso de toma de decisiones y que dota de legitimidad a la decisión misma por cuanto facilita su aceptación y engendra un mayor entendimiento. El principio de transparencia se ha convertido, en consecuencia, en una precondición de la propia democracia y arquetipo y pilar fundamental del Estado democrático y del Estado de Derecho.[3]

Reforzando lo antedicho, subrayamos la afirmación de Rams Ramos en el sentido de su consideración del principio de transparencia como el sustento de un «sistema de control por los ciudadanos de la legalidad y de la correcta actuación de la Administración, de tal forma que, como tal mecanismo de garantía, resulta consustancial a un Estado social y democrático de derecho como es el nuestro»[4].

Sintéticamente, la transparencia consiste en "ver las cosas como son". Así de simple, y así de claro la definía Molina[5]. Es un síntoma

---

[1]   J. Pintos Santiago, "El transversal principio de transparencia en las Administraciones Públicas", J. Pintos Santiago, dir., *Calidad, transparencia y ética pública* (págs. 203-248), INAP, Madrid, 2017, pág. 222.

[2]   A. J. Alonso Timón, "El principio de transparencia como elemento vertebrador del Estado Social y Democrático de derecho", *Asamblea: revista parlamentaria de la Asamblea de Madrid*, 27, 2012, págs. 27-62, pág. 29.

[3]   M. J. Gallardo Castillo, "Transparencia, poder público y derecho a la información", *Cuadernos Manuel Giménez Abad*, 8, 2014, págs. 159-176.

[4]   L. Rams Ramos, *El derecho de acceso a archivos y registros administrativos*, Reus, Madrid, 2008, pág. 137.

[5]   J. Molina Molina, *Por qué la transparencia*, Thomson-Aranzadi, Cizur Menor (Navarra), 2015, pág. 20.

de normalidad democrática. Y es que la transparencia es un indicativo básico de la salud de cualquier sistema político. De ahí que la transparencia de la actuación administrativa debe constituir, en esencia, un cimiento esencial de nuestro Estado democrático. Y es que, la transparencia, en la medida en que permite hacer efectivo el derecho de los ciudadanos a conocer la actividad administrativa, «favorece el control de la legalidad e incluso de la oportunidad de las decisiones administrativas, potencia el valor democrático en el seno de la Administración y facilita un papel activo de los ciudadanos en la vida administrativa»[6].

En la misma línea otros autores destacan las bondades de la transparencia y su relación directa con escenarios democráticos. Así, indica Araguás que la transparencia no hace referencia a «lo que se es», sino a «lo que se quiere ser», y debe ser, por tanto, el punto de destino a que aspiren los responsables políticos, que han de «querer ser», tanto ellos como la institución que gobiernan y sus actuaciones, totalmente transparentes. Araguás entiende que a través de los instrumentos y figuras jurídicas necesarios se ha de conseguir instaurar un alto grado de conocimiento de todo lo relacionado con la actividad pública. A su vez, esta información ha de tener carácter finalista y debe servir para que los ciudadanos participen en la actividad administrativa y para que posteriormente puedan activarse los mecanismos de control y rendición de cuentas aplicables.[7]

La transparencia y la rendición de cuentas han de posibilitar el sometimiento a la opinión pública, de forma que la ciudadanía pueda expresar su opinión, su acuerdo o desacuerdo con las decisiones tomadas y con los resultados.[8] Es más, Santamaría Pastor considera

---

[6]   J. Fondevila Antolín, "Los valores éticos y la transparencia en el empleo público: una exigencia ineludible ante la desprofesionalización de las Administraciones Públicas", J. Pintos Santiago, dir., *Calidad, transparencia y ética pública* (pp. 157-199), INAP, Madrid, 2017, pág. 169.

[7]   I. Araguás Galcerá, *La Transparencia en el ejercicio de la potestad reglamentaria*, Atelier, Barcelona, 2016, págs. 106-108.

[8]   A. Lladó Martínez, "Actuaciones en el ámbito de smart cities en la ciudad de Girona y su sujeción a los principios de transparencia y participación", V. Aguado i Cudolà, V. Parisio, y Ò. Casanovas i Ibàñez, dirs., *El derecho a la ciudad: el reto de las smart cities* (págs. 209-233), Atelier Libros Jurídicos, Barcelona, 2018, pág. 227.

que la democracia es un sistema que se presupone, por definición, transparente, en la medida en que, al menos en principio, el poder y sus órganos «no deberían tener apenas secretos para los ciudadanos, máxime si tenemos en cuenta que ellos son los auténticos propietarios o titulares de aquel».[9]

La posibilidad de revisión de las actuaciones con la finalidad de rendir cuentas es una de las principales consecuencias deseadas de la correcta aplicación de la transparencia de las actuaciones institucionales. La transparencia no se limita a la mera publicación de información, sino que para que su utilidad sea completa se deben incorporar al funcionamiento de la Administración los mecanismos necesarios que permitan comprobar la adecuación al ordenamiento de las decisiones administrativas y de su ejecución, así como la determinación de sus autores o responsables, implantando al mismo tiempo mecanismos que obliguen al cumplimiento de la ley. Desde el punto de vista político, la transparencia y la rendición de cuentas han de posibilitar el sometimiento a la opinión pública, de forma que la ciudadanía pueda expresar su opinión, su acuerdo o desacuerdo con las decisiones tomadas y con los resultados.[10]

Pero la transparencia, en sí misma, es una fase anterior a la rendición de cuentas, a la apertura de datos, a la participación ciudadana y a la colaboración de los distintos actores públicos. Debemos avanzar hacia un modelo de transparencia real, algo más parecido al gobierno abierto,[11] que es un escenario mucho más complejo que la mera publicidad activa, pues se basa no solo en la información abierta sino en los datos abiertos, en un derecho de acceso a la información totalmente garantizado, incluso incentivado, sin silencios administrativos y otras

---

[9]   J. A. Santamaría Pastor, *Principios de Derecho Administrativo*, vol. I, Ceura, Madrid, 2000, pág. 122.

[10]   A. Lladó Martínez, A. "Actuaciones en el ámbito de smart cities en la ciudad de Girona y su sujeción a los principios de transparencia y participación", V. Aguado i Cudolà, V. Parisio, y Ò. Casanovas i Ibàñez, dirs., *El derecho a la ciudad: el reto de las smart cities*, Atelier Libros Jurídicos, Barcelona, 2018, págs. 230-232.

[11]   Para un estudio profundo de las posibilidades de la democracia mediante la implementación de políticas derivadas del gobierno abierto véase: M. D. Montero Caro, *Gobierno abierto como oportunidad de cambio*, Dykinson, Madrid, 2020.

trabas y, sobre todo, con una transparencia real y no simplemente formal, fomentando la participación y la colaboración.[12]

Y en este peregrinar hacia mejores sistemas democráticos, la tecnología también influye y se adapta necesariamente en el proceso. Así, se llega a considerar que lo electrónico, por definición, es más transparente, porque lo electrónico deja rastro, y nos obliga a trabajar de una manera que no impide, pero sí que dificulta aquello que se considera opuesto, contrario a la transparencia, que es la corrupción. Por lo tanto, la Administración electrónica es transparente y la transparencia mejora si es electrónica. Y progresando en esta idea se puede apostar, incluso, por una suerte de democracia algorítmica[13] en el que el peso de lo tecnológico y la influencia de la inteligencia artificial tenga un peso específico.[14]

Y todo ello está relacionado con conceptos básicos que participarían de la aquiescencia general. No es discutible, en consecuencia, que la transparencia esté bien desde el punto de vista de poder rendir cuentas de todo lo que hacemos. Pero, en sí misma, no genera un progreso en solitario. Por la propia configuración humana requiere de cierto empuje, de cierta "motivación" externa.

Para no poner toda la esperanza en la bondad y aspiración a la perfección moral humana, el camino más sencillo para instaurar sistemas en los que prime la diáfana gestión de lo público tiene su fundamento en el entorno normativo. De ahí que transparencia y democracia confluyan, principalmente, en la capacidad de regular la correcta y diligente gestión pública. La norma, la "ley de transparencia", deviene así en una necesidad democrática, tal y como sostenemos en el presente trabajo y que implica el pórtico de entrada al estudio de la normativa estatal y autonómica en la materia que nos ocupa.

---

12   J. M. Mayor Balsas, J. Molina, y J. A. Gómez, "Promover el ejercicio de derechos a través de la Educación: el Programa IRIS sobre Transparencia y los Presupuestos Participativos", *Revista Española de la Transparencia*, núm. 9, segundo semestre 2019, págs. 97-114.

13   J. Castellanos Claramunt, "La democracia algorítmica: inteligencia artificial, democracia y participación política", *Revista General de Derecho Administrativo*, 50, 2019, págs. 1-32.

14   J. Castellanos Claramunt, "Democracia, administración pública e inteligencia artificial desde una perspectiva política y jurídica", *Revista Catalana de Dret Públic*, 60, 2020, págs. 137-147.

2. Transparencia y ley

Cada vez son más los ciudadanos y actores de la sociedad civil que exigen el rendimiento de cuentas de sus representantes políticos y de los poderes públicos y, sobre ello, no hay duda de que las normas sobre transparencia se han convertido en un mecanismo útil e indispensable para la consecución de este objetivo.[15] Y es que el principio de transparencia no es algo etéreo que carezca de manifestaciones tangibles, sino que, por pura necesidad, debe ser concretado y regulado desde sus distintas vertientes si se quiere que sea cumplido por los poderes públicos en la totalidad de las actuaciones que lleven a cabo.[16] Así, recogiendo el testigo de esta idea clave, a principios de la década pasada, la segunda del siglo XXI, hubo una especie de acelerón pro transparencia que fue, realmente, una consecuencia de la realidad de los hechos, y no una iniciativa, ya que fue un efecto reactivo a los numerosos casos de corrupción que se fueron agolpando en las primeras páginas de los periódicos. Como indica García Escudero, la preocupación por los efectos de esta problemática en nuestro sistema político y nuestras instituciones es la que lleva a reclamar con mayor insistencia en los últimos tiempos lo que se ha venido en llamar regeneración democrática, que exige un diagnóstico de la situación y un intento de buscar soluciones. Con ello coincide un movimiento hacia una mayor transparencia de las instituciones —entre otras razones, como medida de lucha contra la corrupción— que las acerque más a la ciudadanía.[17] Así, la penosa y desconcertante realidad, y los propios ciudadanos, con un progresivo enfado ante tal situación, de alguna manera empujaron a aprobar la ley de transparencia estatal, la Ley 19/2013 de Transparencia, Acceso a la Información Pública y Buen gobierno,[18] y además luego rápidamente cada comunidad autónoma

---

[15]   L. Rams Ramos, "La normativa estatal y autonómica sobre transparencia en España: valoración de conjunto", *Anuario de Transparencia Local*, 1, 2018, págs. 43-90, pág. 47.

[16]   A. J. Alonso Timón, "El principio de transparencia como elemento vertebrador del Estado Social y Democrático de derecho", *Op. Cit.*, pág. 34.

[17]   P. García-Escudero, "Regeneración del Parlamento, transparencia y participación ciudadana", *Teoría y Realidad Constitucional*, 36, 2015, pág.172.

[18]   La Ley 19/2013, de *Transparencia, Acceso a la Información Pública y Buen Gobierno*, se estructura en dos títulos, relativos respectivamente a la transparencia

aprobó su ley de transparencia. Antes de la aprobación de la Ley estatal, algunas Asambleas se habían involucrado con intensidad en la tarea de la transparencia, destacando los Parlamentos de Cantabria y Navarra (algunas comunidades autónomas, como veremos a lo largo de este trabajo y del resto de trabajos que componen la obra colectiva, ya contaban, incluso, con normativa de carácter previo a la estatal).[19]

Así entendemos la transparencia reglada como una primera fase, una suerte de reorientación que marca el camino "correcto". En este

---

de la actividad pública y al buen gobierno, dividido el primero de ellos en dos grandes bloques: la publicidad activa y el derecho de acceso a la información pública. Las obligaciones contenidas en el Título I se refieren básicamente a: (1) la publicidad activa (Capítulo II), consistente en la obligación de publicar de forma periódica y actualizada la información cuyo conocimiento sea relevante para garantizar la transparencia de su actividad relacionada con el funcionamiento y control de la actividad pública, entendiéndose las obligaciones impuestas en el capítulo de publicidad activa sin perjuicio de la aplicación de otras disposiciones específicas que prevean un régimen más amplio en materia de publicidad; y (2) al derecho de acceso a la información pública (Capítulo III), esto es a los contenidos o documentos, cualquiera que sea su formato o soporte, que obren en poder de alguno de los sujetos incluidos en el ámbito de aplicación del Título I y que hayan sido elaborados o adquiridos en el ejercicio de sus funciones. La Ley regula los límites y el ejercicio del derecho de acceso, así como el régimen de impugnaciones.

Más allá de la presentación de su estructura, recomendamos para su estudio y comprensión un trabajo exhaustivo de su contenido y efectos el encabezado por Troncoso: A. Troncoso, dir., *Comentario a la ley de transparencia, acceso a la información pública y buen gobierno*, Cizur Menor (Navarra), Thomson Reuters, 2017.

[19]   En cualquier caso, la remisión a la normativa estatal está patente en multitud de normativa autonómica, dando así una estructura más consistente a la consideración de la transparencia como un elemento transversal y superador de limitaciones competenciales inter e intra, a nivel administrativo. De ahí que las leyes autonómicas aprobadas en materia de transparencia y acceso a la información pública contengan una norma similar de remisión a la normativa parlamentaria. Así, con formulaciones diversas, la Ley de Andalucía 1/2014, de 24 de Junio, de Transparencia Pública de Andalucía (art. 3.2), la Ley 12/2014, de 16 de diciembre, de Transparencia y Participación ciudadana de la Comunidad Autónoma de la Región de Murcia (art. 5.2), la Ley de Canarias 12/2014, de 26 de diciembre, de Transparencia y de Acceso a la Información Pública (Disp. Adicional Cuarta), la Ley 8/2015, de 25 de marzo, de Transparencia de la Actividad Pública y Participación ciudadana de Aragón (art. 4. 2) o la Ley 2/2015, de 2 de abril, de Transparencia, Buen Gobierno y Participación ciudadana de la Comunidad Valenciana.

sentido la transparencia sería el inicio, el punto de partida, que se refuerza con la rendición de cuentas y con la apertura de los datos, y una vez lanzados esos *inputs* cabe esperar que el resto de actores públicos, que son otras instituciones públicas, y también los actores privados – empresas, asociaciones y ciudadanos – desde esa culturización que supone el conocimiento y la comprensión de lo público, estén en disposición de realizar buenas aportaciones. Es una suerte de correlato, de conjunto de relaciones simbióticas que se retroalimentan.

La mera actividad transparente ya genera un impulso positivo porque expande ese querer hacer las cosas correctamente. La trampa, el engaño, desincentiva, pero la actuación ajustada a derecho y, a fin de cuentas, la necesidad de hacer las cosas bien promueve una ola, en este caso, de transparencia. Parece una perspectiva excesivamente optimista del género humano, en general, pero guarda una estrecha vinculación con la realidad humana: más allá del corrupto, de aquel que gestiona de forma negligente, encontramos en mayor medida un amplio abanico de individuos que desean gestionar el aspecto público de la mejor manera, y si se premia o realza la labor adecuada y transparente el grupo de interesados en una labor transparente y abierta a la ciudadanía se incrementa. Es un enfoque que va más allá del hecho de que se desincentive al corrupto a realizar acciones negativas si su gestión se enmarca en las notas de la transparencia y, por tanto, por miedo a ser "pillado" opta por actuar diligentemente. No desechando esa faceta, abogamos porque, además, la competencia por hacer las cosas bien es también un elemento dinamizador de la correcta gestión pública. Aquí transparencia y participación van de la mano.[20] De modo que cuanto mayores posibilidades de participación ciudadana se regulen y acepten en un determinado ordenamiento jurídico, mayor es la transparencia que se logra, puesto que, con ello, se cumple otro de los objetivos básicos del principio de transparencia, cual es el de acercar el proceso de toma de decisiones a los ciudadanos, permitiéndoles

---

[20]   Que es tanto como decir que transparencia y participación confluyen en la democracia. De hecho, Presno apunta que "participación y democracia son conceptos simbióticos. No puede entenderse el uno sin el otro. Dicho con otras palabras: sin el reconocimiento y tutela de la participación no cabe hablar de democracia. Aquella es el fundamento funcional del orden democrático" (M. Á. Presno, *El derecho de voto*, Madrid, Tecnos, 2003, págs. 45-46).

conocer mejor las razones por las cuales se adoptan dichas decisiones y los mecanismos e instrumentos a través de los cuales se toman, lo que supone una mayor legitimación del ejercicio del poder.[21] Y uno participa en tanto que se siente partícipe de su entorno, de su realidad política, pero también se participa por incentivos negativos y positivos. El negativo puede estar basado en la premisa de que, si uno no decide, otros decidirán por él. En la analogía que planteamos con la transparencia se responde al hecho de que hay una connotación negativa en la cuestión de no ser transparente o de no participar. Pero también existe una motivación positiva al ver ejemplos externos, a saber, una gestión tiene mayor tendencia a ser transparente al comprobar los beneficios de otros ámbitos públicos en los que la gestión transparente ha ocasionado éxitos y beneficios globales. Igualmente, un ciudadano puede verse decidido a participar porque observa un ejemplo positivo a raíz de un escenario participativo. Véase, por ejemplo, el "efecto llamada" que conllevan los presupuestos participativos cuando en los municipios en los que opera se producen avances en infraestructuras y, a fin de cuentas, en calidad de vida y de salud democrática del entorno en el que se llevan a cabo.

En esa fundamentación teórica, reforzada por el carácter conminativo del que participa cualquier normativa, se va construyendo el andamiaje social de una sociedad que aspira a una gestión transparente. De ahí que la cultura de la transparencia debe ser una necesidad general, por lo que la inclusión de los jóvenes es, también, una necesidad democrática.[22] Cabe reforzar los conceptos que asientan esta perspectiva transparente de la sociedad y su gestión, esa configuración democrática en la que los ciudadanos sean perfectos conocedores de los entresijos democráticos, de los vericuetos de la gestión y, con ese alto grado de información y conocimiento de lo público ejercer, efectivamente, como ciudadanos participativos. Participar, a fin de cuentas, es lo que refuerza la condición de ciudadano. De hecho, no solo lo refuerza, sino que participar en los asuntos públicos es lo que

---

[21]   A. J. Alonso Timón, "El principio de transparencia como elemento vertebrador del Estado Social y Democrático de derecho", *Op. Cit.*, pág. 36.

[22]   J. M. Mayor Balsas, J. Molina, y J. A. Gómez, "Promover el ejercicio de derechos a través de la Educación: el Programa IRIS sobre Transparencia y los Presupuestos Participativos", *Op. Cit.*, págs. 97-114.

convierte a un ciudadano en tal, fundamento, irrebatible, para fomentar y producir sociedades que beban, de entre sus principios básicos, de la gestión transparente.

La transparencia tiene un gran poder de transformación social y político[23] pero no tiene sentido de forma aislada, sino que su función es establecerse como un instrumento de escrutinio y control de las políticas públicas[24]. En esta línea, Martínez Moya señala la importancia de la Ley 19/2013 de *Transparencia, Acceso a la Información Pública y Buen Gobierno* para el desarrollo de una adecuada cultura de rendición de cuentas de las Administraciones públicas en todos los niveles,[25] recomendando, además, que todo portal de transparencia tenga asociado un portal de datos abiertos permitiendo de esta forma consultar tanto la información elaborada como la primaria o en bruto. La transparencia se predica, en consecuencia, de todo el escenario público. La labor política y administrativa debe estar barnizada por la transparencia que, con el halo jurídico que trae consigo la proliferación de normativa de transparencia, produce un avance democrático.

Con la norma estatal, no solo se daba un paso hacia delante en la mejora democrática, sino que también España respondía de los compromisos adquiridos con la Alianza para el Gobierno Abierto y con la Alianza por el Gobierno Abierto del Consejo de Europa de acercar a los ciudadanos su Administración[26], que a su vez era complementada y desarrollada por normativas autonómicas, algunas incluso, como apuntábamos *supra*, de existencia previa a la propia entrada de la nacional como las de Galicia (Ley 4/2006, de 30 de julio, de

---

[23]   F. Delgado Morales, "Derecho de acceso y brecha de género", *Revista Española de la Transparencia*, núm. 6, 2018, págs. 23-31.

[24]   A. Boix Palop, "Transparencia, participación y procedimiento de elaboración de disposiciones reglamentarias para un modelo de *open government*", L. Cotino, J. L. Sahuquillo, y L. Corredoira, eds., *El paradigma del gobierno abierto. Retos y oportunidades de la participación, transparencia y colaboración*, Universidad Complutense de Madrid, Madrid, 2015, págs. 123-129.

[25]   D. Martínez Moya, "Evaluación de los aspectos de usabilidad y reutilización de la información en el *Portal de la transparencia de España*", *Cuadernos de gestión de información*, núm. 5, 2015, págs. 36-52.

[26]   P. Beltrán Orenes, y E. Martínez Pastor, "Organización de la información y sujetos obligados en el portal de transparencia de España", *El profesional de la información*, núm. 26, 2017, págs. 1699-2407.

Transparencia y Buenas Prácticas en la Administración Pública Gallega), la de las Islas Baleares (Ley 4/2011, de 31 de marzo, de Buena Administración y Buen Gobierno de las Illes Balears), la de la Comunidad Foral de Navarra (Ley Foral 11/2012, de 21 de junio, de la Transparencia y del Gobierno Abierto), o la de Extremadura (Ley 4/2013, de 21 de mayo, de Gobierno Abierto de Extremadura).

En cualquier caso, la normativa parlamentaria en materia de transparencia y acceso a la información tampoco comienza a partir de la Ley 19/2013. Sirvan de ejemplo los acuerdos de las Mesas del Congreso de los Diputados y el Senado de 21 de diciembre de 2009[27], por el que se aprueban normas en materia de registro de intereses, y de 19 de julio de 2011,[28] que modifica el anterior. En ellos se establece la publicidad en la sede electrónica de cada Cámara de los Registros de actividades, y posteriormente de bienes, de los parlamentarios, en un formato que no sea susceptible de manipulación por terceros.[29] Además, como el Preámbulo de la Ley de 2013 indica, no se daba un vacío legal en materia de transparencia hasta su aprobación, el problema es que su regulación se encontraba de manera parcial y sectorizada. De este modo podíamos encontrar la Ley 27/2006, de 18 de julio, por la que se regulan los derechos de acceso a la información, de participación pública y de acceso a la justicia en materia de medio ambiente (que incorpora las Directivas 2003/4/CE y 2003/35/CE), Ley 37/2007, de 16 de noviembre, sobre reutilización de la información del sector público, así como normativa sectorial que incluía obligaciones de publicidad activa, como las leyes de contratos, la Ley General de Subvenciones, entre otras.

Llegados a este punto, podemos indicar que constatamos la íntima relación existente entre transparencia y desarrollo democrático de una sociedad. Y esa conexión se da desde un tiempo muy anterior a la relativamente reciente proliferación de normativa sobre la materia. No es tanto que nos encontremos ante conceptos normativos, que los hay, sino que los conceptos normativos derivados de los principios ya inundaban el espectro normativo. Y, de entre ellos, el principio de

---

27 BOCG n.º 247, 14 enero 2010.
28 BOCG n.º 455, 22 julio 2011.
29 P. García-Escudero, "Regeneración del Parlamento, transparencia y participación ciudadana", *Op. Cit.*, págs. 198-199.

transparencia, si bien no tan arraigado como fuera deseable, sí que lo podíamos atisbar en normativa precedente. A este respecto, Cotino indica que dicho principio de transparencia se encuentra entre los Principios Generales del Derecho Comunitario Europeo,[30] destacando Fondevila[31] el Libro Blanco sobre la Gobernanza Europea, aprobado en 2001[32], en el que la transparencia forma parte directa de dos de los cinco principios políticos que se proponen: apertura, participación, responsabilidad, eficacia y coherencia. A lo largo del documento la transparencia desempeña un papel decisivo en las propuestas de elaboración de políticas europeas, unida a «un mayor grado de participación y apertura [...] de todos los actores sociales gracias a la transparencia»[33]. Por último, también hay que traer a colación que en la Unión Europea la transparencia se enuncia como principio en los artículos 1 TUE y 15.3 TFUE y como derecho fundamental en el artículo 42 CDF.

Lo cierto es que los países con mayores niveles en materia de transparencia y normas de buen gobierno cuentan con instituciones más fuertes, favorecen el crecimiento económico y el desarrollo social. En estos países, los ciudadanos pueden juzgar mejor y con más criterio la capacidad de sus responsables públicos, permitiendo una mejor fiscalización de la actividad pública que contribuye a la necesaria

---

[30]   L. Cotino Hueso, "El derecho fundamental de acceso a la información, la transparencia de los poderes públicos y el gobierno abierto. Retos y oportunidades", J. Valero Torrijos y M. Fernández Salmerón, coords., *Régimen Jurídico de la transparencia del sector público - Del derecho de acceso a la reutilización de la información*, Thomson Reuters-Aranzadi, Cizur Menor (Navarra), 2014, págs. 49-52.

[31]   J. Fondevila Antolín, "Los valores éticos y la transparencia en el empleo público: una exigencia ineludible ante la desprofesionalización de las Administraciones Públicas", *Op. Cit.*, pág. 168.

[32]   En ese mismo año, además, se aprueba el Reglamento 1049/2001, del Parlamento Europeo y del Consejo, de 30 de mayo de 2001, relativo al acceso del público a los documentos del Parlamento Europeo, del Consejo y de la Comisión y se incorpora el derecho a la información a la Carta de Derechos Fundamentales de la Unión Europea de 2001, derecho posteriormente trasladado al Tratado de Lisboa (o al TFUE).

[33]   Comunicación de la Comisión, de 25 de julio de 2001, «La gobernanza europea - Un Libro Blanco» [COM (2001) 428 final - Diario Oficial C 287 de 12.10.2001]. Disponible en: https://eur-lex.europa.eu/legal-content/ES/TXT/?uri=LEGISSUM:l10109

regeneración democrática, promoviendo la eficiencia y eficacia del Estado, y favoreciendo el crecimiento económico.[34]

Del ámbito europeo, el principio de transparencia se extendió a los ordenamientos nacionales, produciéndose en el caso de España su incorporación al artículo 3.5 de la Ley 30/1992 de Régimen Jurídico de las Administraciones Públicas y del Procedimiento Administrativo Común, y ahora la vigente Ley 40/2015, de 1 de octubre, de Régimen Jurídico del Sector Público que, por una parte, configura «la transparencia de la actuación administrativa» como uno de los principios que han de respetar en su actuación y relaciones todas las Administraciones públicas -artículo 3.1.c) - y, por otra, concibe a la «transparencia» como uno de los principios generales de actuación de las entidades que integran el sector público institucional -artículo 81.1-. Mayor desarrollo, obviamente, se da con la Ley 19/2013, de 9 de diciembre, de Transparencia, Acceso a la Información Pública y Buen Gobierno.

Asimismo, las Comunidades Autónomas han aprobado en los últimos años un gran número de leyes de transparencia y acceso a la información pública. Estas leyes posiblemente no han sido todavía percibidas como lo que son en realidad: «un medio útil para fortalecer la democracia en un contexto de crisis económica y de cambio tecnológico»[35]. Y es que, lamentablemente, la situación provocada por la pandemia del COVID-19 ha puesto de manifiesto la importancia de una gestión transparente y coordinada entre el gobierno central y las diversas comunidades autónomas.[36]

La transparencia, el acceso a la información pública y las normas de buen gobierno deben ser los ejes fundamentales de toda acción política. Así se configura la transparencia como un deber y un derecho. Por una parte, mediante la definición de una serie de elementos

---

[34]   J. Pintos Santiago, "El transversal principio de transparencia en las Administraciones Públicas", *Op. Cit.*, pág. 222.

[35]   A. Troncoso Reigada, dir., *Transparencia pública y Comunidades Autónomas*, Tirant lo Blanch, Valencia, 2018, pág. 29.

[36]   M. D. Montero Caro, "La cooperación entre el gobierno central y los gobiernos autonómicos ante la pandemia del covid-19", A. I. Dueñas Castrillo, D. Fernández Cañueto, P. Guerrero Vázquez, y G. Moreno González, coords., *La constitución en tiempos de pandemia*, Dykinson y Ediciones Universidad de Valladolid, Madrid, 2021, págs. 83-100.

sustantivos que han de ser publicados obligatoriamente en una página web o portal de transparencia relacionados con aspectos institucionales, jurídicos y económico-financieros de las entidades incluidas en el ámbito subjetivo de aplicación de la Ley 19/2013, de Transparencia, Acceso a la Información Pública y Buen Gobierno, y de las leyes autonómicas. Y, por otra parte, a través del reconocimiento de un derecho subjetivo de los ciudadanos al acceso a la información pública mediante la regulación de un procedimiento administrativo para su ejercicio y la garantía y tutela de su cumplimiento, tarea que se encomienda a un órgano de naturaleza independiente.

Así, critica Escobar que, con mucho retraso en el panorama comparado, en 2013 se reguló en España la transparencia pública, y ello en sus dos típicos componentes: la publicidad activa (aquello que los poderes públicos y algunos privados deben publicar de oficio) y el derecho a la información pública (lo no incluido en la anterior pero que cualquier ciudadano puede solicitar). De modo que esta Ley no confiere un derecho subjetivo a la publicidad activa pero sí a la información pública, que dice derivado del artículo 105.b) CE (que encontramos en el art. 12 de la Ley de transparencia). Esta peculiar forma de conectar Constitución y ley tiene dos consecuencias: una garantía muy limitada de la publicidad activa (pues no puede ser exigida por los ciudadanos) y una suerte de minusvaloración, que contamina a buena parte de la doctrina, del derecho a la información pública.[37] Así, Fernández Ramos considera que la «ausencia de reglas claras sobre los términos del deber de publicar acarrea la consecuencia de que la información se publica de forma dispersa, sin una sistemática homogénea, lo que complica la indexación por parte de los motores de búsqueda al uso, así como su plasmación en formatos poco reutilizables»[38]. Mientras que, del derecho de acceso, la doctrina ha sido abundante alrededor del debate respecto a su naturaleza *iusfundamental* o no, en virtud de la consideración de su procedencia, bien remitiendo indirectamente al artículo 20 de la Constitución y, por

---

[37]   G. Escobar Roca, *Nuevos derechos y garantía de los derechos*, Madrid, Marcial Pons, Ediciones Jurídicas y Sociales, 2018, pág. 114.

[38]   S. Fernández Ramos, "La transparencia pública: pasado, presente y futuro", *Revista Aragonesa de Administración Pública*, 51, 2018, págs. 213-243, pág. 230.

tanto, de raíz *iusfundamental*,[39] o bien remitiendo a su configuración directa del artículo 105.b), rechazando así tal carácter de derecho fundamental, con las consecuencias de tratamiento jurídico que ello conlleva.[40] Dentro de esa catalogación la argumentación jurídica es exhaustiva, dando pie a estudios profundos acerca de la posible categorización de los derechos que presenta el Tribunal Constitucional y que el profesor Röllnert ha desarrollado minuciosamente[41]. Otra

---

[39] G. Röllnert Liern, "El derecho de acceso a la información pública como derecho fundamental: una valoración del debate doctrinal a propósito de la ley de transparencia", *Teoría y Realidad Constitucional*, 34, 2014, págs. 349-368.

[40] Pese a los esfuerzos de un sector doctrinal por demostrar la naturaleza fundamental del derecho, otros afirman que no es tal (por encontrarse fuera del Título I) y que, por tanto, debe ceder con relativa facilidad ante la presencia de otros intereses, inclusive de rango infraconstitucional.

[41] De este modo, Röllnert indica que el Tribunal Constitucional ha admitido la posibilidad de integrar un derecho no reconocido expresamente en el CEDH (la protección de la integridad física y moral que incluye, a su vez, el consentimiento informado) en el contenido de otro derecho sí reconocido (la protección de la vida privada del art. 8.1) en atención a la jurisprudencia del TEDH que así lo ha declarado y, en virtud del art. 10.2 CE, ha estimado lesionado el derecho a la integridad física del art. 15 CE por falta de consentimiento informado, y ello mediante un razonamiento que *mutatis mutandis* es perfectamente aplicable al derecho de acceso a la información pública en relación con la libertad de información de los arts. 10.1 CEDH y 20.1 d) CE.
Otro argumento también tributario de la integración del derecho de acceso a la documentación pública en las libertades informativas del art. 20 CE ex art. 10.2 CE es que esta inclusión del acceso a la información pública en la libertad de información le haría partícipe de la dimensión pública, institucional u objetiva de las libertades informativas del art. 20 CE en cuanto presupuesto necesario para la comunicación pública libre, indispensable a su vez para la libre formación de la opinión pública, fundamento de toda sociedad democrática y ello tendría como consecuencia que en la ponderación a realizar en caso de colisión con otros derechos fundamentales, no solo debería haberse considerado que el conflicto se plantea entre dos derechos fundamentales (y no entre un derecho fundamental a la protección de datos y un derecho constitucional de acceso a la información pública sin rango fundamental) sino que, como exigencia añadida que a mayor abundamiento podría contribuir a invalidar el resultado de la ponderación, tendría que haberse valorado que en el derecho fundamental en juego frente a la protección de datos —esto es, en la libertad de información— concurría una circunstancia que le otorgaba una posición especialmente reforzada y cualificada: la dimensión institucional u objetiva de la libertad de información como garantía de la libre opinión pública y condición de existencia de una sociedad democrática y pluralista, según tiene declarado de forma reiterada el TEDH desde el

perspectiva lo entronca directamente con el artículo 23 de la Constitución, también derecho fundamental, en este caso de participación política ya que, desde luego, el acceso a la información repercute de manera directa en las posibilidades participativas de los ciudadanos. Encontramos en esta línea la posición de Escobar, que indica que el Derecho internacional y europeo deja clara la naturaleza de derecho humano y fundamental de la transparencia. Así el CDH ha deducido de los artículos 19 DUDH y 19.2 PIDCP, sobre la libertad de información, "un derecho de acceso a la información en poder de los organismos públicos", en su Observación General 4, de 2011. En el Consejo de Europa, ya la Declaración del Comité de ministros sobre la libertad de expresión e información de 29 de abril de 1982 dedujo el derecho a la información pública del artículo 10 CEDH, lo que se reitera en una Recomendación de 2002 y en el Convenio núm. 205, del Consejo de Europa, sobre Acceso a Documentos Públicos. En la misma línea, el representante de la OSCE para la Libertad de los Medios de Comunicación, en Declaración Conjunta de 6 de diciembre de 2014, con el Relator Especial de las Naciones Unidas para la Libertad de Expresión y Opinión y el Relator Especial de la Organización de Estados Americanos, declaró que "el derecho de acceso a la información en poder de las autoridades públicas es un derecho humano fundamental que debería aplicarse a nivel nacional a través de la legislación global (por ejemplo, Leyes de Libertad de Acceso a la Información)". Por su parte, el TEDH señaló que del artículo 10.1 CEDH deriva el derecho de acceso a los documentos públicos (*Youth Initiative for Human Rights c. Serbia*, de 25 de junio de 2013). También el Comisario Europeo de Derechos Humanos ha destacado que "el derecho a la participación ciudadana [...] va más allá de los meros derechos electorales e incluye el deber de implicar activamente a los afectados por la política social y económica en los canales específicos de participación [y que] la transparencia es igualmente necesaria en

caso *Handyside* de 7 de diciembre de 1976 (por citar casos más recientes, en las sentencias de los asuntos *Palomo Sánchez y otros c. España*, de 12 de septiembre de 2011, ap. 53; y *Von Hannover c. Alemania*, de 7 de febrero de 2012, ap. 101) y el Tribunal Constitucional desde la STC 12/1982 (doctrina reiterada en la STC 12/2012, F. 3) (G. Röllnert Liern, "El derecho de acceso a la información pública como derecho fundamental: una valoración del debate doctrinal a propósito de la ley de transparencia", *Op. Cit.*, pág. 367).

todas las fases del ciclo político, de tal manera que las personas puedan acceder a la información relevante y oportuna relativa a aquellas políticas que les afecten".[42]

3. Repaso multinivel a la transparencia

Si bien en esta obra se va a realizar un estudio exhaustivo del estado de la normativa de transparencia en España, y concretando en algunas de sus comunidades autónomas, conviene, en estos capítulos iniciales, dar un vistazo general a la situación de la transparencia desde una perspectiva multinivel. En la labor desarrollada por las diferentes entidades generadas con las normas de transparencia, hay que reconocer que los diferentes consejos o comités encargados de velar por el cumplimiento normativo han resuelto ya miles de reclamaciones presentadas por la ciudadanía cada vez más motivada y más consciente del alcance de sus derechos en este campo, han atendido numerosas consultas de las Administraciones sobre contenidos de publicidad activa y sobre la aplicación de los límites al acceso y las causas de inadmisibilidad de solicitudes y han emitido diversos dictámenes interpretando preceptos de la legislación de transparencia.

Debemos partir de la base de que la aprobación de la ley estatal en 2013 ha producido indudables avances respecto de la transparencia de las instituciones públicas en España.[43] Y, con carácter general, los legisladores autonómicos han interpretado la legislación del Estado como una base, con unos mínimos, de manera que sobre esa estructura superponían obligaciones adicionales de transparencia activa, así como mayores garantías en el procedimiento administrativo.

En algunos casos concretos, Rams Ramos indica que la actuación de algunos legisladores autonómicos ha virado en mayor medida, al menos en principio, hacia mayores cotas de transparencia que la norma de mínimos, que vendría a ser la ley estatal, de modo que se han establecido plazos de resolución distintos, como la normativa andaluza o murciana, así como otros han insertado particularidades más

---

[42]   G. Escobar Roca, *Nuevos derechos y garantía de los derechos*, *Op. Cit.*, pág. 116.
[43]   L. Rams Ramos, "La normativa estatal y autonómica sobre transparencia en España: valoración de conjunto", *Op. Cit.*, pág. 45.

específicas, como la previsión de un procedimiento de conciliación antes de la reclamación ante la autoridad de transparencia, o de un recurso de reposición potestativo previo a la reclamación ante la autoridad independiente de transparencia, como ocurre en Cataluña, que también presenta una enumeración de los límites al acceso a la información diferente, y, por último, lo que ha generado mayor controversia jurídica en los últimos tiempos, como es la previsión del silencio positivo en el caso de que no se resuelva el procedimiento de acceso a la información en plazo, en concreto en los casos de las leyes de Cataluña, Aragón, Comunidad Valenciana y Navarra.[44]

Siguiendo un orden alfabético, iniciaremos nuestro repaso por la comunidad autónoma andaluza, que dispone de su portal de transparencia,[45] con un Consejo de Transparencia y Protección de Datos de Andalucía,[46] todo ello en el marco de la Ley 1/2014, de 24 de junio, de Transparencia Pública de Andalucía.

La extensa comunidad autónoma andaluza cuenta con un intrincado sistema de transparencia que traspasa el ámbito autonómico, generando escenarios propicios a la transparencia en sus diferentes diputaciones provinciales,[47] así como en el ámbito municipal en sus ocho capitales de provincia[48].

[44] *Ibídem*, págs. 58-59.
[45] https://www.juntadeandalucia.es/transparencia.html
[46] https://www.ctpdandalucia.es/
[47] Traemos a colación los portales de transparencia de la Diputación Provincial de Almería: https://www.dipalme.org/Servicios/cmsdipro/index.nsf/informacion.xsp?p=dipalme&documentId=671A62A2667B3B3EC1257D03003FBFD0; de Cádiz: https://gobiernoabierto.dipucadiz.es/transparencia; de Córdoba: https://transparencia.dipucordoba.es/; de Granada: https://www.dipgra.es/dipgra-transparencia/; de Huelva: https://sede.diphuelva.es/opencms/opencms/system/modules/gsede/elements/contenedores/Transparencia.html; de Jaén: https://www.dipujaen.es/portal-de-transparencia/ ; de Málaga: https://www.malaga.es/gobiernoabierto/entidad/ent-843/ ; y de Sevilla: http://transparencia.dipusevilla.es/es/
[48] Almería: https://www.almeriaciudad.es/transparencia/; Cádiz: https://transparencia.cadiz.es/tag/portal-de-transparencia/; Córdoba: https://www.cordoba.es/inicio-transparencia; Granada: https://transparencia.granada.org/; Huelva: http://www.huelva.es/portal/es/transparencia ; Jaén: https://transparencia.ayto-jaen.es/; Málaga: http://www.malaga.eu/gobierno-abierto/transparencia-ayuntamiento/ ; y Sevilla: https://www.sevilla.org/transparencia

Respecto de la comunidad aragonesa, destacamos su portal de transparencia autonómico[49], con su Consejo de Transparencia[50] derivado de la Ley 8/2015, de 25 de marzo, de Transparencia de la Actividad Pública y Participación Ciudadana de Aragón, que a fecha de escribir estas líneas se encuentra en proceso de modificación. Obviamente, sus tres diputaciones provinciales también cuentan con portales de transparencia,[51] así como sus respectivas capitales de provincia,[52] en el ámbito local.

Canarias también tiene un activo portal de transparencia[53], y cuenta con la Ley 12/2014, de 26 de diciembre, de transparencia y de acceso a la información pública, de la que nace el Comisionado de Transparencia y Acceso a la Información Pública[54]. Asimismo, tanto Santa Cruz de Tenerife[55] como Las Palmas de Gran Canaria[56] disponen de portales de transparencia municipales, así como los diferentes cabildos que componen las islas afortunadas.[57]

En cuanto a la comunidad autónoma cántabra, esta presenta un portal de transparencia[58], auspiciado por la Ley 1/2018, de 21 de marzo, de Transparencia de la Actividad Pública, de la que destacamos

---

49   https://transparencia.aragon.es/
50   https://transparencia.aragon.es/CTAR
51   Así la Diputación Provincial de Huesca: https://diputaciondehuesca.transparencialocal.gob.es/; la Diputación Provincial de Teruel: https://dpteruel.sedelectronica.es/transparency ; y la Diputación Provincial de Zaragoza: https://dpz.sedelectronica.es/transparency
52   En Huesca: https://www.huesca.es/ayuntamiento/transparencia; en Teruel: http://www.teruel.es/portal/contenedor1.jsp?seccion=landing.jsp&language=es&codResi=1&codMenu=242; y en Zaragoza: https://www.zaragoza.es/sede/servicio/transparencia/
53   https://www.gobiernodecanarias.org/transparencia/
54   https://transparenciacanarias.org/
55   https://www.santacruzdetenerife.es/gobiernoabierto/transparencia/index.php?id=904
56   https://www.laspalmasgc.es/es/transparencia/
57   Gran Canaria: https://cabildo.grancanaria.com/transparencia; Tenerife: https://transparencia.tenerife.es/; Fuerteventura: https://sede.cabildofuer.es/portal/transparencia/se_principal1.jsp?language=es&codResi=1; Lanzarote: https://cabildodelanzarote.transparencialocal.gob.es/; La Palma: https://cabildo.transparenciacanaria.es/; La Gomera: https://www.lagomera.es/transparencia/; y El Hierro: http://transparencia.elhierro.es/
58   https://transparencia.cantabria.es/

su reglamento de desarrollo por el Decreto 83/2020, de 19 de noviembre, por el que se aprueba el Reglamento de desarrollo de la Ley de Cantabria 1/2018, de 21 de marzo, de Transparencia de la Actividad Pública. En este caso destacamos la peculiaridad de que será el Consejo de Transparencia y Buen Gobierno, de carácter estatal, el encargado de resolver las reclamaciones. En este somero repaso a la cuestión de la transparencia de Cantabria destacamos el portal de transparencia de su capital, Santander.[59]

También la comunidad manchega presenta la peculiaridad de que es el Consejo de Transparencia y Buen Gobierno, de carácter estatal, el encargado de resolver las reclamaciones. Su portal de transparencia[60], y la Ley 4/2016, de 15 de diciembre, de Transparencia y Buen Gobierno de Castilla-La Mancha, son sus señas distintivas en el ámbito que nos ocupa. Por último, de igual modo que las comunidades autónomas precedentes, sus diputaciones provinciales cuentan con sus respectivos portales de transparencia,[61] así como sus capitales de provincia.[62]

En cuanto a la comunidad autónoma de Castilla y León, destacamos su portal de transparencia[63] y su Ley 3/2015, de 4 de marzo, de Transparencia y Participación Ciudadana de Castilla y León. El Procurador del Común será el encargado de resolver las reclamaciones.[64] Respecto de sus diputaciones provinciales, estas presentan también el

---

[59]   http://transparencia.santander.es/
[60]   https://transparencia.castillalamancha.es/
[61]   Así la Diputación Provincial de Albacete: https://diputacionalbacete.transparencialocal.gob.es/; la Diputación Provincial de Ciudad Real: https://www.dipucr.es/diputacion/transparencia; la Diputación Provincial de Cuenca: https://www.dipucuenca.es/portal-de-transparencia; la Diputación Provincial de Guadalajara: https://transparencia.dguadalajara.es/; y la Diputación Provincial de Toledo: https://www.diputoledo.es/transparencia
[62]   En Albacete: http://www.albacete.es/es/webs-municipales/transparencia; en Ciudad Real: https://www.ciudadreal.es/gobierno-abierto/transparencia-y-buen-gobierno.html; en Cuenca: https://gobiernoabierto.cuenca.es/transparencia?AspxAutoDetectCookieSupport=1; en Guadalajara: https://www.guadalajara.es/es/ayuntamiento/portal-de-transparencia/; y en Toledo: https://www.toledo.es/toledo-abierto/
[63]   https://gobiernoabierto.jcyl.es/web/es/transparencia.html
[64]   https://www.procuradordelcomun.org/

correspondiente portal de transparencia,[65] así como sus capitales de provincia[66].

De Cataluña destacamos que el Gobierno de la Generalitat de Cataluña ha aprobado recientemente el Decreto 8/2021, de 9 de febrero, sobre Transparencia y Derecho de Acceso a la Información Pública, que se trata de un reglamento de desarrollo, al menos parcial, de la Ley catalana 19/2014, de Transparencia, Acceso a la Información Pública y Buen Gobierno. Si bien es cierto que se trata, el Reglamento, de un texto normativo que se ha hecho esperar un tiempo considerable para verse finalmente insertado en el Diario Oficial de la Generalitat, las posibilidades que ofrece presentan un avance en la tarea regulatoria de la transparencia y, por consiguiente, un paso hacia delante en el progreso democrático de la sociedad.

La comunidad autónoma catalana cuenta con un portal de transparencia propio,[67] y con el denominado GAIP, la Comisión de Garantía del Derecho de Acceso a la Información Pública.[68]

---

[65] Así la Diputación Provincial de Ávila: https://www.diputacionavila.es/portal-de-transparencia/presentacion-del-presidente.html; la Diputación Provincial de Burgos: https://transparencia.burgos.es/; la Diputación Provincial de León: https://www.dipuleon.es/Diputacion/Indicadores_de_Transparencia/; la Diputación Provincial de Palencia: https://www.diputaciondepalencia.es/sitio/transparencia-participacion; la Diputación Provincial de Salamanca: http://transparencia.lasalina.es/; la Diputación Provincial de Segovia: https://www.dipsegovia.es/portal-de-transparencia; la Diputación Provincial de Soria: https://www.dipsoria.es/transparencia; la Diputación Provincial de Valladolid: https://gobiernoabierto.diputaciondevalladolid.es/transparencia; y la Diputación Provincial de Zamora: http://www.diputaciondezamora.es/index.asp?MP=6&MS=161&MN=2

[66] En Ávila: http://www.avila.es/ayuntamiento/transparencia-l19-2013; en Burgos: http://www.aytoburgos.es/tu-ayuntamiento/transparencia-y-codigo-etico/portal-de-la-transparencia-del-ayuntamiento-de-burgos; en León: http://www.aytoleon.es/es/ayuntamiento/areasmunicipales/Paginas/menutransparencia.aspx; en Palencia: https://www.aytopalencia.es/taxonomy/term/92; en Salamanca: http://www.aytosalamanca.es/es/tuayuntamiento/transparencia/; en Segovia: http://www.segovia.es/index.php/mod.pags/mem.detalle/id.12463/relcategoria.4973; en Soria: https://www.soria.es/gobierno/portal-de-transparencia; en Valladolid: https://www.valladolid.es/es/ayuntamiento/portal-transparencia; y en Zamora: http://www.zamora.es/transparencia

[67] http://governobert.gencat.cat/es/transparencia/index.html

[68] http://www.gaip.cat/ca/inici/

Por descontado, sus cuatro diputaciones provinciales disponen de portal de transparencia propio,[69] así como sus capitales de provincia.[70]

En cuanto a la comunidad autónoma madrileña, cabe indicar que su normativa de referencia es la Ley 10/2019, de 10 de abril, de Transparencia y de Participación de la Comunidad de Madrid, contando con un portal de transparencia autonómico[71] y otro de orden municipal para la capital de España[72]. Las reclamaciones ciudadanas oportunas serán resueltas por el Consejo de Transparencia de categoría nacional, al igual que otras comunidades autónomas precedentes de este estudio.

La Comunidad Valenciana dispone de la Ley 2/2015, de 2 de abril, de Transparencia, Buen Gobierno y Participación Ciudadana de la Comunitat Valenciana, aunque se encuentra en avanzado proceso de elaboración la normativa que la sustituirá y que en próximas páginas de esta obra colectiva será minuciosamente analizada. Su Consejo de Transparencia[73] resuelve las incidencias que se le presentan[74] y dispone de un actualizado portal de transparencia.[75] Sus tres diputaciones provinciales,[76] y sus respectivas capitales de provincia[77] cuentan también con portales propios de transparencia.

---

[69]   Así la Diputación Provincial de Barcelona: https://transparencia.diba.cat/es; la Diputación Provincial de Gerona: http://www.ddgi.cat/web/nivell/622/s-0/portal-de-transparencia; la Diputación Provincial de Lérida: https://www.seu-e.cat/ca/web/diputaciolleida/govern-obert-i-transparencia; y la Diputación Provincial de Tarragona: https://www.seu-e.cat/ca/web/dipta/

[70]   En Barcelona: https://ajuntament.barcelona.cat/transparencia/es; en Gerona: https://www.girona.cat/transparencia/cat/index.php; en Lérida: https://www.paeria.cat/transparencia/es/; y en Tarragona: https://www.tarragona.cat/transparencia

[71]   https://www.comunidad.madrid/transparencia/

[72]   https://transparencia.madrid.es/portal/site/transparencia

[73]   https://conselltransparencia.gva.es/va/

[74]   L. Cotino Hueso, "Criterios relevantes e innovadores del Consejo de Transparencia de la Comunidad Valenciana", Revista Española de la Transparencia, 9, 2019, págs. 39-68

[75]   https://gvaoberta.gva.es/va/inici

[76]   Así la Diputación Provincial de Alicante: https://abierta.diputacionalicante.es/; la Diputación Provincial de Castellón: https://transparencia.dipcas.es/; y la Diputación Provincial de Valencia: https://www.dival.es/es/portal-de-transparencia

[77]   En Alicante: https://www.alicante.es/es/gobierno-abierto/transparencia; en Castellón: http://www.castello.es/frontal/transparencia/pages/transparencia.php; y

En lo relativo a Extremadura, encontramos su relativamente antigua Ley 4/2013, de 21 de mayo, de Gobierno Abierto de Extremadura, así como su portal de transparencia.[78] Igual que en casos precedentes ya estudiados, las reclamaciones ciudadanas oportunas serán resueltas por el Consejo de Transparencia de categoría nacional. Del mismo modo que las restantes comunidades autónomas, sus diputaciones provinciales cuentan con portales de transparencia[79], así como sus capitales de provincia y, también reseñable el de la ciudad de Mérida, en tanto que capital autonómica.[80]

La comunidad gallega cuenta con el Valedor do Pobo como encargado de resolver las reclamaciones[81] tal y como se deriva de su Ley 1/2016, de 18 de enero, de transparencia y buen gobierno, así como su portal de transparencia autonómico.[82] De igual modo, disponen del mismo las diferentes diputaciones provinciales,[83] destacando también los propios de las capitales de provincia gallegas y su capital autonómica, Santiago de Compostela.[84]

En las Islas Baleares destacamos su portal de transparencia,[85] así como su norma de referencia, la Ley 4/2011, de 31 de marzo, de la buena administración y del buen gobierno de las Illes Balears, y la

---

[78]   en Valencia: https://www.valencia.es/val/ajuntament/govern-obert
        http://gobiernoabierto.juntaex.es/
[79]   Así el correspondiente a la Diputación Provincial de Badajoz: https://www.dip-badajoz.es/ciudadanos/atencion/index.php; como el de la Diputación Provincial de Cáceres: https://www2.dip-caceres.es/servicios/transparencia/index.html.
[80]   En Badajoz: https://www.aytobadajoz.es/es/ayto/transparencia; en Cáceres: https://www.ayto-caceres.es/transparencia/; y en Mérida: https://merida.es/transparencia/
[81]   http://www.valedordopobo.gal/
[82]   http://transparencia.xunta.gal/portada
[83]   Así, el que presenta la Diputación Provincial de La Coruña: https://sede.dacoruna.gal/opencms/es/portal_transparencia/; la Diputación Provincial de Lugo: http://portaltransparencia.deputacionlugo.org/; la Diputación Provincial de Orense: https://transparencia.depourense.gal/download/esav1/; y la Diputación Provincial de Pontevedra: https://www.depo.gal/es/transparencia
[84]   En La Coruña: https://www.coruna.gal/transparencia/es?argIdioma=es; en Lugo: https://datosabertos.lugo.gal/es; en Orense: https://www.ourense.gal/es/ayuntamiento/transparencia; en Pontevedra http://transparencia.pontevedra.gal/; y en Santiago de Compostela: https://transparencia.santiagodecompostela.gal/descargas/es/196
[85]   http://www.caib.es/sites/transparencia/es/inici/

comisión encargada de resolver las reclamaciones de los ciudadanos respecto del acceso a la información.[86] La ciudad de Palma presenta su propio portal de transparencia,[87] y destacan los consejos de transparencia insulares de Mallorca,[88] Menorca,[89] Ibiza[90] y Formentera[91].

De La Rioja, además de su ya antigua Ley 3/2014, de 11 de septiembre, de Transparencia y Buen Gobierno de La Rioja, del que nace su portal de transparencia,[92] debemos indicar que el Consejo de Transparencia y Buen Gobierno estatal será el encargado de resolver las reclamaciones de los ciudadanos. Destacamos también el portal de transparencia de su capital, Logroño.[93]

En la comunidad foral de Navarra, encontramos la Ley Foral 5/2018, de 17 de mayo, de Transparencia, acceso a la información pública y buen gobierno. Dicha comunidad dispone de un portal de transparencia propio,[94] así como un Consejo de Transparencia.[95] Pamplona, su capital, también dispone de un portal de transparencia para las cuestiones de índole municipal.[96]

El País Vasco presenta una condición curiosa ya que no dispone, de momento, de una ley de transparencia como tal. A fecha de estas letras se encuentra remitido el proyecto de Ley de Transparencia, Participación ciudadana y Buen Gobierno del Sector público vasco.

---

[86]   https://www.caib.es/sites/comissio_reclamacions/es/inicio/
[87]   https://www.palma.cat/portal/PALMA/contenedor1.jsp?seccion=s_fdes_d4_v1.jsp&codbusqueda=2069&language=es&codResi=1&layout=contenedor1.jsp&cod%20Adirecto=1341
[88]   https://conselldemallorca.transparencialocal.gob.es/
[89]   http://transparencia.cime.es/portal.aspx?IDIOMA=2
[90]   http://transparencia.conselldeivissa.info/
[91]   http://transparencia.conselldeformentera.cat/?lang=es
[92]   https://web.larioja.org/portal-transparencia
[93]   http://www.xn--logroo-0wa.es/wps/portal/web/inicio/unidadesMunicipales/transparencia/!ut/p/c4/04_SB8K8xLLM9MSSzPy8xBz9CP0os_hAc9NQf293QwMLPx8nA0cni5DQQL8Ag2BHU_2CbEdFANCAO_g!/?WCM_GLOBAL_CONTEXT=/web_es/logrono/unidadesMunicipales/transparencia
[94]   https://gobiernoabierto.navarra.es/es/transparencia
[95]   https://gobiernoabierto.navarra.es/es/consejo-transparencia/consejo-transparencia-navarra
[96]   https://www.pamplona.es/ayuntamiento/transparencia/transparencia-municipal

Pese a ello, dispone de un portal de transparencia[97] y de la Comisión Vasca de Acceso a la Información Pública.[98] Que no disponga en estos momentos de su legislación aprobada no puede llevar a engaño puesto que la comunidad autónoma vasca ha destacado de entre las comunidades españolas como una de las pioneras en materia de transparencia. Basta observar el desarrollo de sus portales de transparencia de sus diputaciones forales[99] y de sus capitales de provincia[100] para colegir el alto desarrollo en esa materia.

En cuanto al Principado de Asturias, la cuestión de la transparencia viene regulada por la Ley 8/2018, de 14 de septiembre, de Transparencia, Buen Gobierno y Grupos de Interés, que regula su portal de transparencia.[101] Como en otras autonomías, será el Consejo de Transparencia y Buen Gobierno estatal el encargado de resolver las reclamaciones ciudadanas. Destacamos el portal de transparencia de la capital asturiana, Oviedo.[102]

Respecto de la Región de Murcia, esta presenta una antigua ley de transparencia, la Ley 12/2014, de 16 de diciembre, de Transparencia y Participación Ciudadana de la Comunidad Autónoma de la Región de Murcia, así como un portal de transparencia autonómico,[103] y otro de cobertura municipal[104], así como un consejo de transparencia murciano.[105]

---

[97]   https://www.gardena.euskadi.eus/hasiera/

[98]   https://www.gardena.euskadi.eus/transparencia/-/derecho-de-acceso-a-la-informacion-publica/#4191

[99]   El de la Diputación Foral de Álava: https://irekia.araba.eus/es/inicio; el de la Diputación Foral de Guipúzcoa: https://www.gipuzkoairekia.eus/es; y el de la Diputación Foral de Vizcaya: https://gardentasuna.bizkaia.eus/es/

[100] En Vitoria: https://www.vitoria-gasteiz.org/wb021/was/contenidoAction.do?idioma=es&uid=u_28ad3bf7_146ae2b35a0__7fdb; en San Sebastián: https://www.donostia.eus/ataria/es/web/gardentasuna/indices-de-transparencia ; y en Bilbao: http://www.bilbao.eus/cs/Satellite/transparencia/es/inicio

[101] https://transparencia.asturias.es/

[102] https://transparencia.oviedo.es/

[103] https://transparencia.carm.es/

[104] https://www.murcia.es/web/portal/transparencia-municipal

[105] https://www.consejodetransparencia-rm.es/

Por último, indicar que la ciudad autónoma de Ceuta dispone también de su portal de transparencia,[106] al igual que Melilla,[107] que además dispone de un reglamento sobre la materia, el Decreto n.º 43 de fecha 14 de julio de 2016, relativo a la aprobación definitiva del Reglamento de Transparencia y Acceso a la Información Pública de la Ciudad Autónoma de Melilla. En ambos casos la cuestión de las reclamaciones se resuelve del mismo modo: remitiendo al consejo de transparencia estatal las resoluciones de las reclamaciones de los ciudadanos.

II. UNA DEMOCRACIA TRANSPARENTE: ¿DE CRISTAL O DE METACRILATO?

Vaya por delante que la aprobación de la Ley de 2013 y las sucesivas normas autonómicas sobre la transparencia han supuesto un hito fundamental en el reconocimiento y garantía de la transparencia en nuestro país.[108] De modo que se da cumplimiento a una necesidad democrática básica, al menos en el campo normativo. Y es que por todos es observada la necesidad de que la actuación que llevan a cabo los poderes públicos en las sociedades democráticas modernas se haga cada vez más visible. Hoy en día, no es admisible en un Estado social y democrático de Derecho homologable que el poder público viva de espaldas a la ciudadanía, sino que debe actuar con luz y taquígrafos y no de manera opaca.[109] Pero la transparencia de la que se hace gala, en determinadas ocasiones implica un mero cumplimiento de los mínimos normativos. Y apostilla Han que ningún otro lema domina hoy tanto el discurso público como la transparencia, que reclama de manera efusiva, sobre todo en relación con la libertad de información, de ahí que la omnipresente exigencia de transparencia aumenta hasta

---

[106] https://ceuta.transparencialocal.gob.es/
[107] https://sede.melilla.es/melillaPortal/transparencia/se_principal1. jsp?language=es&codResi=1
[108] L. Rams Ramos, "La normativa estatal y autonómica sobre transparencia en España: valoración de conjunto", *Op. Cit.*, pág. 54.
[109] A. J. Alonso Timón, "El principio de transparencia como elemento vertebrador del Estado Social y Democrático de derecho", *Op. Cit.*, pág. 29.

convertirla en un fetiche y totalizarla[110]. De ahí la reflexión sobre si aquello que se presenta de manera transparente responde a una visión sobre un "cristal inmaculado" o bien simplemente es una estructura de "metacrilato", aparentemente robusto y eficaz, pero que no va más allá de la mera transparencia formal. Y es que la transparencia tiene sentido solo si sigue unos patrones de calidad democrática y, sobre todo, si tiene una incidencia real en la vida de los ciudadanos. Una Administración puede ser perfectamente encuadrable en los cánones de transparencia formales derivados de la normativa, pero no tener ninguna repercusión en una mejora democrática de su entorno y, en consecuencia, no generar ningún tipo de impacto en la vida de los ciudadanos.

Si la información es pública y se dispone en los escenarios propicios para que la ciudadanía pueda consultarla se cumple con unos estándares de transparencia. Pero si los ciudadanos desconocen su existencia o, aun conociéndola, consideran que les es ajena esa función, nos encontramos ante un déficit democrático no solo achacable al desinterés de la ciudadanía, sino que la propia estructura administrativa que ha abanderado un proceso para mejorar la transparencia no ha sabido dar con la tecla adecuada para hacer ver de su importancia a los ciudadanos. Y, sin duda, la gestión irregular, muchas veces salpicada de corrupción, es la que ha generado unos mayores impulsos por generar estructuras transparentes, por lo que encontramos en el "debe" de la Administración el hecho de tener que operar de una manera más clara. Así, el recurso fácil es el de descargar la responsabilidad en el poco interés que despierta entre los ciudadanos la publicación de determinada información, pero se trata de una premisa que no se corresponde en todos los casos con la realidad.

Y, por otra parte, la permanente sospecha de que los ciudadanos que solicitan información pública están "entorpeciendo" la labor pública, generando procedimientos administrativos que obstaculizan el normal desarrollo de la gestión pública también subyace en muchos de los procesos en los que los ciudadanos solicitan con claridad información que consideran relevante para su conocimiento. A eso nos

---

[110] B. C. Han, *La sociedad de la transparencia* (traducción de Raúl Gabás), Barcelona, Herder, 2013, pág. 11.

referimos al hablar de una democracia de metacrilato y no de cristal, precisamente porque si no hay un convencimiento claro desde la propia Administración de que los ciudadanos deben ser partícipes de la cuestión pública, que su conocimiento además de un derecho implica un deber en un escenario democrático, nos abocamos a una visión distorsionada de la transparencia, dando mero cumplimiento a dejar observar mediante un objeto transparente, pero que dista mucho de la mirada nítida que se contempla desde un cristal limpio y sin manchas ni corruptelas, sino que muestra la realidad de los hechos para que los ciudadanos puedan emitir críticamente su parecer sobre la gestión desarrollada en los escenarios democráticos habilitados para ello, paradigma de los cuales es su participación electoral. Esa participación es libre en la medida en que se dispone de información suficiente y ajustada para que el ciudadano tenga conocimiento de lo que sucede en el escenario público. La falta de información no implica solamente un déficit en la cuestión de la transparencia, sino que agrede directamente a los pilares básicos de la democracia.

Como es sobradamente conocido, la democracia exige unos requisitos previos, y entre ellos un buen sistema de información pública: participar es decidir y es obvio que no se puede decidir si se carece de una información de calidad.[111] De ahí que, como afirma García Escudero, "hay que seguir perseverando en el objetivo final de la transparencia como instrumento regenerador de la confianza y del crédito de las instituciones, y potenciar la rendición de cuentas"[112].

1. Una democracia mejorable

Siempre se ha dicho que la democracia más fuerte es la estadounidense, pero los acontecimientos del nombramiento del presidente Biden y el posterior asalto al Capitolio dañaron profundamente esta imagen de "inquebrantabilidad". Así que la labor de apostar y crecer en escenarios transparentes y participativos es un compromiso democrático de la que ninguna sociedad está al margen.

---

[111] G. Escobar Roca, *Nuevos derechos y garantía de los derechos*, *Op. Cit.*, pág. 114.
[112] P. García-Escudero, "Regeneración del Parlamento, transparencia y participación ciudadana", *Op. Cit.*, págs.196.

La importancia de fomentar la creación de normativa que sirva de paraguas para avanzar en transparencia ha quedado bastante clara a lo largo de este trabajo, dado que es primordial. Y, en este sentido, la labor de fiscalización de los ciudadanos exigiendo más transparencia y la creación de más normativa que la garantice también es una pieza clave. A este respecto, seguimos esperando, pese a los pasos que se han ido dando[113], que se apruebe el Reglamento de desarrollo de la Ley 19/2013. Incluso respecto de la normativa aprobada, corremos el riesgo de que la idea de transparencia quede encorsetada en el mero cumplimiento normativo, de unas obligaciones legales o reglamentarias de ser transparente, o bien de cumplir con un procedimiento administrativo que vehicula solicitudes de acceso a la información que plantean los ciudadanos.

2. Por una mayor efectividad de la normativa sobre transparencia

Con el devenir de la creación normativa, la transparencia se ha ido convirtiendo gradualmente en una herramienta exclusivamente jurídica, con los problemas que ello conlleva. De ahí que la sempiterna queja de los diferentes Consejos de Transparencia consista en subrayar que los incumplimientos de las obligaciones legales de transparencia y publicidad activa, salvo en algunas regulaciones de comunidades autónomas, como es el caso entre otras de la comunidad catalana

---

[113] Y que pueden encontrarse en el siguiente enlace: https://transparencia.gob.es/ transparencia/transparencia_Home/index/ParticipacionCiudadana/Participacion ProyectosNormativos/proyectoRDTransparencia.html

(régimen de sanciones)[114] o la navarra[115] y la andaluza (donde en

---

[114] Ley 19/2014, de 29 de diciembre, de *transparencia, acceso a la información pública y buen gobierno*. Artículo 76. Principios generales.
El incumplimiento de los deberes y obligaciones establecidos por la presente ley por parte de las personas responsables conlleva la aplicación del régimen sancionador regulado por este capítulo.
El régimen sancionador del presente capítulo no se aplica si los hechos pueden ser constitutivos de infracción penal y tampoco si, de acuerdo con la ley, puede ser aplicable otro régimen de responsabilidad administrativa o de naturaleza jurisdiccional, siempre que se dé también identidad de sujeto y fundamento.
En todo aquello no determinado por el presente capítulo son de aplicación los principios y reglas generales sobre el ejercicio de la potestad sancionadora y el procedimiento sancionador, establecidos por la legislación básica y por la legislación de la Generalidad en materia de régimen jurídico y procedimiento administrativo común.

[115] El artículo 69 Ley Foral 5/2018, de 17 de mayo, de *Transparencia, acceso a la información pública y buen gobierno*, relativo al cumplimiento de los actos y resoluciones del Consejo de Transparencia de Navarra, dispone lo siguiente:
Los actos de petición de información y documentación y las resoluciones dictadas por el Consejo de Transparencia de Navarra serán vinculantes para las administraciones públicas, entidades y personas obligadas en los artículos 2 y 3 de esta ley foral, con la excepción de las instituciones públicas de la Comunidad Foral de Navarra no sujetas a su conocimiento.
El Consejo de Transparencia de Navarra velará por el cumplimiento efectivo de sus actos o resoluciones. A tal efecto, podrá disponer, en el acto o resolución, quién ha de ejecutarlo, las medidas de ejecución necesarias y, en su caso, resolver las incidencias derivadas de la ejecución.
Las partes podrán proponer al Consejo de Transparencia de Navarra las medidas de ejecución necesarias para garantizar el cumplimiento efectivo de sus actos y resoluciones.
En caso de advertirse que un acto o una resolución dictada en el ámbito de su competencia pudiera estar siendo incumplido, el Consejo de Transparencia de Navarra, de oficio o a instancia de alguna de las partes, requerirá a las autoridades, entidades, empleados públicos o particulares a quienes corresponda que lleven a cabo su cumplimiento en el plazo que se les fije e informen al respecto. Transcurrido el plazo fijado y si el Consejo apreciase el incumplimiento total o parcial de su acto o resolución, podrá adoptar cualesquiera de las medidas siguientes: a) Imponer multa coercitiva de 500 a 5.000 euros a las administraciones o entidades, autoridades, empleados públicos o particulares que incumplan los actos o las resoluciones del Consejo, pudiendo reiterar la multa cada diez días hasta el cumplimiento íntegro de lo mandado.
Hacer pública la actitud incumplidora de quienes resulten responsables en su página web, en su informe anual, en los medios de comunicación y dando traslado de la conducta al Parlamento de Navarra, para su conocimiento.

esta última se ha empoderado expresamente al Consejo para tales menesteres)[116], no tienen consecuencias reales efectivas. Y donde sí las parece tener, en realidad tiene pocas o ninguna. De ahí que configurar una retahíla de consecuencias jurídicas a la falta de cumplimiento de normativa sobre transparencia, pero que es difícil o directamente imposible de asegurar, desincentiva la creación de escenarios puramente transparentes y, por ende, más democráticos. La falta de eficacia de las sanciones que aparecen en la normativa es, sin lugar a duda, la reclamación de base para progresar en cuestiones de transparencia.

Lo cierto es que la legislación de transparencia no ha llegado acompañada de una dotación económica con que afrontar sus exigencias, ni tampoco ha previsto el incremento de personal en la Administración para potenciar sus posibilidades de actuación, por lo que se han asumido, en demasiadas ocasiones, unos retos inalcanzables, sumados a su vez a la escasa formación o especialización de los que en principio debían llevar a cabo estas tareas. Si bien estos problemas pueden ir resolviéndose, podemos colegir que primó más las buenas intenciones de insertar un escenario en el que primara la transparencia administrativa sin contar, previamente, con un, llamémosle, estudio de viabilidad. Debe, en consecuencia, reconocerse y poner en valor el esfuerzo denodado de aquellos que, creyendo en que la evolución democrática pasa por una Administración más transparente, han tratado de dar cumplimiento a las disposiciones normativas, yendo, en muchas ocasiones, más allá de lo que era exigible. De ahí que la crítica a la puesta en marcha de actuaciones pro transparencia

---

El Consejo de Transparencia de Navarra podrá recabar el auxilio de cualquiera de las administraciones y poderes públicos para garantizar la efectividad de sus resoluciones, que lo prestarán con carácter preferente y urgente.

[116] Ley 1/2014, de 24 de junio, de Transparencia Pública de Andalucía. Artículo 50. Régimen jurídico.

El incumplimiento de las obligaciones establecidas en la presente ley se sancionará conforme a lo previsto en este título, sin perjuicio de otras responsabilidades que pudieran concurrir.

La potestad sancionadora respecto de las infracciones tipificadas en esta ley se ejercerá de conformidad con lo dispuesto en ella y en la normativa en materia de régimen jurídico de las administraciones públicas y del procedimiento administrativo sancionador. Las infracciones disciplinarias se regirán por el procedimiento previsto para el personal funcionario, estatutario o laboral que resulte de aplicación en cada caso

que no se han implementado de la mejor manera tienen que tener en cuenta las dificultades aparejadas a dar cumplimiento a cuestiones normativas difícilmente reconducibles a la realidad, al menos con los recursos y formación iniciales, así como la imposibilidad de aunar incumplimiento y sanción.

Es más, con una perspectiva algo más crítica, Rams Ramos afirma que no puede concluirse que la mera proliferación de la normativa en el ámbito de la transparencia sea suficiente para la garantía del cumplimiento de las obligaciones de transparencia activa y del ejercicio del derecho de acceso a la información pública, pues su aprobación no siempre se ha traducido, como indicábamos *supra*, en una verdadera acción de transparencia por parte de los sujetos obligados a publicar y proporcionar información en relación con sus actividades y el ejercicio de sus potestades, sino que siguen existiendo importantes reticencias al reconocimiento de este principio de actuación de las Administraciones públicas.[117] De ahí que la apuesta de futuro vaya en la línea de dotar de mayor consistencia a las estructuras que garanticen la transparencia, dotando de más recursos y mayor fuerza sancionatoria a las disposiciones legales.

3. Presente y futuro de la transparencia

La transparencia es uno de los soportes sobre los que construir las democracias del presente y del futuro. Y es que, como afirma Alonso, la aplicación del principio de transparencia a la actuación de todos los poderes públicos en la actualidad es una cuestión irreversible, irrenunciable e indiscutible como forma de evolución jurídica, política y social para la consecución de unos resultados tan trascendentes como imprevisibles. No es casualidad que los países donde más se respeta el principio de transparencia sean los países donde mayor es la calidad de vida, sino que responde a una ecuación lógico-formal difícilmente rebatible: a mayor transparencia, mayor democracia. A mayor democracia, mayor calidad de vida. El principio de transparencia, por tanto, es una de las herramientas imprescindibles para lograr un mayor

---

[117]   L. Rams Ramos, "La normativa estatal y autonómica sobre transparencia en España: valoración de conjunto", *Op. Cit.*, pág. 47.

progreso social y avanzar hacia Estados democráticos más desarrollados, fortalecidos y creíbles.[118]

Pero hay que observar esta evolución con cuidado. Han alerta de que un aumento de información y comunicación no esclarece por sí solo el mundo, ni la transparencia tampoco hace clarividente a nadie porque la masa de información no engendra ninguna verdad. Esta es la razón por la que cuanta más información se pone en marcha, tanto más intricado se hace el mundo, surge con ello el problema de la hiperinformación y la hipercomunicación, que para Han no inyectan ninguna luz en la oscuridad.[119] Las palabras de Han son, como tantas otras veces, certeras. La transparencia no puede pasar por la saturación de información de los ciudadanos. De ahí que, aunque la normativa exija determinada publicidad de actos públicos o determinada documentación, y además deba presentarse de forma entendible y digerible, el paso siguiente en la transparencia debe ser la colaboración con la ciudadanía en el desenvolvimiento democrático. Los ciudadanos no solamente deben tener acceso a la información, sino que deben hacerla propia en la medida que se vayan fortaleciendo los nexos sociales entre Administración y administrados. Se requiere, por tanto, un cambio de paradigma, en propuesta de futuro, en el que la transparencia irradie el escenario social. La mera acumulación de información pública, pese al estricto cumplimiento normativo, no provocará el avance deseado en los entornos democráticos. Ahí la evolución del concepto de transparencia tiene un papel fundamental a desarrollar, y con ello el avance social en estos terrenos.

III. CONCLUSIONES

La primera conclusión que tenemos que plantear es que la regulación de la cuestión de la transparencia, tanto a nivel estatal, con sus carencias, como a nivel autonómico, con la consiguiente disparidad

---

[118] A. J. Alonso Timón, "El principio de transparencia como elemento vertebrador del Estado Social y Democrático de derecho", *Op. Cit.*, pág. 34.

[119] B. C. Han, *La sociedad de la transparencia* (traducción de Raúl Gabás), Barcelona, Herder, 2013, págs. 79-80.

normativa, presenta, en términos generales, una perspectiva positiva. Ahora bien, un aspecto fácilmente constatable es que la reclamación a los gobiernos de más transparencia y de la creación de normativa que la ampare suele diluirse cuando la oposición "reclamante" llega al poder. Aun así, como hemos podido apreciar a lo largo de estas páginas y, sobre todo, en el conjunto de la obra colectiva, la proliferación de normativa sobre la transparencia a nivel estatal y autonómico ha sido considerable. Y, pese a que no hay que soslayar la vertiente crítica, más aún desde el objeto que estamos analizando, la conclusión a la que se llega es que la democracia se ha fortalecido con todas y cada una de las leyes de transparencia que se han ido configurando.

Si se apuesta, como en alguna de la normativa expuesta, por una transparencia intensa, por un creciente estudio de la labor de los gobiernos y administraciones, el control democrático se incrementa, por lo que la normativa no puede ser acusada de aparecer como un mero adorno que simplemente satisface las necesidades de crear normas que regulen una cuestión bien vista desde el punto de vista social y, también, desde la consideración internacional. Ese puede ser uno de los puntos a criticar en la medida en que el cumplimiento de los requisitos para alcanzar puestos altos en los *rankings* de transparencia sobrepasaba en importancia a la instauración de una gobernanza abierta y transparente. Aunque el objetivo no se desvía en demasía, sí que es censurable no acometer la cuestión de la transparencia y su regulación como lo que es, un punto de partida para progresar democráticamente. Si se considera una moda, se genera la normativa correspondiente y se trata de dar satisfacción a los estándares de transparencia para sostener una posición relevante en las clasificaciones de administraciones transparentes, el propio proceso hará perecer la normativa resultante. Si no se instaura una sociedad de la transparencia, si no se naturaliza esa dinámica, la función de la norma no contemplará su predestinación de manera holística, por lo que lo hará de modo parcial. La ley garantizará llevar a cabo unos mínimos, pero no calará en la sociedad ni en sus gobernantes lo que inspira, verdaderamente, la existencia de esa normativa de transparencia: la democracia y su paulatino y constante progreso. Y es que la democracia es un sistema dinámico, no aparece de forma natural y se queda fijo en la sociedad, sino que requiere de una constante evolución. Por ello mismo, y con base en ese razonamiento, el dinamismo de la democracia indica que o progresa o retrocede, y es con leyes que instauren la transparencia y generen gobiernos abiertos, y en los que la ciudadanía pueda participar, como se presenta uno de los fundamentos de ese avance democrático. De ahí que las leyes de transparencia sean vistas como una necesidad democrática.

LA ASIMETRÍA DE SUJETOS ACTIVOS EN EL DERECHO DE ACCESO A LA INFORMACIÓN Y LA APLICACIÓN DE LA DISPOSICIÓN ADICIONAL DE LA LEY DE TRANSPARENCIA

Elisabet Samarra

Presidenta de la Comisión de Garantía del
Derecho de Acceso a la Información Pública

I. INTRODUCCIÓN

El marco legal de la transparencia ha consagrado el reconocimiento de un derecho universal a la información pública que se garantiza a cualquier persona física o jurídica, e incluso a entidades sin personalidad jurídica propia (AMPA, entidades vecinales, etc.) y lo ha regulado superando las deficiencias del régimen de acceso a los documentos anterior (artículo 37 LRJPAC[1]) que, en palabras de la propia exposición de motivos de la LTAIP[2] "adolece de una serie de deficiencias que han sido puestas de manifiesto de forma reiterada al no ser claro el objeto del derecho de acceso, al estar limitado a documentos contenidos en procedimientos administrativos ya terminados y al resultar su ejercicio extraordinariamente limitado en su articulación práctica".

La legislación de transparencia, pues, establece un régimen jurídico general de acceso a la información pública al alcance de todas las

---

[1] Ley 30/1992, de 26 de noviembre, de Régimen Jurídico de las Administraciones Públicas y del Procedimiento Administrativo Común, en adelante LRJPAC
[2] Ley básica 19/2013, de 9 de diciembre, de *transparencia, acceso a la información pública y buen gobierno*, en adelante LTAIP.

personas, que supone un mínimo común denominador irrenunciable, tanto en lo que se refiere al alcance del derecho como a su garantía, sin perjuicio de que atendiendo a la condición del sujeto, ese derecho de acceso pueda y deba obtener una mejor protección y extensión: es el caso del derecho de acceso vinculado al ejercicio de las funciones de representación política, al periodismo, y a la representación de las personas trabajadoras. En los dos últimos casos, no existe un régimen jurídico especial que regule el acceso a la información de esos sujetos[3], desplazando a la legislación de transparencia, sino solo un reconocimiento legal al derecho fundamental a acceder a información veraz para poder comunicarla, o a recibir de los empleadores la información necesaria para ejercer la función de control inherente a su representación de las personas trabajadoras, por lo que será de aplicación el régimen general de la legislación de transparencia, si bien deberá ponderarse la función o profesión del sujeto reforzando su derecho de acceso si concurren límites o aparecen otros derechos privados contrapuestos a él.

En cambio, el derecho a la información de los electos locales es objeto de regulación específica en la legislación de régimen local (artículo 77 LBRL y 14 y siguientes ROF, completada y ampliada por las disposiciones de las legislaciones autonómicas de régimen local (en Cataluña, el artículo 164.3 LMRL). En este caso, en que la asimetría del sujeto del derecho a la información se deriva de la aplicación de un régimen jurídico especial, cabe plantear si le resulta aplicable la vía de garantía de la legislación de transparencia. La posición al respecto de los órganos de garantía no ha sido unánime, si bien mayoritariamente se han inclinado por entender que sí. En este trabajo se expondrá el

---

[3]   La Sentencia del TSJC 5208/2020 descarta la pretensión del Ayuntamiento de l'Hospitalet de Llobregat de nulidad de la Resolución de la GAIP 405/2017, de 19 de diciembre, argumentando que no era procedente aplicar la legislación de transparencia y la vía de garantía instituida en ella a las peticiones de información de los sindicatos, que deberían someterse a su régimen jurídico propio regulador de los empleados públicos. El TSJC se pronuncia declarando la admisibilidad de la vía de reclamación de la ley de transparencia y su plena aplicación al caso, determinando que, si bien los sindicatos tienen un derecho reforzado de acceso a la información sobre los empleados públicos, no existe sin embargo un régimen especial de acceso en esta materia a los efectos de la disposición adicional primera, que desplace la ley de transparencia a una aplicación supletoria.

criterio aplicado por la Comisión de Garantía del Derecho de Acceso a la Información Pública de Cataluña (en adelante, GAIP) en la resolución de reclamaciones planteadas por electos locales, y el pronunciamiento del Tribunal Superior de Justicia de Cataluña (TSJC) al respecto.

El derecho a la información de los electos, en la medida en que sirve y está vinculado de forma indisoluble al derecho fundamental a la participación política, es un derecho reforzado que debe ser preservado y protegido de manera escrupulosa. En este sentido se ha pronunciado reiteradamente el Tribunal Constitucional al manifestar que el ejercicio del derecho a la representación política del artículo 23.2 CE no sólo ampara el acceso al cargo sino también la permanencia en él sin obstáculos que impidan el ejercicio de las funciones inherentes al mismo (y sería obstaculizar las funciones del cargo de concejal impedir el acceso a la información de la corporación [4], y que el derecho a la información de los electos alcanza no solo el derecho a solicitar información sino también obtenerla.[5]

Precisamente porque el derecho a la información es inherente al ejercicio de las funciones representativas, la legislación de régimen local reguló, décadas antes de la entrada en vigor de la legislación de transparencia, un régimen privilegiado de acceso a la información, cuyo plazo de resolución (cinco días) y su alcance prácticamente ilimitado pretendía garantizar el libre e informado ejercicio de la función de control del gobierno local por parte de los electos en la oposición. En el caso de la legislación de régimen local de Cataluña, el plazo de resolución se acorta a 4 días des de la solicitud al alcalde, y la relación taxativa de límites que pueden actuar para restringir el acceso a la información de un electo local se concreta en el derecho constitucional al honor, la intimidad personal o familiar o a la propia imagen, y materias afectadas por la legislación general sobre secretos oficiales o por secreto sumarial (artículo 164.3 LMRLC[6]).

---

[4]   STC 220/1991, ECLI:ES:TC:1991:220,
[5]   STC 203/2001, ECLI:ES:TC:2001:203.
[6]   Ley municipal y de régimen local de Cataluña, Texto refundido aprobado por el Decreto Legislativo 2/2003, de 28 de abril, en adelante LMRLC.

La lógica temporal determina que esta regulación del régimen de acceso a la información de los electos locales no contenga remisión alguna a la vía de reclamación ante un órgano independiente de garantía instituido muchos años después por la legislación de transparencia, lo que ha servido a algunos para cuestionar que pueda ser admisible que los electos se valgan de esta vía de garantía, puesta al alcance de cualquier ciudadano, y reclamen ante los consejos y comisionados de transparencia cuando se les impida el acceso a la información. Tampoco ha sido pacífica la interpretación de cuál deba ser el régimen jurídico a aplicar por el órgano de garantía en la resolución de las reclamaciones que le planteen los electos: si el régimen general de la ley de transparencia, o el régimen específico de acceso de la legislación de régimen local, o si debe serlo el que sea expresamente invocado por el solicitante.

El Consejo de Transparencia y Buen Gobierno (CTBG) viene aplicando el criterio de inadmitir reclamaciones por una información que se solicitó invocando la condición de electo al amparo de la legislación de régimen local, considerando que supondría una elección ilegítima de las condiciones más ventajosas previstas en la legislación de régimen local y en la de transparencia ("espigueo"), lo que no impide que pueda reclamar, como cualquier otro ciudadano, si solicitó la información al amparo de la legislación de transparencia y su reclamación se resuelve conforme a este régimen jurídico general de acceso, y no con arreglo a su régimen jurídico especial como electo. (Resoluciones 51 y 58/2016, entre otras).

El Consejo de Transparencia y Protección de Datos de Andalucía (CTPDA), simultáneamente (Consulta 1/2016, de 11 de mayo de 2016), sostuvo que la disposición adicional primera de la ley de transparencia debía aplicarse exclusivamente a regímenes especiales de acceso por razón de la materia (medio ambiente), y no por razón del sujeto, como es el caso de los electos, de forma que a éstos sólo les quedaban abiertas las vías previstas en la legislación de régimen local y no podían usar el procedimiento de reclamación establecido por la ley de transparencia, aun cuando no invocaran tal condición, por entender que hacer depender la admisibilidad o no de la reclamación a la circunstancia casuística de como se había fundamentado la solicitud conllevaba una inseguridad jurídica respecto del procedimiento i régimen jurídico a aplicar.

II. LA POSICIÓN DE LA GAIP

En cambio, la Comisión de Garantía del Derecho de Acceso a la Información Pública de Cataluña (GAIP) interpretó que no podía negarse a los electos el régimen de garantía del acceso a la información que a partir de la entrada en vigor de la ley de transparencia quedaba al alcance de cualquier ciudadano, ya que ello supondría la incongruencia de dar una peor protección a quien tiene un mejor derecho, y consideró, además, que el propio tenor literal de la Disposición Adicional Primera.2 de la ley de transparencia, al ordenar el sistema de fuentes de derecho aplicables al acceso a la información, preveía la aplicación supletoria de la ley de transparencia en relación con los regímenes especiales de acceso, lo que permitía completar el régimen de garantía jurisdiccional de la legislación de régimen local con la vía de reclamación ante órgano independiente creado por la ley de transparencia, más ágil y menos formalista. Así justificaba la GAIP su criterio de admisibilidad a trámite de las reclamaciones de electos locales el fundamento jurídico 2 de la Resolución de 11 de febrero de 2016, de finalización de la Reclamación 4/2016:

"Esta reclamación ha sido presentada por una persona que tiene la condición de concejal del Ayuntamiento de Begues, en relación con una solicitud de acceso a la información municipal formulada a la alcaldesa por él mismo y otra concejala, alegando expresamente esta condición. Este hecho obliga a determinar hasta qué punto es aplicable a este caso la legislación de transparencia y la regulación del derecho de acceso a la información pública incluida en la LTAIPBG[7].

El apartado segundo de la disposición adicional primera de la LTAIPBG establece que el acceso a la información pública en las materias que tienen establecido un régimen especial de acceso se regula por su normativa específica y, con carácter supletorio, por dicha ley. Las solicitudes de información de los miembros de las corporaciones locales sobre materias de la administración respectiva constituyen un caso de aplicación de esta disposición, ya que tienen un régimen especial de acceso.

---

[7]   Ley del Parlamento de Cataluña 19/2014, de 29 de diciembre, de *Transparencia, acceso a la información pública y buen gobierno*, en adelante LTAIPBG.

Concretamente, el artículo 164 del Decreto Legislativo 2/2003, de 28 de abril, que aprueba el texto refundido de la Ley municipal y de régimen local de Cataluña (LMRLC), regula el derecho a la información de los miembros de las corporaciones locales, en los términos que más adelante analiza el fundamento jurídico (FJ) 5. El del indicado precepto es el régimen especial a aplicar preferentemente en este caso. Las determinaciones de la legislación de transparencia, en virtud de lo previsto por la disposición adicional primera, apartado segundo, de la LTAIPBG, son supletorias, es decir, se aplican en lo no regulado por la LMRLC.

Una de las cuestiones no reguladas por la LMRLC, que sólo dedica al derecho a la información de los miembros de las corporaciones locales el precepto citado más arriba y poco más, es la previsión de una vía específica de garantía que pueda proteger el ejercicio de este derecho, de modo que si las solicitudes de información no son atendidas debidamente, el único remedio que tendrían los concejales o concejalas solicitantes sería el recurso contencioso administrativo. A partir de la entrada en vigor de la LTAIPBG esta falta de garantía específica queda cubierta por la regulada en sus artículos 39 a 43, que son de aplicación supletoria a la legislación de régimen local, por lo que proporcionan a los miembros de las corporaciones locales una vía gratuita y voluntaria, previa eventualmente al contencioso administrativo, para garantizar la efectividad de su derecho a la información. El acceso de los electos locales a esta vía de garantía de su derecho a la información de la respectiva entidad también se justifica en el hecho de que no tendría ningún sentido que los concejales, en el ejercicio de un derecho fundamental como es el del artículo 23 de la Constitución, tuvieran menores garantías para ejercer su derecho específico de acceso que el resto de ciudadanos, que sí cuentan con la protección adicional y gratuita de la GAIP.

En definitiva, la garantía del derecho de acceso proporcionada por la reclamación ante esta Comisión es aplicable en defensa del derecho de los concejales y de las concejalas a obtener información de su propio Ayuntamiento, con la condición de que para la resolución de estas reclamaciones la GAIP debe aplicar preferentemente el derecho a la información regulado por el artículo 164 LMRLC y por las demás disposiciones de la legislación de régimen local que sean de aplicación, especialmente si son más favorables al acceso, y sólo supletoriamente las disposiciones de la LTAIPBG).(...)"

En esta resolución de la GAIP, la primera (simultánea a la Resolución 3/2016) que admite una reclamación de un electo contra su corporación local por impedirle el acceso a la información, ya se apunta una cuestión tan crucial como la propia admisibilidad de la reclamación: el régimen jurídico a aplicar en la resolución de la reclamación. Separándose del criterio del CTBG y el CTPDA, la GAIP sostuvo desde esa primera resolución estimando la reclamación de un electo local que, aun cuando el procedimiento de reclamación ante la GAIP está previsto en la legislación de transparencia, y no en la de régimen local, y se deberá ajustar a aquella en cuanto a su procedimiento (plazo de interposición, legitimación, requisitos, plazo de resolución, recursos...), el fondo de la pretensión de acceso objeto de la reclamación deberá enjuiciarse conforme al régimen jurídico aplicable al sujeto que la interpone (límites propios de la LMRLC), y la adecuación a derecho de la previa resolución expresa o presunta de la alcaldía sobre la solicitud de información (plazo de resolución, efectos jurídicos del silencio, justificación de límites) deberá ser revisada y enjuiciada por el órgano de garantía conforme a la legislación de régimen local, que era aplicable a la solicitud y sigue siendo aplicable a la reclamación, haya sido invocado de forma expresa, o no, por el electo, puesto que es inherente a la condición subjetiva del solicitante de la información en ejercicio de sus funciones.

Este juego de fuentes de derecho aplicables a las reclamaciones de acceso de los electos no supone, a criterio de la GAIP, una elección ilegítima de las condiciones más beneficiosas de acceso de uno y otro régimen jurídico de acceso (espigueo), sino que es consecuencia lógica del carácter reforzado del derecho de acceso de los electos, en los que el derecho de acceso a la información es una manifestación del ejercicio de sus funciones inherentes al cargo (*ius in officium*), indisolublemente ligado al derecho fundamental a la participación política y a su condición subjetiva mientras dure su mandato representativo en esa corporación local.

Tampoco puede objetarse a la admisibilidad de las reclamaciones de los electos, a criterio de la GAIP, que genere inseguridad jurídica respecto del régimen jurídico a aplicar, puesto que éste se deriva de la prelación de fuentes de derecho establecida por la Disposición Adicional Primera.2 de la ley de transparencia: deberá aplicarse siempre de forma preferente la legislación de régimen local, y supletoriamente de la legislación de transparencia en lo no previsto por la primera. Y ello sea cual sea la fundamentación jurídica invocada por el solicitante de acceso, puesto que la ley de transparencia no requiere que el solicitante de información fundamente en derecho su pretensión de acceso (así se desprende implícitamente de la ausencia de tal requisito entre los establecidos en el articulo 17 LTAIP, y así se establece expresamente por la ley de transparencia catalana[8]), y consecuencia necesariamente derivada de ello es que tampoco será obstáculo para su admisión y estimación que la solicitud se fundamente en derecho erróneamente, correspondiendo al órgano encargado de resolverla (a la administración, y en revisión, a los órganos de garantía) aplicar el régimen jurídico que corresponda al caso, conforme al sistema de fuentes de la Disposición Adicional Primera de la ley de transparencia.

A criterio de la GAIP, otra interpretación de la Disposición Adicional Primera.2 que suponga la exclusión absoluta de la legislación de transparencia cuando sea aplicable un régimen jurídico especial de acceso no encuentra acomodo con el propio tenor literal de ese precepto, que expresamente establece la aplicación en todo caso supletoria de la legislación de transparencia, lo que exige completar los regímenes jurídicos especiales de acceso a la información con la regulación que hace de ese derecho la ley de transparencia, de tal modo que la regulación de una vía de garantía del acceso a la información con un procedimiento de reclamación gratuito ante órgano especializado e independiente, que la legislación de transparencia pone al alcance de cualquier ciudadano, debe integrarse, por mor de su carácter supletorio, a la vías recurso y de amparo jurisdiccional previstas en la legislación de régimen local.

La GAIP defendió también que la aplicación supletoria de la ley de transparencia al régimen jurídico especial de los electos no podía suponer un empeoramiento en sus condiciones de acceso a la

---

[8]   Artículo 18.2 LTAIPBG: *"2. El ejercicio de este derecho no está condicionado a la concurrencia de un interés personal, no queda sujeto a motivación y no requiere la invocación de ninguna norma.".*

información, que el legislador había diseñado con una enorme potencia y escasa limitación para permitir el libre ejercicio informado de sus funciones de control del gobierno municipal y de representación y defensa de los intereses de la comunidad, sino solo su mejora con aquellas prerrogativas que, con la entrada en vigor de la legislación de transparencia, quedaban al alcance de cualquier persona.

Poco después de pronunciarse así en la Resolución 4/2016, de 11 de febrero de 2016, un miembro de la Diputación provincial de Girona planteó una batería de reclamaciones (señaladas con los números 22/2016, 24/2016, 25/2016, 26/2016, y de la 31/2016 a la 45/2016,) contra dicha corporación, y en su comparecencia en sendos procedimientos, la Diputación de Girona cuestionó la admisibilidad de las reclamaciones y la competencia de la GAIP para actuar revisando las decisiones de la Diputación respecto al derecho de acceso a la información de sus miembros, con el argumento de que la legislación de régimen local, de carácter básico, no prevé la intervención de un organismo de este tipo y remite directamente a la tutela judicial los conflictos que se puedan producir en el ejercicio de este derecho. En la Resolución de estas reclamaciones (por todas, Resolución de 7 de junio de 2016, de estimación de la Reclamación 22/2016, FJ1), la GAIP rebatió esta tacha de incompetencia y de admisibilidad alegada por la Diputación, con estos argumentos,

"Esta Reclamación ha sido presentada por una persona que tiene la condición de diputado de la Diputación de Girona, en relación con una solicitud de acceso a la información de esta entidad, formulada al Presidente alegando expresamente su condición de portavoz del Grupo de la CUP, en lo que constituye una manifestación del ejercicio del derecho de los y las electas locales a la información de la respectiva entidad. Este hecho obliga a determinar hasta qué punto es aplicable a este caso la legislación de transparencia y la regulación del derecho de acceso a la información pública hecha por la LTAIPBG, más aún si se tiene en cuenta que el Presidente de la Diputación niega que la GAIP tenga competencia para atender esta Reclamación.

El apartado segundo de la Disposición Adicional Primera LTAIPBG establece que "el acceso a la información pública en las materias que tienen establecido un régimen especial de acceso es regulado por su normativa específica y, con carácter supletorio, por esta ley". Las solicitudes de información de los miembros de las corporaciones locales sobre materias de la administración respectiva constituyen un caso de aplicación de esta disposición, ya que tienen un régimen especial de acceso.

Concretamente, el artículo 164 del Decreto Legislativo 2/2003, de 28 de abril, que aprueba el texto refundido de la Ley Municipal y de Régimen Local de Cataluña (LMRLC), regula el derecho a la información de los miembros de las corporaciones locales. El de este precepto es el régimen especial que debe aplicarse preferentemente en este caso. Las determinaciones de la legislación de transparencia, en virtud de lo previsto por la Disposición Adicional Primera apartado segundo LTAIPBG, son supletorias, es decir, se aplican en lo no regulado por la LMRLC.

Una de las cuestiones no reguladas por la LMRLC es la previsión de una vía específica de garantía que pueda proteger el ejercicio de este derecho, de modo que si las solicitudes de información no son atendidas debidamente, el único remedio que tendrían los concejales o concejalas solicitantes (como el resto de ciudadanos en ejercicio del anterior derecho a la información que hasta la entrada en vigor de la legislación de transparencia regulaba el artículo 37 LRJPAC) sería el recurso ordinario (sin perjuicio de los administrativos que procedieran). La LTAIPBG pone a disposición de la ciudadanía en general, para garantizar con especial eficacia el ejercicio de su derecho de acceso a la información pública, una instancia (la GAIP) y un procedimiento especial de garantía, regulados por sus artículos 39 a 43, que les ofrecen una vía eficaz, independiente de la Administración, gratuita y más rápida que la judicial para proteger el ejercicio de este derecho. La mejora evidente que supone esta instancia y este procedimiento para el ejercicio del derecho de acceso justifica plenamente que sean de aplicación supletoria a la legislación de régimen local, y así proporcionar a los miembros de las corporaciones locales una vía rápida, gratuita y voluntaria, previa eventualmente al contencioso administrativo, para garantizar la efectividad de su derecho a la información.

El acceso de los electos locales a esta vía de garantía de su derecho a la información de la respectiva entidad también se justifica en el hecho de que no tendría ningún sentido que los electos locales, en el ejercicio de un derecho fundamental como lo es el del artículo 23 de la Constitución, tuvieran menores garantías al ejercer su derecho específico de acceso a la información que el resto de ciudadanos, que sí cuentan con la protección adicional y gratuita de la GAIP. En este sentido, la Sentencia del Tribunal Supremo 2870/2015, de 15 de junio, sobre el acceso a la información pública de un parlamentario autonómico, afirma lo siguiente: "tras la Ley 19/2013, de 9 de diciembre, de Transparencia, Acceso a la Información Pública y Buen Gobierno, ... el derecho de los parlamentarios a la información pública no puede sino verse fortalecido. En efecto, a fin de que estén en condiciones adecuadas para hacer frente a la especial responsabilidad que se les ha confiado al elegirlos, deberán contar con los medios necesarios para ello, los cuales, en punto de acceso a la información y a los documentos públicos, no solo no podrán ser inferiores a los que tiene ya a su disposición cualquier ciudadano en virtud de esas leyes, sino que deben suponer un plus añadido imprescindible". La misma doctrina, por los mismos motivos, es plenamente aplicable a los electos locales.

El informe de la Diputación de Girona considera que el artículo 52 de la Ley 7/1985, de 2 de abril, Reguladora de las Bases del Régimen Local (LRBRL) prevé un sistema de reclamaciones con motivo del ejercicio del derecho de los electos locales a la información de la respectiva corporación que serían "substancialmente diferentes" a las que asisten al común de la ciudadanía, que consistiría en poder instar directamente tutela judicial o previamente formular recurso de reposición". En relación con estas observaciones, hay que decir que la reclamación ante la GAIP no cuestiona ninguna de estas dos vías de recurso (los artículos 38 y 39 LTAIPBG contemplan la vigencia potestativa o voluntaria del recurso de reposición y de la reclamación ante la GAIP, sin perjuicio de la posibilidad de acudir, directa o indirectamente, a los tribunales de justicia), sino que las complementa con una vía especial (la reclamación ante la GAIP) que ofrece a las personas interesadas una tutela independiente, gratuita y más rápida que la jurisdiccional, para garantizar un derecho (el de acceso a la información pública) que la legislación de transparencia, muy posterior a la LRBRL, cree necesario proteger especialmente. Por lo tanto, la vía de reclamación ante la GAIP no infringe el sistema de tutela establecido por la legislación de régimen local, sino que lo complementa.

Además, y en relación con la objeción del informe de la Diputación de Girona, del insuficiente rango normativo de la LTAIPBG para alterar una ley básica, como es la LRBRL, cabe señalar que la garantía de una reclamación especial para proteger el ejercicio del derecho de acceso a la información pública ha sido establecida originalmente por la Ley básica 19/2013, de 9 de diciembre, de transparencia, acceso a la información pública y buen gobierno, cuya Disposición Adicional Primera.2 establece, en los mismos términos que la disposición homónima de la LTAIPBG antes citada, la aplicación supletoria de la legislación de transparencia en todo lo no previsto por la legislación de aquellas materias que tengan establecido un régimen jurídico específico.

En definitiva, y como ya ha resuelto la GAIP en relación con las Reclamaciones 3 y 4/2016, la garantía del derecho de acceso proporcionada por la reclamación ante esta Comisión es aplicable en defensa del derecho de los y las electas locales a obtener información de su propia entidad, a condición de que en la resolución de estas reclamaciones la GAIP debe aplicar preferentemente el derecho a la información regulado por el artículo 164 LMRLC y por las demás disposiciones de la legislación de régimen local que sean aplicables, especialmente si son más favorables al acceso, y sólo supletoriamente las disposiciones del LTAIPBG (esto no quita para que, en virtud del especial vigor que nuestro ordenamiento jurídico vigente da al derecho de acceso a la información pública, y más aún si se vincula al de participación política del artículo 23 de la Constitución, deban aplicarse las disposiciones de la LTAIPBG, que son posteriores, si resultan más favorables al acceso, en detrimento de las de la LMRLC).

Como consecuencia de lo anterior, deben rechazarse las alegaciones de incompetencia de la GAIP formuladas por el informe del Presidente de la Diputación de Girona y considerar que esta Comisión de Garantía es competente para entender y resolver sobre esta Reclamación."

Contra ésta y las demás resoluciones de las reclamaciones presentadas contra la Diputación de Girona antes indicadas, esta corporación presentó recurso contencioso administrativo ante el Tribunal Superior de Justicia de Cataluña (Recurso ordinario nº 334/2016), pidiendo su nulidad en base a la pretendida incompetencia de la GAIP para atender reclamaciones de los electos, argumentando que el procedimiento de garantía seguido ante la GAIP había sido previsto exclusivamente en beneficio de los particulares como tales, mientras que los electos locales debían de canalizar sus solicitudes de acceso a la información pública a través de los mecanismos específicos que prevé la legislación de Régimen Local.

Pues bien, el TSJC, en su Sentencia 1074/2019 desestimó íntegramente la demanda de nulidad de la Diputación, suscribiendo en su totalidad la argumentación y fundamentación jurídica de las resoluciones de la GAIP, y añadiendo unas consideraciones de calado sobre la necesaria interpretación de las leyes sectoriales conforme al carácter horizontal de la legislación de transparencia, la aplicación general de los derechos, obligaciones y garantías que contiene la ley de transparencia, y la interpretación que debe darse a la Disposición adicional segunda manteniendo en todo caso la aplicación supletoria de esa ley para completar los regímenes especiales de acceso. Así se expresa su Fundamento jurídico 5:

"Quinto: en cuanto a la demanda, señalar que ésta tendrá que ser íntegramente desestimada. Y tendrá que serlo así por los propios argumentos utilizados en su momento por la GAIP, la cual, de forma impecable, ya habría dado una respuesta extensa y sobradamente fundamentada a las reservas formuladas por la DdG [Diputación de Girona], poco más que reproducidas en este proceso. Sin embargo, ello no impedirá que este Tribunal formule, en los términos que seguirán, algunas consideraciones añadidas:

1ª: Las Resoluciones GAIP indicaron -con un sentido común abrumador- que aquellos que representan a la ciudadanía en las instituciones públicas, no pueden disfrutar de un derecho de acceso a la documentación pública, de alcance y calidad inferior que cuando este mismo derecho lo ejercitan sus representados individualmente considerados.

La Disposición adicional primera, punto 2, de la Ley 19/2014, establece que el acceso a la información pública en las materias que tienen establecido un régimen de acceso especial se regulará para su normativa específica y, con carácter supletorio, para esta Ley. Ello quiere decir que en el ámbito local, las previsiones que regulan el acceso de los electos a la documentación corporativa (art. 77 de la Ley básica de régimen local; art. 164 del texto refundido de la Ley municipal y de régimen local de Cataluña; y art. 14, 15 y 16 del Reglamento

de organización, funcionamiento y régimen jurídico de las entidades
locales, aprobado mediante RD 2568/1986, de 28 de noviembre), se
deben ver completadas por las previsiones de la Ley 19/2014. Con
mucha más razón si tenemos presente:

– Que la Ley 19/2014 tiene la condición de norma reguladora de
  los derechos, las obligaciones y las garantías esenciales en las
  materias que regula, que son aplicables con carácter general a
  la actuación, y los funcionamientos de la Administración (punto 1 de la Disposición Final Primera) y
– Que, al mismo tiempo, las leyes sectoriales (las de régimen local
  serían un caso) se deben interpretar de acuerdo con lo que establece la Ley 19/2014 y, para el caso de establecer excepciones
  con respecto al régimen general, "estas tienen que ser explícitas
  y responder a una causa que las justifique" (punto 2 de la Disposición Final Primera). "

Arguyó también la Diputación para defender la ilegalidad de las
resoluciones de la GAIP que la sumisión de las decisiones locales al
procedimiento ante la GAIP comportaba la vulneración del régimen
de recursos contra los actos administrativos locales y contra su régimen de firmeza. El Tribunal lo desestima igualmente, con los argumentos siguientes:

"2ª: La aplicación al caso de la reclamación ante la GAIP, resulta
compatible con el régimen ordinario de impugnación de los actos administrativos dictados por las entidades locales.

En el momento de los hechos todavía se encontraba en vigor la
Ley básica 30/1992, de 26 de noviembre (LPAC), la cual, en su art.
107 preveía la posibilidad de sustituir los recursos de alzada y de
reposición por procedimientos asignados a órganos colegiados o a
comisiones específicas, bajo un régimen jurídico con el cual concuer-
da la reclamación ante la GAIP, prevista en el art. 38 a 44 de la Ley
19/2014. Con mucha más razón si tenemos presente que la configuración legal de la reclamación ante la GAIP, más que una sustitución
de los recursos administrativos ordinarios, ha sido configurada como
una alternativa.

En el mismo sentido -y con carácter general- el art. 23.1 de la Ley estatal 19/2013, de 9 de diciembre, de transparencia, acceso a la información y buen gobierno.

Es verdad que el art. 107.2 LPAC estable que la aplicación de estos procedimientos en el ámbito de la Administración Local no podría suponer el desconocimiento de las facultades resolutorias reconocidas a los órganos representativos electos establecidos por la Ley. Sin embargo, esta limitación debe considerarse alterada en méritos de la Ley estatal 19/2013, cuya Disposición Adicional Cuarta, punto 1, establece: "La resolución de la reclamación prevista en el artículo 24 corresponderá, en los supuestos de resoluciones dictadas por las Administraciones de las Comunidades Autónomas y su sector público, y por las Entidades Locales comprendidas en su ámbito territorial, al órgano independiente que determinen las Comunidades Autónomas."

Cierto es que la reclamación prevista en el art. 24 de la Ley estatal, tiene su réplica en el art. 42 y siguientes de la Ley catalana 19/2014. Como también es preciso hacer notar el designio tácito, pero evidente, de la Ley estatal (básica en aquello que ahora interesa; ver su Disposición Final Octava) de establecer en todas las instancias territoriales una reclamación susceptible de efectos imperativos e invalidatorios, sin excepciones basadas en la naturaleza de las Administraciones concernidas; lo cual -sea dicho de paso- no supone ninguna lesión de la autonomía local si tenemos presente que ésta siempre ha sido compatible con las técnicas de control de la legalidad."

Se invocó aún por la Diputación de Girona un tercer argumento de nulidad de las resoluciones mencionadas relativo a la falta de consentimiento de la Diputación de Girona en el procedimiento de mediación, que debe descartarse sin más, porque en esas reclamaciones no se siguió el procedimiento con mediación, y aún en el caso de que así fuera, no habría precisado el consentimiento de la Diputación, conforme al artículo 42 LTAIPBG, que pone en manos de la persona reclamante la decisión de seguir o no el procedimiento con mediación, vinculando a la administración, que no puede negarse al mismo.

Con este rotundo pronunciamiento de la Sentencia 1074/2019, el TSJC valida y confirma el criterio de la GAIP, de admisión ante el órgano de garantía creado por la ley de transparencia de las reclamaciones de electos en materia de acceso a la información, y de aplicación, para la resolución de la discrepancia jurídica de fondo, de su régimen jurídico especial -haya sido o no invocado de forma explícita-, y supletoriamente de la ley de transparencia en aquello que lo mejore. De lo que se desprende que no podrían integrarse en el régimen de acceso de los electos las causas de inadmisión del régimen general de acceso por la vía de la supletoriedad, como tampoco límites al acceso previstos en la ley de transparencia, sino sólo los límites propios de su régimen jurídico especial [9]

En el caso de Cataluña, la LMRL prevé para las solicitudes de información sometidas a autorización de la alcaldía que pueden ser desestimadas exclusivamente si se vulnerase el derecho a la intimidad, al honor y a la propia imagen, el secreto sumarial o la ley de secretos oficiales[10]:

La casi total ausencia de límites en este régimen especial de acceso se fundamenta en dos razones fundamentales: la primera, ya indicada, es su vinculación a la condición subjetiva de quien lo ejerce como expresión del *ius in officium* indisolublemente asociado a su función institucional representativa, de forma que restringirlo o impedirlo supone obstaculizar el ius representandi. Efectivamente, para

---

[9] Por Auto de 23 de junio de 2021, el TS ha admitido el recurso de casación 3381/2020 contra esta sentencia del TSJC, por el interés casacional en determinar si el articulo 77 LBRL y los artículos 14 a 16 ROF constituyen o no un régimen jurídio específico de acceso a la inforamción de los miembros de las corporacions locales que excluya la aplicación de la ley de transparencia, conforme a su Disposición Adicional Primera.2. Nótese que el TS se pronunciarà en relacion con la regulación de la Ley de Bases de Régimen Local, y no sobre la legislación que se evaluó y aplico en la Resolución de la GAIP y en la STJC 1074/2019 , que era la Ley Municipal y de Régimen Local de Cataluña, cuyo articulo 164 contiene una regulación sustantiva específica, estableciendo un catálogo de límites al acceso propios y diferenciados así como el régimen de silencio estimatorio.

[10] Articulo 164.3 LMRLC "3. En los otros casos, la solicitud de información se entiende como aceptada por silencio administrativo si no se dicta resolución denegatoria en el plazo de cuatro días a contar de la fecha de presentación de la solicitud. En cualquier caso, la resolución denegatoria tiene que motivarse, y sólo puede fundamentarse en los supuestos siguientes:
Cuando el conocimiento o la difusión de la información pueda vulnerar el derecho constitucional al honor, la intimidad personal o familiar o a la propia imagen.
Cuando se trate de materias afectadas por la legislación general sobre secretos oficiales o por secreto sumarial."

la efectividad del ejercicio de las funciones de control e impulso de la acción del gobierno municipal, los electos deben poder disponer del máximo de información, sin que puedan ejercer su función de control ajenos a la información sobre la actuación del gobierno municipal o con las limitaciones que se imponen con carácter general a cualquier persona ajena a la corporación de la que es miembro. Sería un despropósito pensar que, por ejemplo, la confidencialidad del proceso de toma de decisiones de la corporación, en el que ellos mismos participan en ejercicio de sus funciones, pueda objetarse al acceso a la información necesaria precisamente para participar de forma adecuada e informada en la deliberación y votación de los acuerdos municipales. La oposición debe poder acceder a la misma información de que dispone el gobierno, porque sólo así podrá realizar realmente un control y fiscalización de su actuación, y en todo caso, los intereses de la propia corporación y de terceros que puedan resultar perjudicados por la difusión de la información quedan adecuadamente protegidos con el deber de confidencialidad que se impone al electo (artículo 16.3 ROF y 164.6 LMRLC) que les impide divulgar la información que conoce en ejercicio de su cargo fuera del propio ámbito municipal.

Precisamente ese deber de confidencialidad que la legislación de régimen local impone a los electos constituye la segunda razón que fundamenta el prácticamente ilimitado alcance de su derecho de acceso, configurándose como un contrapeso a sus exorbitantes potestades de obtener información, que sólo tiene sentido en la medida en que se admita -incluso cuando la legislación de régimen local aplicable no lo especificara claramente-, que no operan para ellos los límites del régimen general de acceso, puesto que de lo contrario estaríamos aplicando a los electos un régimen de acceso más restrictivo que al común de los ciudadanos, a los que la legislación de transparencia no les impone ningún deber de confidencialidad ni les impide divulgar la información a la que han accedido.

Pues bien, si solo los límites previstos en la legislación de régimen local son aplicables cuando el sujeto activo es un electo solicitando información de su propia corporación local, debemos concluir que la protección de datos personales no podrá oponérseles al acceso en los mismos términos y condiciones que actúa respecto de cualquier ciudadano conforme a la ley de transparencia. De entrada, cabe cuestionarse que cuando un miembro de la corporación accede a información de la propia corporación se produzca, materialmente, una cesión de datos personales, puesto que no son terceros ajenos a la administración responsable de su custodia, sino parte de ella, y la información permanece en su seno protegida de su difusión externa por el deber de confidencialidad que la ley de régimen local les impone.

Además, la aplicación de los límites al acceso –en cualquier caso, pero con más razón cuando se trata de un derecho reforzado, como el de los electos-, debe hacerse de forma proporcionada a su objeto y finalidad de protección y atendiendo a la concurrencia de un interés público o privado superior que justifique el acceso (artículo 14.2 LTAIP y 22 LTAIPBG), como es el ejercicio sin obstáculos de las funciones representativas de los electos locales, lo que obligará a una interpretación especialmente restrictiva de los límites establecidos en su régimen jurídico especial, sin posibilidad de ampliarlos. En el caso de la ley municipal catalana, la expresa previsión que contiene de limitar el acceso a la información que dañe el derecho a la intimidad, al honor y a la propia imagen justifica restringir el acceso de los electos locales a los datos personales de carácter sensible (artículo 15.1 LTAIP o 23 de la LATIPBG) que figuren en la información municipal, como los relativos a la salud, vulnerabilidad social, religión, vida sexual, sanciones, situaciones de desamparo familiar,…) pero sobre el resto de datos personales no pesaría ese límite.

Ello no obsta para que, en aplicación del principio de minimización del artículo 5.1.c RGPD[11], deba procurarse que el acceso a los datos personales (aunque no sean íntimos ni afecten al honor) sea siempre acotado a los adecuados, pertinentes y limitados a lo necesario en relación con el fin del tratamiento (no el fin para el que originariamente se recogieron los datos, sino el fin previsto por la norma legal habilitante de su cesión a los electos de la corporación: la legislación de régimen local y subsidiariamente la de transparencia). Ese principio general de minimización de datos personales, y no un límite establecido en el régimen jurídico especial, es el que aconseja evitar

---

[11]   (REGLAMENTO (UE) 2016/679 DEL PARLAMENTO EUROPEO Y DEL CONSEJO de 27 de abril de 2016 relativo a la protección de las personas físicas en lo que respecta al tratamiento de datos personales y a la libre circulación de estos datos y por el que se deroga la Directiva 95/46/CE (Reglamento general de protección de datos).

siempre que sea posible el sacrificio innecesario de datos personales que no sean relevantes para el ejercicio de la función del electo ni para la finalidad de control y rendición de cuentas de la actuación de los poderes públicos. Por ejemplo, conocer los asentamientos del registro de entradas y salidas del registro municipal es información relevante y necesaria para el ejercicio de la función de control de la actividad municipal, por lo que resulta justificado para la finalidad legal del tratamiento permitir el acceso a los datos personales identificativos de los autores y destinatarios de los documentos registrados, mientras que otros datos personales, como los datos de contacto, deben ser eliminados del acceso -como regla general y excepto que se justifique su relevancia en un caso concreto-, atendiendo al principio de minimización. Así se recoge en numerosas Resoluciones de la GAIP, entre las cuales, la Resolución 370/2020, de 16 de julio,[12] y el Dicta-

---

[12] Desde la Resolución 140/2017, la GAIP ha aplicado el criterio de estimar el acceso al registro de entradas y salidas de su corporación, previa eliminación de los datos íntimos personales o familiares, que afecten al derecho al honor o a la propia imagen, si hay. Cualquier otro dato personal, como los datos identificativos de la persona que presenta o a la que se dirige el escrito registrado, es accesible para una persona concejala y no hace falta que se anonimice, teniendo en cuenta que queda protegida de su difusión indiscriminada para el deber de reserva de las personas concejalas, de acuerdo con el artículo 164.6 TRLMRLC, si bien hay que evitar la sobreexposición de datos personales no necesarios ni idóneos para la finalidad de control de la actividad municipal, como los datos de contacto o las redundantes de identificación (nombre y apellidos-DNI). Esta supresión de datos no se puede considerar una tarea compleja de elaboración si se puede hacer fácilmente por medios automatizados con el uso de la herramienta de gestión electrónica del registro, ya que requeriría únicamente la eliminación genérica de uno de los campos de datos identificativos (DNI o el nombre y apellidos) y de los campos en que constan los datos de contacto (dirección, correo electrónico, teléfono). Con respecto a los datos que pueden afectar al derecho fundamental a la intimidad, el honor o la propia imagen, en principio no tendrían que constar en el asentamiento para evitar una sobreexposición de datos especialmente protegidas prohibida por la legislación de protección de los datos personales, de manera que, presuponiendo que el Ayuntamiento actúa correctamente en la redacción de los asentamientos registrales, la elaboración de la información requerirá solamente una lectura de repaso de los asentamientos para comprobar que en los campos establecidos en el artículo 153 del Reglamento de organización, funcionamiento y régimen jurídico de las entidades locales, aprobado por el Real Decreto 2568/1986, de 28 de noviembre (ROF), apartados 1.e y h y 2.f y h (extracto del contenido y observaciones), no se ha hecho constar erróneamente

men 7/2019, que se pronunció de manera favorable a permitir que ese acceso fuese directo y autónomo mediante permisos de consulta del gestor electrónico del registro acotada a esos términos.

No obstante, cuando esta eliminación de los datos personales superfluos no pudiese hacerse por medios automatizados y su disociación requiriese un esfuerzo desproporcionado del personal y retardara el acceso efectivo a la información del electo, el principio de minimización deberá ceder ante el derecho reforzado de acceso de los electos locales, teniendo en cuenta que no se trata de datos personales afectados por el límite relativo al derecho al honor o a la intimidad, y que quedan protegidos frente a terceros por el deber de confidencialidad impuesto al electo, que le prohíbe darles cualquier uso distinto al de la función de control del gobierno municipal y cualquier difusión fuera del estricto ámbito municipal. Tal es el supuesto que se planteaba en la Resolución 751/2020, de 10 de diciembre[13].

---

información explícita que vulnere el derecho al honor, a la intimidad y a la propia imagen.

[13]   "Lo que se plantea a raíz de la alegación del Ayuntamiento es, si en este caso concreto --en que, sorprendentemente, el software informático de gestión del registro de entradas y salidas del Ayuntamiento no dispone de una funcionalidad básica de extracción selectiva de los campos de los asentamientos registrales--, la ponderación entre el derecho de acceso y el principio de minimización en la cesión de datos personales tiene que dar otro resultado, teniendo en cuenta que, en este caso, la exigencia de este principio, que llevaría a excluir los datos no relevantes para la finalidad del control, tiene un efecto práctico de limitación o de obstaculización del derecho de los electos a acceder al registro [...] los datos personales cuya protección se confronta con el derecho de acceso de los electos a los asentamientos registrales, no son datos legalmente excluidos en el régimen especial de acceso (datos íntimos o que afecten al honor) sino datos personales poco invasivos, que resultan inadecuados no porque deban merecer una especial protección jurídica dada su condición y categoría, sino por el hecho de no aportar información relevante para la finalidad de control municipal (datos de contacto), o redundando para la identificación de las personas a las cuales ya se ha obtenido (DNI en relación con el nombre y apellidos), lo que aconseja evitar que sean expuestos innecesariamente, siempre que sea posible [....]. Teniendo todo eso en cuenta, cabe concluir que el régimen jurídico especial de acceso de las concejalas y concejales no puede ser limitado por cualquier dato personal, sino exclusivamente por las que afecten al honor y a la intimidad (artículo 164.3.a TRLMRLC), concepto este que no se puede equiparar, sin más, a cualquier dato de la esfera privada, como el DNI o el domicilio privado, y que, en todo caso, no se puede aplicar a los datos de contacto si son de la esfera profesional. Por

La posición de la GAIP ha sido clara también al circunscribir su ámbito de actuación en garantía del derecho a la información de los electos a la revisión de las decisiones administrativas relativas a solicitudes de información, inadmitiendo reclamaciones ante la falta de respuesta a preguntas orales o escritas desde la Resolución 66/2017, de 22 de febrero [14]

Este criterio de inadmisibilidad de las reclamaciones por la desatención de ruegos o preguntas al gobierno se ha mantenido hasta la actualidad, entre otras en la Resolución 396/2021, de 29 de abril, que señala la diferencia entre las solicitudes de información, que son manifestación del derecho a la información objeto de una regulación precisa por la legislación de régimen local (hasta el punto de

---

lo tanto, aunque, en general, resulta adecuado al principio de minimización de datos personales eliminar previamente al acceso el DNI y los datos de contacto que figuren en los asentamientos registrales, cuando la eliminación de estos datos suponga una tarea de elaboración manual que colapse el servicio municipal y entorpezca o retrase el acceso de los electos locales a la información de los Registros, se permitirá la consulta sin la omisión de estos datos, bajo el régimen de confidencialidad y con el deber de reserva previsto en el artículo 164.4 TRLMLC. Todo ello sin perjuicio del deber de la corporación local de buscar y proveerse de medios tecnológicos adecuados con el fin de hacer compatibles el derecho de acceso de los electos y el principio de minimización de datos personales lo antes posible."

[14] "Ciertamente es muy cuestionable que se puedan servir de un procedimiento de garantía instituido por la LTAIPBG con la finalidad de hacer *efectivo* el derecho de acceso a la información pública, como es la Reclamación ante la GAIP, iniciativas que se llaman a sí mismas como ruegos o preguntas (rehuyendo voluntariamente de las solicitudes de información), que se amparan explícitamente en preceptos diferentes de los que regulan el acceso a la información por parte de los mismos electos locales y que, encima, en muchos casos materialmente no piden información pública.

La GAIP ha resuelto reiteradamente la inadmisión de reclamaciones planteadas en relación con solicitudes que, con independencia de su denominación y de las normas invocadas para ampararlas, no pedían materialmente información pública, en el sentido que da a este concepto el artículo 2.b LTAIPBG ("la información elaborada por la Administración y la que esta tiene en su poder como consecuencia de su actividad o del ejercicio de sus funciones"). El derecho de acceso a la información pública, incluida la garantía que le proporciona la reclamación ante la GAIP, ampara la obtención de información que esté en manos de la Administración, en ningún caso otras pretensiones, como conocer el comportamiento, la intención o cuáles pueden ser o dejar de ser actuaciones futuras de una determinada Administración pública. (...)"

garantizar que tienen que ser objeto de resolución administrativa, que se presume estimatoria en caso de silencio administrativo), y las preguntas, que son iniciativas de naturaleza mucho más política que estrictamente jurídica (que no está claro que se tengan que resolver por acto administrativo y menos aún que la falta de resolución expresa en plazo tenga efectos estimatorios, como es el caso de las solicitudes de información), a menudo vinculadas al desarrollo de las sesiones de los órganos colegiados, hasta el punto que pueden formar parte de su orden del día, con contenidos usualmente más relacionados con la actuación de éstos, que con la solicitud de información en sentido estricto, y si su objeto es este último, pueden abarcar el requerimiento de elaborar información sobre un asunto determinado y no limitarse, como pasa con las solicitudes de información en sentido estricto, a acceder a la información existente. Por lo tanto, aunque en las preguntas escritas al gobierno se contengan formulaciones de peticiones de información, lo cierto es que tanto la legislación de régimen local como los reglamentos orgánicos municipales configuran preguntas y solicitudes de información como instituciones diferentes al servicio de los electos locales, que se ajustan a sus respectivos procedimientos y responden a dinámicas y finalidades diferenciadas.

III. CONCLUSIONES

Basándose en estos argumentos, la GAIP viene considerando que si bien la vía de reclamación creada por la ley de transparencia para el amparo del derecho a la información pública está también a disposición de los electos locales en relación con las solicitudes de información de su corporación que hayan formulado a la alcaldía y hayan sido desatendidas o desestimadas, deben inadmitirse, en cambio, las reclamaciones que tengan por objeto ruegos y preguntas al gobierno, aun cuando en su formulación se contenga implícita una petición de información, porque se trata de procedimientos o iniciativas que el legislador pone al alcance de los electos para el control e impulso del gobierno distintas del procedimiento de acceso a la información, al que se limita la competencia revisora de los órganos de garantía creados por la ley de transparencia.

EL PROYECTO DE LEY DE TRANSPARENCIA, ACCESO A LA INFORMACIÓN Y REUTILIZACIÓN DE CASTILLA Y LEÓN: UNA VUELTA DE TUERCA MÁS HACIA UNA TRANSPARENCIA EFECTIVA

Joaquín Meseguer Yebra

Director General de Transparencia y Buen Gobierno. Junta de Castilla y León

I. INTRODUCCIÓN

Con la aprobación en 2012 del Modelo de Gobierno Abierto por Acuerdo 17/2012, de 8 de marzo, de la Junta de Castilla y León, la administración autonómica inició su andadura en la apertura y difusión de la información pública y en la implantación de nuevos cauces para la participación ciudadana en la toma de decisiones con antelación a la aprobación de la normativa estatal básica de transparencia. La Ley 3/2015, de 4 de marzo, de Transparencia y Participación Ciudadana de Castilla y León (LTPCyL), ofreció cobertura normativa a este proceso, si bien con un impacto muy relativo como consecuencia de un impulso muy tímido de la publicidad activa y del derecho de acceso a la información pública y dejando fuera actores públicos muy relevantes en la Comunidad como lo son sus entidades locales. Es más, no sería un error afirmar que en el contexto global de las iniciativas autonómicas de desarrollo de la normativa básica estatal en materia de transparencia, la ley ha demostrado ser una norma que no ha respondido como se esperaba a las demandas y exigencias de la sociedad.

Con estos antecedentes, la futura ley[1] no puede sino afrontar los importantes y crecientes retos de nuestro tiempo en el diseño y puesta en marcha de una verdadera política autonómica de transparencia, que involucre a todos y a todos comprometa también de alguna manera, para seguir fortaleciendo la democracia y las instituciones, mejorar la vida de los ciudadanos y sirva, por qué no, para impulsar también el crecimiento y desarrollo de la Comunidad.

Estas son algunas de las finalidades que la futura ley persigue. Y también lo es el fomento de la participación ciudadana gracias a un mejor acceso a la información, lo que debe posibilitar una mayor presencia activa y responsable de la sociedad en los asuntos colectivos, o la mejora de la eficiencia en la gestión pública al exponer sus resultados al escrutinio de todos.

II. UN ÁMBITO DE APLICACIÓN MÁS AMPLIO

En la construcción de este sistema más sólido y exigente de una gestión pública transparente, es imprescindible para la futura ley no solo ampliar el elenco de sujetos obligados por la normativa, sino también el volumen y relevancia de la información objeto de obligaciones de publicidad activa. El primero de estos objetivos se logra con la inclusión de las entidades locales en el ámbito de aplicación de la ley. Bien es cierto que esto no puede sino lograrse teniendo en cuenta la realidad territorial y administrativa de la Comunidad, en especial, el número significativo de estas entidades y su tamaño, todo ello alineado con el espíritu del futuro estatuto básico de los pequeños municipios. Lo veremos en otro epígrafe de este capítulo, pero ya podemos anticipar que Castilla y León posee más de la cuarta parte del total de municipios del país (2.248) y aproximadamente el 60% de las entidades locales menores (2.227).

---

[1]   La tramitación completa de la norma puede seguirse a través de la huella normativa en la siguiente URL: https://gobiernoabierto.jcyl.es/web/jcyl/GobiernoAbierto/es/Plantilla100Detalle/1284995393750/HuellaNormativa/1284966330264/Redaccion

Las instituciones propias autonómicas, las equivalentes a los órganos constitucionales mencionados en el artículo 2.1 f) de la Ley 19/2013, de 9 de diciembre, de transparencia, acceso a la información pública y buen gobierno (LTAIBG), aparecen mencionadas en la futura ley como sujetos obligados sin el condicionamiento que menciona dicho artículo, esto es, "en relación con sus actividades sujetas a Derecho Administrativo", mención que juzgamos dudosa que pueda establecerse con carácter básico en la ley estatal cuando aplica a instituciones autonómicas. Y aparecen incluidas sin ese condicionamiento en el anteproyecto porque difícilmente puede entenderse que las administraciones estén obligadas a la publicidad activa o al acceso a la información que contempla la ley, y no lo estén en igual medida –o aún más- estas instituciones que tan decisivas funciones llevan a cabo. No lo estarán en lo que se refiere a su función constitucional o estatutaria (aprobar leyes o fiscalizar las cuentas públicas, por ejemplo), donde ya muchas de ellas son ejemplares en transparencia, sino en el cumplimiento de las obligaciones que enumera esta ley, tengan naturaleza administrativa o de otro tipo (civil, mercantil o laboral), pero en cualquier caso necesarias para que rindan cuentas también de su funcionamiento, de su gestión económica y de recursos humanos, etc., y sea posible el seguimiento de su gestión pública.

Dudoso carácter básico creemos que debería tener también el artículo 23.2 de la LTAIBG cuando decide para estas instituciones autonómicas la imposibilidad de interposición de reclamación frente a sus resoluciones en materia de acceso a información. El anteproyecto de ley autonómica, en cambio, prevé como facultativo que estas instituciones regulen procedimientos ante sí mismas para solicitar la revisión de sus decisiones en esta materia, tal como ya han hecho instituciones del Estado (Consejo General del Poder Judicial) o autonómicas (Asamblea de Madrid), o, por el contrario, decidan someterse al criterio experto de la Comisión de Transparencia de la Comunidad como órgano externo de control en esta materia. En caso de que no prevean alguna de estas alternativas, y por indicación del Consejo Consultivo autonómico en su dictamen 191/2021, de 29 de junio, solo cabrá el recurso contencioso-administrativo.

La futura ley incluye en el ámbito de aplicación a las federaciones de partidos, las agrupaciones de electores y las asociaciones y fundaciones a estos vinculadas, pero es aún más destacable que la ley sujete a un mayor número de beneficiarios de ayudas y subvenciones públicas al haberse rebajado uno de los umbrales a que se refiere el artículo 3 b) de la LTAIBG. El primero de estos umbrales a que hace referencia la ley estatal, los 100.000 euros, se reduce a un montante de 50.000 euros en concepto de ayudas y subvenciones públicas en cómputo anual procedentes de alguno de los sujetos enumerados en el artículo 2 de la futura ley y de la LTAIBG.

Las obligaciones de publicidad de estos sujetos, además de las previstas en la ley, se concretarán en las bases reguladoras de ayudas o subvenciones, o en la resolución de concesión directa, indicando la forma y plazos en que deberán cumplirse y los efectos previstos en caso de incumplimiento. Estas entidades estarán también obligadas al suministro de información relativa a la ayuda, subvención u otras entregas dinerarias de análoga naturaleza de que se trate, que sea necesario para garantizar el cumplimiento de las obligaciones de publicidad activa, acceso a la información pública y reutilización por parte de los sujetos enumerados en el artículo 2. Para los sujetos que ya estaban obligados a este suministro (quienes prestan servicios públicos, ejercen potestades administrativas y los adjudicatarios de contratos), la documentación contractual o el instrumento concreto que regule la prestación de que se trate deberá incluir esta obligación como una más del adjudicatario o prestador y podrá concretar otras condiciones adicionales para dar cumplimiento a esta obligación de suministro.

Estos cambios que se abordan son posibles, entre otras razones, por la previsión legal contenida en el artículo 5.2 de la LTAIBG, que permite que las normativas autonómicas de desarrollo incorporen un régimen más favorable de publicidad.

III. UNA PUBLICIDAD ACTIVA REFORZADA

El título I se inicia con la regulación de los atributos que debe poseer la información para que pueda calificarse como "transparente". Además de los que ya aparecen enumerados en la LTAIBG, el anteproyecto exige que la información se ofrezca con detalle suficiente para poder analizar el impacto de la gestión pública en la reducción de la desigualdad entre mujeres y hombres, todo ello a fin de poder detectar posibles sesgos que haya que atajar o corregir. También pretende maximizar la gestión de las solicitudes de acceso exigiendo la publicidad activa de aquella información facilitada por esta vía siempre que sea relevante y su divulgación resultase de interés general, sin necesidad de que haya sido solicitada frecuentemente como prevé el artículo 10 de la LTAIBG. De esta manera se amortiza el esfuerzo invertido en la gestión de las solicitudes de acceso con la publicidad de la información suministrada, permitiendo así la publicación dar respuesta a solicitudes futuras o fomentando la reutilización de nuevos contenidos.

La publicación de la fecha de la última actualización/revisión de la información, la exigencia de un lenguaje claro que haga posible la comprensión y evite interpretaciones erróneas, el diseño de buscadores que faciliten la localización de contenidos o la disponibilidad de la información en formatos reutilizables cuando sus características lo permitan, son otros aspectos clave que deberá reunir la información que integra los portales de transparencia.

En el estricto ámbito de la Administración autonómica se prevé la aprobación de un catálogo de información pública, hecho que ya se ha producido al haberse anticipado el Consejo de Gobierno de la Comunidad a la futura ley mediante la aprobación del Acuerdo 1/2020, de 16 de enero, que ordenaba su confección, y la Orden TRA/599/2021, de 12 de mayo, del Consejero de Transparencia, Ordenación del Territorio y Acción Exterior, que lo aprueba materialmente. Este catálogo no es sino un inventario que recopila los compromisos de toda la organización autonómica con respecto a la publicación de los contenidos e informaciones que genera en el ejercicio de sus competencias. En él están presentes los contenidos de publicidad obligatoria por así establecerlo alguna norma, pero su verdadero valor estriba en incorporar el compromiso voluntario de publicar más información relevante, que al hacerse público para todos, adquiere mayor grado de vinculación. Es más, a efectos de régimen sancionador el incumplimiento de este compromiso tiene igual gravedad que no publicar una información a la que obligue una norma.

Este documento vivo, que se actualizará permanentemente y es público, incorpora la información cuya publicidad se compromete, el responsable de hacerlo, la frecuencia de actualización, el formato y la url donde podrá localizarse.

Esta herramienta de gestión que servirá para hacer un seguimiento del cumplimiento de las obligaciones de publicidad, se complementa con la facultad que el anteproyecto atribuye a la Dirección General de Transparencia y Buen Gobierno para efectuar las recomendaciones y recordatorios que estime necesarios para que los responsables de cada información cumplan con su obligación de publicar. De estas recomendaciones y recordatorios podrá darse publicidad en el Portal de Gobierno Abierto y en el Boletín Oficial de Castilla y León y podrán identificar al titular del órgano o unidad al que van dirigidas. Recomendaciones y propuestas de actuación podrá también hacer este mismo centro directivo en el informe que elabore como resultado de la auditoría interna que realice anualmente. Pero no todo van pueden ser "tirones de oreja": anualmente, la consejería competente en materia de impulso de la transparencia reconocerá también a aquellos órganos y unidades de la Administración autonómica y de otros sujetos obligados por la futura ley que hayan destacado por su dedicación en la gestión de las materias reguladas en ella.

Los artículos 19 a 29 desgranan las obligaciones normativas de publicidad identificándose a los sujetos obligados en cada caso. Este importante listado de contenidos supone un incremento más que significativo de las obligaciones con respecto a la LTPCyL, que solo contempla un único artículo con esta finalidad, centrado en contenidos relacionados con la gestión de los recursos humanos y materia económico-financiera. Los bloques de información que incorpora la futura ley son: información institucional y organizativa; relativa a altos cargos, personal directivo y eventual y empleados públicos; de la planificación y organización; de relevancia jurídica; relativa a la atención y participación ciudadana; presupuestaria y económico-financiera; del patrimonio; sobre la contratación administrativa y privada; sobre convenios, encomiendas de gestión y encargos a medios propios; sobre ayudas y subvenciones; y estadística, de la actividad inspectora y temática.

Esta relación de contenidos se cierra con un mandato general pero tangible de impulso normativo de la transparencia activa. Toda iniciativa normativa que proceda de la administración autonómica y deba ser aprobada por las Cortes o la Junta de Castilla y León deberá prever necesariamente la publicidad de parte o toda la información pública que se genere por aplicación de la futura norma sin perjuicio de los límites de los artículos 14 y 15 de la LTAIBG que proceda aplicar. Del cumplimiento de este mandato deberá dejarse constancia en la correspondiente memoria de análisis de impacto normativo para que pueda ser tramitada, memoria que de acuerdo con el reparto actual de competencias autonómicas corresponde informar a la Dirección General de Transparencia y Buen Gobierno. En caso de que la iniciativa normativa no exija la elaboración de memoria, deberá solicitarse igualmente informe preceptivo sobre este aspecto al mismo centro directivo.

Esta previsión se ha juzgado necesaria dado que uno de los inconvenientes que más a menudo se aduce por quienes tienen que tomar la decisión de publicar o no un determinado contenido es la falta de decisión, de empuje, en la normativa que debería dar cobertura o amparo a la publicación. La existencia de datos personales o el posible impacto económico perjudicial que puede tener la publicación de una determinada información retrae muy a menudo al "publicador" de tomar esa decisión, temeroso de posibles responsabilidades patrimoniales que se le puedan reclamar. Si las normas futuras asumen este encargo, crearemos marcos normativos más estables y seguros que impulsen la publicidad proactiva de informaciones que hoy en día se tornan decisivas, no solo para garantizar la transparencia de la actuación pública, sino también su eficacia y eficiencia, imprimiendo mayor impulso de la economía a través de la reutilización de la información.

IV. UN IMPULSO DEL DERECHO DE ACCESO A LA INFORMACIÓN

Impulso que se hace incluso desde la propia exposición de motivos del anteproyecto de ley donde es expresa que la regulación del derecho de acceso a la información pública, posee evidentes notas que permitirían calificarlo como un verdadero derecho fundamental tal como ya ha sido reconocido en la Carta de los Derechos Fundamentales de la Unión Europea y otros textos internacionales. Este pronunciamiento, aunque carente de valor normativo dada su ubicación en la parte expositiva de la norma, encarna bien la apuesta de la Comunidad de Castilla y León por un derecho reforzado que necesita el anclaje en una normativa sólida y exigente.

El anteproyecto pretende remover cualquier obstáculo que dificulte el reconocimiento y ejercicio del derecho, partiendo de un principio general favorable al acceso. Es con este objetivo por el que se articula la posibilidad de que cualquier persona pueda formular consultas con el fin de resolver las dudas que le surjan en torno al ejercicio de este derecho, consultas que deberán ser atendidas en el menor plazo posible de tiempo. Este trámite que, quizá ni siquiera pueda alcanzar tal calificación por el momento temporal en el que se sitúa, previo al inicio del procedimiento, es la materialización del derecho de asistencia o auxilio que muchas otras leyes autonómicas en esta materia reconocen a quienes quieren ejercer este derecho. Más allá de meras intenciones el anteproyecto ha querido garantizar que cualquiera pueda dirigirse a los sujetos obligados a fin de obtener la orientación necesaria para formular sus solicitudes de acceso, en especial, en lo que se refiere al objeto de su solicitud. Para ello, en el portal de transparencia o espacio equivalente, deberá estar disponible una vía de comunicación que podrá consistir en un formulario, un correo electrónico o un teléfono. Quien efectúe la consulta facilitará un medio de contacto que permita una comunicación ágil y efectiva, preferiblemente un número de teléfono o dirección de correo electrónico, para que en el plazo máximo de 10 días naturales, pueda contactarse con él a fin de resolver cualquier duda respecto del ejercicio de su derecho de acceso. Lo que se pretende, a la postre, es que este canal de consulta reduzca sensiblemente el volumen de solicitudes que se inadmiten o descartan por haberse planteado de forma inadecuada.

Además de aclarar el régimen jurídico aplicable en relación a algunas especialidades y regímenes jurídicos específicos de acceso de acuerdo con lo que establece la disposición adicional primera de la LTAIBG, la ley recuerda el carácter restrictivo con el que deben interpretarse los límites a este derecho y las causas especiales de inadmisión de las solicitudes, y concreta cómo deberán interpretarse algunas de ellas al mismo tiempo que impone la publicación de las resoluciones que las apliquen.

La no aplicación supletoria de la LTAIBG o el rechazo a la pertinencia de reclamación ante la Comisión de Transparencia en los casos en que es el interesado el que desea acceder a algún documento o contenido obrante en un procedimiento en el que aquel tiene dicha condición, no debe interpretarse como una restricción al derecho de acceso. Primero, porque es la interpretación que se deduce de la literalidad de la ley básica, que habla en este caso de especialidad y no de régimen jurídico específico de acceso, y por ello aquí no enuncia el carácter supletorio de la LTAIBG. Cierto es que la posición mayoritaria de los comisionados de transparencia es aceptar la reclamación ante el consejo o comisionado de transparencia, aunque no es unánime (entre otros, el Consejo de Transparencia y Buen Gobierno estatal no lo acepta). Muy probablemente el debate reside en la literalidad del apartado 1 de la disposición adicional primera y la solución definitiva deba venir de la mano de la modificación de su tenor.

Segundo, porque el hecho de que se pronuncie en estos términos el anteproyecto, nada impide que la normativa reguladora del procedimiento de que se trate, que es la norma llamada a aplicarse en estos casos, remita a la aplicación de la LTAIBG. Si esto no sucediera, reconocer la reclamación ante el comisionado de transparencia correspondiente puede dar lugar a ciertos conflictos de competencia indeseados. ¿Puede interponerse recurso de alzada o potestativo de reposición ante una denegación de acceso y al mismo tiempo la reclamación ante el comisionado? No sería la primera vez que algo similar sucede en el ámbito de la contratación administrativa cuando algún licitador ante una denegación de acceso al expediente ha interpuesto simultáneamente el recurso especial previsto en la normativa contractual y la reclamación en materia de acceso. ¿Cómo actuar en estos casos en que la normativa de transparencia no ha reconocido expresamente la competencia de los comisionados para conocer de estos conflictos? ¿Es una solución óptima la inhibición de uno de ellos en favor del otro?

Sin lugar a dudas la disposición adicional primera de la LTAIBG genera no pocos problemas interpretativos, pero en mi opinión hay que conseguir garantizar el derecho de acceso del interesado del artículo 53.1 a) de la Ley 39/2015, de 1 de octubre, de Procedimiento Administrativo de las Administraciones Públicas (en adelante, LPAC), en cuanto derecho vinculado a la imprescindible tutela judicial efectiva sin necesidad de derivarlo hacia un debate de transparencia. El acceso de los interesados debe ser tan pleno como permanente, y para hacer esto efectivo debe la Administración desplegar todos sus medios. Por otra parte, esto no priva al interesado de la interposición del recurso administrativo que proceda y del contencioso-administrativo para su defensa.

Menos se entiende que la LTAIBG haya previsto en el apartado 1 de la disposición adicional primera que el régimen jurídico aplicable al acceso ejercido por el interesado sea diferente por razón del momento en que se encuentre la tramitación del procedimiento, si en cuso o finalizado, distinción que no efectúa el anteproyecto de ley.

El texto aclara que el acceso de los Procuradores de las Cortes de Castilla y León y los representantes locales a la información pública que generen sus respectivas instituciones se regirá por lo dispuesto en la normativa básica estatal y autonómica de desarrollo que resulte de aplicación y, supletoriamente, por la LTAIBG y lo dispuesto en la futura ley. Y todo ello teniendo presente que estos regímenes, que han sido ya reiteradamente calificados como específicos de acceso según la doctrina de los consejos y comisionados de transparencia, no se ajustan del todo a la definición que de tales da el apartado 2 de la disposición adicional primera de la LTAIBG. Este apartado habla de regímenes específicos por razón de la materia, cuando en este caso lo son por la peculiar condición subjetiva de quien ejerce el derecho de acceso, cuya naturaleza, además, es en estos casos fundamental.

En el plano procedimental, se "despolitiza" la resolución de acceso atribuyéndola en los servicios centrales de la Administración autonómica a los secretarios generales técnicos y no ya a los consejeros como actualmente se recoge en la LTPCyL, y se hace una clara apuesta por el ejercicio del derecho sin los requisitos de firma e identificación electrónica que son de aplicación según dispone la LPAC. La verdadera naturaleza política y no administrativa de este derecho y la atribución universal de su titularidad a cualquier persona, entre otras razones, justifican esta decisión, que creemos fundada en la posibilidad que otorga la disposición adicional primera de la LPAC para establecer determinadas particularidades procedimentales en las leyes especiales. Y esta lo es. Por otra parte, así lo es también en otras leyes autonómicas y ordenanzas locales de la materia y que la práctica ha venido a imponer en buena parte de las administraciones, entre otras la nuestra, que desde noviembre de 2019 ya permite la presentación de solicitudes de acceso sin estas exigencias, lo que ha determinado que se haya multiplicado su número por cuatro de 2018 a 2020.

El anteproyecto matiza las causas especiales de inadmisión siguiendo los estándares de la normativa autonómica comparada y la doctrina de los consejos y comisionados de transparencia, y enumera una serie de causas que podrán determinar igualmente la inadmisión, pero que son de carácter general y que podrían ser predicables de cualquier procedimiento (que lo solicitado no exista o no tenga encaje en el derecho de acceso, que el régimen jurídico aplicable no sea el contemplado en la futura ley, etc.). Con respecto a las resoluciones de inadmisión por causas especiales, el anteproyecto opta por su publicación en condiciones similares a la de las resoluciones denegatorias prevista en el artículo 14.3 de la LTAIBG, lo que se ha considerado razonable dada la aplicación más frecuente de estas causas que de los límites pero que, a la postre, suponen igualmente un fracaso del derecho de acceso.

La ley exige informe preceptivo de la Dirección General de Transparencia y Buen Gobierno en caso de que la propuesta de resolución sea denegatoria en todo o en parte, o de inadmisión por alguna de las causas especiales del artículo 18.1 de la LTAIBG. Con esta cautela se refuerza preventivamente la necesidad de motivar las decisiones que restrinjan este derecho.

En lo que se refiere a la formalización del acceso se establecen algunos condicionantes relativos al formato elegido en la línea de lo que ya recogen otras leyes autonómicas en la materia.

Impone también la ley una carga administrativa, justificada en la protección del derecho del solicitante al acceso o, por contra, del derecho a que este no se materialice cuando el tercero afectado hubiera manifestado su oposición a que aquel se conceda, de comunicar al sujeto que hubiera dictado la resolución impugnada la presentación de reclamación o de recurso contencioso-administrativo simultáneamente a su interposición. Igual previsión se establece en el anteproyecto para el caso de la interposición de recurso contencioso-administrativo contra la resolución de la Comisión de Transparencia. Entendemos que esta carga es proporcionada y resulta justificada para que el mandato del artículo 22.2 de la LTAIBG no perjudique ni a quienes solicitan el acceso ni a aquellos que se oponen a él. El objetivo es que el interesado obtenga la información con la mayor rapidez posible en caso de que tenga derecho a ella, o que la tutela del tercero interesado que se opuso al acceso se otorgue con igual agilidad en caso de que discurran los plazos para reclamar o recurrir y la Administración que resolvió conceder el acceso no haya recibido comunicación por parte del órgano de control o del juzgado sobre la impugnación de su resolución. La experiencia demuestra que discurren incluso meses desde el agotamiento del plazo para reclamar o recurrir, hasta que existe certeza sobre la impugnación o firmeza de la resolución estimatoria de acceso. Los datos demuestran, por otro lado, que no son tantos los casos en los que la oposición del tercero manifestada en el procedimiento se mantiene o defiende ante órgano de control y, menos aún, en vía judicial.

En la regulación de la reclamación potestativa se incorpora un trámite de mediación ante la Comisión de Transparencia, en términos similares al que existe en la normativa catalana. Atendiendo a las características físicas de la Comunidad, su vasta extensión, y tras el aprendizaje que deja tras de sí la pandemia del coronavirus, se prevé que el trámite de mediación pueda realizarse a distancia siempre que la Comisión, el sujeto obligado, el reclamante y los terceros interesados que hubieran comparecido en el procedimiento de reclamación, estén todos ellos de acuerdo y se cumplan con las condiciones establecidas en el artículo 17.1 de la Ley 40/2015, de 1 de octubre, de Régimen Jurídico del Sector Público.

V. UN DESARROLLO TECNOLÓGICO CON ENFOQUE A LA REUTILIZACIÓN

La regulación dedicada a la reutilización de la información pública, ámbito en el que la Junta de Castilla y León ocupa un lugar destacado desde la creación de su portal de datos abiertos en 2014 y con la concesión de diferentes distinciones en los últimos años, se mueve en los estándares que establece la Open Data Charter a la que se adhirió nuestra administración en septiembre de 2019: dato abierto y procesable por defecto, dato único, compartido, accesible, georreferenciado y descrito semánticamente.

Además de avanzar en algunos aspectos que exige la más reciente normativa europea pendiente aún de transponer a nivel estatal, se hace una apuesta por extender la reutilización a todos los entes y organismos que forman parte del sector público autonómico, así como una apuesta clara por la gratuidad en la puesta a disposición de la información en estos formatos, salvo que excepcionalmente sea razonable repercutir determinados costes marginales.

Quizá la novedad más importante y que pensamos puede impulsar en mayor medida un avance global en la reutilización de la información en nuestra Comunidad es lo que hemos dado en denominar la cláusula "datos abiertos". Según el artículo 48 del anteproyecto, en todo desarrollo informático que lleven a cabo los sujetos obligados por la futura ley y que integran la Administración autonómica, ya se acometan estos desarrollos con medios propios o ajenos, será obligatorio prever que la extracción de la información que se recopile, grabe o recoja en tales desarrollos deba hacerse, al menos, en formatos reutilizables. Para garantizar que esto finalmente sea así, este precepto prevé que la documentación que deba elaborarse previamente a la definición de los requisitos funcionales y técnicos de tales desarrollos necesite el informe favorable de la Dirección General de Transparencia y Buen Gobierno.

VI. INSTRUMENTOS PARA GARANTIZAR EL CUMPLIMIENTO DE LA LEY

Sin lugar a dudas, es el régimen sancionador el que ocupa el puesto más alto en el ranking de instrumentos normativos para garantizar la eficacia y ejecución de las leyes, pero existen otras alternativas de carácter no sancionador que en este ámbito, tan plagado de "obligaciones de hacer", pueden resultar igualmente efectivas y más rápidas.

El anteproyecto en este punto ha sufrido una modificación de profundo calado a resultas del dictamen 191/2021, de 29 de junio, del Consejo Consultivo, que comentaremos a continuación.

El texto del anteproyecto que se remitió para dictamen de este órgano consultivo acometía una extensa regulación del régimen sancionador en las materias reguladas por la ley, atendiendo a los posibles responsables de las infracciones que se tipifican y a la gravedad de las acciones u omisiones que son consideradas como tal. Las sanciones aplicables a los representantes locales que hubieran sido libremente elegidos por la comisión de alguna infracción muy grave tipificada en la futura ley no puede acarrear la destitución a que se refiere el artículo 30.4 de la LTAIBG, dado que esta consecuencia afecta al régimen electoral general y, por tanto, es de competencia estatal.

Pero como decíamos, el anteproyecto recoge a lo largo de su articulado otros mecanismos que procuran igual objetivo. Como ya vimos en otro epígrafe de este capítulo, hay importantes sujetos obligados al suministro de información: beneficiarios de ayudas y subvenciones, prestadores de servicios públicos, colaboradores en el ejercicio de potestades administrativas y adjudicatarios de contratos. El incumplimiento de esta obligación de suministro podrá dar lugar, según dispone el anteproyecto, previo requerimiento en el que se otorgará un plazo de tiempo no superior a 15 días naturales para cumplir lo ordenado, a la imposición de multas coercitivas una vez transcurrido dicho plazo sin que aquel hubiera sido atendido. Claro está, solo podrán recurrir a este medio de ejecución forzosa aquellos sujetos obligados por la futura ley que, de acuerdo con su naturaleza y régimen jurídico, puedan aplicarlas.

Estas multas serán reiteradas por períodos de 15 días hábiles hasta el suministro de la información y su cuantía será de 1.000, 2.000 y 3.000 euros, por cada periodo de 15 días hábiles que transcurra, siendo de 3.000 euros a partir del cuarto periodo. Su importe total no podrá exceder del cinco por ciento del importe del contrato o instrumento administrativo que habilite para el ejercicio de las funciones públicas o la prestación de los servicios, y su imposición será independiente de la sanción que pueda dictarse por el incumplimiento de alguna obligación prevista en la ley y, por ello, son compatibles, tal como establece el artículo 103.2 de la LPAC.

Sin embargo, la imposición de multas coercitivas será incompatible, en su caso, con las penalidades o figuras equivalentes que se haya previsto imponer en el contrato o instrumento que corresponda por el incumplimiento del deber de suministro de información.

Además de este tipo de medidas y de las sanciones que, en su caso, pudieran corresponder, el anteproyecto prevé como posible el reintegro total o parcial de las ayudas y subvenciones por parte de los beneficiarios que incumplieran sus obligaciones de transparencia, todo ello en los términos que señalen las bases reguladoras, convocatorias o actos de concesión, y para los sujetos del artículo 4, la resolución del contrato, concierto o vínculo establecido, en los términos que también se recojan en los pliegos del contrato o documentos equivalentes de que se trate.

La facultad de imposición de multas coercitivas también fue reivindicada por la Comisión de Transparencia y, por ello, en el anteproyecto se establecía ya que aquella podrá, en caso de incumplimiento de una resolución firme dictada en el ámbito de su competencia, requerir a quienes deban ejecutarla para que informen sobre ello en el plazo que se fije. Transcurrido tal plazo y si la Comisión apreciase el incumplimiento total o parcial de su resolución, podrá imponer multas coercitivas en los mismos plazos y cuantías que ya hemos visto a los sujetos responsables de cumplir con lo ordenado en su resolución.

Tal como decíamos al inicio de este epígrafe, el amplio cuadro de infracciones se ordena por razón de la naturaleza del posible responsable y la gravedad de la infracción, y en el caso de las graves y muy graves, las resoluciones serán publicadas una vez sean firmes en las webs o portales de transparencia de los sujetos obligados y en el Boletín Oficial que corresponda por razón del sujeto responsable de que se trate. Las sanciones también se distinguen por los mismos criterios: la naturaleza del posible responsable y la gravedad de la infracción. No proceden las mismas según el responsable de que se trate como parece razonable. Tenemos desde las sanciones disciplinarias de la LTAIBG en materia de buen gobierno, hasta las disciplinarias aplicables a los empleados públicos, pasando por multas económicas e inhabilitaciones para ser beneficiarios de ayudas y subvenciones públicas.

En cuanto al procedimiento, quizá lo más destacado es el protagonismo que se le confería al Comisionado de Transparencia en dos momentos cruciales. En primer lugar, al tener la capacidad de instar el procedimiento sancionador. Previas las diligencias que él considerase oportuno realizar y cuando tuviera indicios suficientes de la presunta comisión de alguna infracción, requeriría al presunto infractor para que cesase en el incumplimiento detectado en el plazo de 15 días hábiles. En el caso de que en dicho plazo el presunto responsable no acomodase su actuación a lo requerido por el Comisionado, este instaría el inicio del procedimiento y remitiría las actuaciones al sujeto obligado que correspondiera para su incoación, instrucción y resolución. En este caso, el inicio del procedimiento era obligatorio. Pues bien, esta alternativa ha sido dictaminada desfavorablemente por el Consejo Consultivo al considerar que esta forma de inicio vinculante excede de las previsiones de la normativa de procedimiento administrativo común, sin que en este extremo el órgano consultivo haya aceptado que estamos aquí ante una especialidad del procedimiento al amparo de lo que permite la disposición adicional primera de la LPAC.

Y en segundo lugar, todas las resoluciones que pongan fin a los procedimientos sancionadores exigirán informe previo y preceptivo del Comisionado. De esta forma se asegura que la instrucción y propuesta de resolución por parte de los diferentes sujetos obligados, que son quienes tienen la competencia para ello, sea imparcial y objetiva, y no se escore hacia la protección de los intereses propios de quienes los impulsan, que en muchos casos puede que hayan tenido algún tipo de responsabilidad, si no toda, en la comisión de la infracción que se persigue. En este caso, el Consejo Consultivo no ha efectuado mención alguna.

Como decíamos, el dictamen 191/2021, de 29 de junio, del Consejo Consultivo, que secunda en este extremo lo ya manifestado por los servicios jurídicos en su informe preceptivo, ha venido a alterar el enfoque inicial del anteproyecto en base a las siguientes consideraciones. El alto órgano consultivo considera que más allá de reconocer la necesidad de que debiera existir un régimen sancionador adecuado y completo, comprensivo de las conductas irregulares o incumplidoras de las obligaciones legales existentes en materia de transparencia y publicidad activa y de derecho de acceso a la información pública, y su correspondiente sanción, dicha posibilidad debe pasar previamente por una adecuada previsión sancionadora en la legislación básica del Estado, que en este caso no se produce, parcialmente respecto a la transparencia y publicidad activa (solo cabrían, en su opinión, infracciones y sanciones en relación a las nuevas obligaciones autonómicas que imponga el anteproyecto) y totalmente respecto al derecho de acceso a la información pública (no cabría ninguna infracción y sanción), argumentación que debe respetarse por el órgano autonómico proponente del anteproyecto. Señala el Consejo Consultivo que este problema no se suscita respecto a las infracciones y sanciones del anteproyecto sobre la reutilización.

En este sentido, alega jurisprudencia constitucional, que ha manifestado que "El derecho administrativo sancionador creado por las Comunidades Autónomas puede implicar, sin duda, una afectación al ámbito de los *derechos fundamentales*[2], pues la previsión de ilícitos administrativos supone siempre una delimitación negativa del ámbito de libre ejercicio del derecho. Tal afectación no implica (Sentencia de 16 de noviembre de 1981, FJ 2) que toda regulación en este extremo sea de exclusiva competencia del Estado. Sin duda que la norma sancionadora autonómica habrá de atenerse a lo dispuesto en el art. 149.1.1 CE, de modo que no podrá introducir tipos ni prever sanciones que difieran, *sin fundamento razonable*[3], de los ya recogidos en la normación válida para todo el territorio. Y también es cierto que el procedimiento sancionador habrá de atenerse al 'administrativo común', cuya configuración es de exclusiva competencia estatal (art. 149.1.18 CE). Pero, dentro de estos límites y condiciones, las normas autonómicas podrán desarrollar los principios básicos del ordenamiento sancionador estatal, llegando a modular tipos y sanciones -en el marco ya señalado-, porque esta posibilidad es inseparable de las exigencias de prudencia o de oportunidad, que pueden variar en los distintos ámbitos territoriales." (SSTC 87/1985, FJ 8, y STC 218/2013).

Según el Consejo Consultivo, pues, en lo referente a la publicidad activa el legislador autonómico podrá prever, un régimen más amplio, también en materia sancionadora, de acuerdo con la habilitación resultante del artículo 5.2 de la LTAIBG ("Las obligaciones de transparencia contenidas en este capítulo se entienden sin perjuicio de la aplicación de la normativa autonómica correspondiente o de otras disposiciones específicas que prevean un régimen más amplio

---

[2]   La cursiva es nuestra.
[3]   La cursiva es nuestra.

en materia de publicidad"), pero no podrá establecer el régimen sancionador que desarrolle el previsto en la normativa básica en relación con la publicidad activa, porque no ha sido establecido por el legislador estatal, que solo ha incluido al respecto un precepto, no básico, el 9.3 ("El incumplimiento reiterado de las obligaciones de publicidad activa reguladas en este capítulo tendrá la consideración de infracción grave a los efectos de aplicación a sus responsables del régimen disciplinario previsto en la correspondiente normativa reguladora").

A la misma conclusión llega el Consejo Consultivo en lo atinente al ejercicio del derecho de acceso a la información, para el que el legislador estatal solo ha introducido una medida disciplinaria en el artículo 20.6, de carácter básico ("El incumplimiento reiterado de la obligación de resolver en plazo tendrá la consideración de infracción grave a los efectos de la aplicación a sus responsables del régimen disciplinario previsto en la correspondiente normativa reguladora"), más allá de la cual no procederá el ejercicio de las facultades de desarrollo de la normativa básica modulando tipos y sanciones, por no haberse definido un régimen sancionador en aquella. En este punto, además, la norma básica, no ha establecido previsión similar a la que, de acuerdo con el artículo 5.2 sobre publicidad activa, permite a la Comunidad Autónoma establecer un régimen más amplio sobre el que pudiera vertebrar un régimen sancionador.

En consecuencia, según dictamina el Consejo Consultivo, deben suprimirse en el anteproyecto los tipos y sanciones en materia de publicidad activa y derecho de acceso referidos a conductas o al cumplimiento de obligaciones previstas, pero no tipificadas como infracción, en la norma básica. Solo podrán establecerse tipos y sanciones en relación con las obligaciones de publicidad activa que introduzca la Comunidad Autónoma conforme a las facultades de ampliación del artículo 5.2 de la LTAIBG y los que desarrollen el régimen sancionador de carácter básico en materia de reutilización de la Ley 37/2007, de 16 de noviembre, y en materia de acceso a la información pública del artículo 20.6 de la LTAIBG.

A la vista de este pronunciamiento, cabe aducir varias cuestiones:

1ª) Las obligaciones que la LTAIBG cuyo incumplimiento se tipificó como infracción en el texto remitido para dictamen están todas ellas incorporadas al anteproyecto de ley autonómica también como propias.

Hay que pensar que si la LTAIBG no las hubiera previsto expresamente, según la argumentación del Consejo Consultivo, podría haberlo hecho sin ningún género de dudas la futura ley autonómica, tal como lo hace con otras muchas que por primera vez se incorporan al texto del anteproyecto y, por ello, su incumplimiento podría haber sido tipificado como infracción según la argumentación del alto órgano consultivo. De esta forma, el hecho de que la LTAIBG haya olvidado o renunciado a su sanción, perjudica según el Consejo Consultivo a la capacidad sancionadora de la Comunidad de Castilla y León de dichos incumplimientos, a la sazón infracciones que no pueden ser finalmente tipificadas según considera. Y todo ello, además, tratándose en este caso de informaciones que generan las administraciones y sujetos obligados de la Comunidad de Castilla y León, y no del Estado.

2ª) En el estricto ámbito de la publicidad activa, la mención contenida en el artículo 5.2 de la LTAIBG, según la cual las Comunidades autónomas pueden establecer regímenes más favorables de publicidad activa, debe comprender también la posibilidad de tipificar como infracciones en la ley autonómica los incumplimientos de obligaciones recogidas en la ley estatal. Sin duda, esto debe formar parte de ese régimen más favorable.

3ª) Ninguna ley autonómica de transparencia vigente en la actualidad de las que incorporan a su texto un régimen sancionador en esta materia, esto es, nada más y nada menos que 10 Comunidades autónomas (Principado de Asturias, Cantabria, Navarra, Cataluña, Comunidad valenciana, Madrid, Castilla-La Mancha, Andalucía, Región de Murcia y Canarias), ha apreciado objeción constitucional o estatutaria alguna para llevar a cabo la tipificación que el Consejo Consultivo de Castilla y León considera que no es posible llevar a cabo. Es más, ninguna de las instituciones equivalentes al Consejo Consultivo de nuestra Comunidad de las que han dictaminado los respectivos anteproyectos de ley cuando su intervención ha sido preceptiva, ha observado ni identificado problema alguno al hacerlo.

4ª) La cita que efectúa el Consejo Consultivo en su dictamen de la doctrina constitucional (SSTC 87/1985 y STC 218/2013) aplica al régimen sancionador en el ámbito de derechos fundamentales, lo que no es predicable, como sabemos, en lo que se refiere al régimen de la transparencia, del derecho de acceso a la información pública y de la reutilización. El derecho de acceso a la información pública regulado en el artículo 12 y siguientes de la LTAIBG tiene su encaje en el artículo 105 b) de la Constitución, lo que determina que no pueda ser calificado como derecho fundamental, pero sí un derecho constitucional de configuración legal.

La doctrina citada puede tener su lógica aplicada a los derechos fundamentales, cuya regulación está afectada por la reserva a ley orgánica que establece el artículo 81 de la Constitución, pero tal doctrina no puede extrapolarse a la regulación de cualquier otro derecho de naturaleza diferente con iguales consecuencias. Además, aquella doctrina liga sus efectos amén de a la circunstancia ya expuesta, a la inexistencia de "fundamento razonable", cuestión esta que no se da en el presente caso como ya se ha argumentado.

5ª) El sistema, pues, resultante de la observación efectuada por el Consejo Consultivo dibuja un sistema complejo que, en resumen, nos conduce a la conclusión de que la ley autonómica solo puede tipificar infracciones de obligaciones que tienen su origen en la futura ley autonómica o que ya están tipificadas en la legislación básica estatal, pero no hacerlo con obligaciones recogidas en la LTAIBG si la misma no tipifica su incumplimiento como infracción.

Esto es realmente llamativo cuando ya toda la comunidad científica y académica, e incluso los parlamentos, gobiernos y administraciones, estatal y autonómicos, coinciden en afirmar que la carencia de régimen sancionador en la LTAIBG es un gran déficit que reduce las posibilidades de aplicación efectiva de la norma y la garantía real de alcanzar administraciones más transparentes. Tal es así que es conocida la intención de que la norma básica se vea modificada en el futuro próximo para que esta omisión sea debidamente subsanada.

El efecto, además, es particularmente grave para el caso de las entidades locales con población menor a 5.000 habitantes, donde los incumplimientos de las obligaciones de publicidad activa no podrían llevar aparejada sanción alguna, una consecuencia en la que probablemente no se ha reflexionado lo suficiente.

El Consejo Consultivo considera, pues, que la normativa autonómica solo puede moverse en el estrecho margen ya advertido. Por este motivo, el título que hasta la emisión del dictamen se dedicaba al régimen sancionador sufre una importante alteración en dos direcciones:

1ª) tipificar como infracciones aquellas obligaciones que enuncia la futura ley autonómica y que no tienen reflejo en la LTAIBG, cuestión esta que sucede en todas las materias reguladas, pero con distinta intensidad (limitada en el ámbito de la publicidad activa y derecho de acceso a la información, pero plena en materia de reutilización). También incorpora como infracción la que con carácter básico tipifica el artículo 20.6 de la LTAIBG.

2ª) Desarrollar un régimen de ejecución forzosa (multas coercitivas) de actos y obligaciones previstos tanto en la LTAIBG como en la futura ley autonómica, dado que a este ámbito no le afectan las limitaciones que el Consejo Consultivo ha identificado en su dictamen aplicables al régimen sancionador. Por este motivo se añade un nuevo capítulo y artículo donde se identifican las obligaciones, los responsables, la competencia, el procedimiento y las cuantías -en estos dos últimos casos, por remisión a lo dispuesto en el artículo 4.3 del anteproyecto- que conforman este régimen jurídico.

Según esto, podría preverse la imposición de las multas con respecto a las obligaciones de:

- Publicar la información y contenidos que constituyen el objeto de alguna obligación de publicidad activa prevista en la futura ley autonómica y en la LTAIBG.
- Publicar las resoluciones denegatorias de acceso y de inadmisión cuando sea obligatorio.
- Materializar el acceso a la información pública con respecto a lo estimado.

- Cumplir las resoluciones firmes de la Comisión de Transparencia de Castilla y León dictadas en procedimientos de reclamación en materia de acceso a la información pública (ya nos habíamos referido a esta posibilidad).
- Publicar las sanciones impuestas al amparo de la ley cuando esta sea preceptiva.

VII. EL PRINCIPIO DE RURALIDAD

Ya lo habíamos anticipado en este trabajo. La planta local de la Comunidad de Castilla y León tiene un peso específico en la configuración de cualquier política pública que se despliegue en su territorio, y no podía ser diferente en materia de transparencia. El intenso debate generado a lo largo de la tramitación del anteproyecto con la Federación Regional de Municipios y Provincias de la Comunidad ha determinado la primera regulación especial para pequeñas y medianas entidades locales (PYMEL) existente en esta materia en una ley autonómica de transparencia, lo que le añade a la iniciativa una posición singular como referencia comparada. Cierto es, no obstante, que no todas las Comunidades presentan las mismas peculiaridades que la de Castilla y León acerca del número de entidades locales y su tamaño reducido, pero también lo es que las leyes de transparencia que incorporan a las entidades locales a su ámbito de aplicación, que son las más, no prevén especialidad alguna con respecto a las PYMEL.

Al dato relativo al número de entidades locales al que ya hicimos mención al inicio de este capítulo, hay que añadir el de la baja población de estos núcleos (más del 94% de los municipios tienen menos de 2.000 habitantes) y una población muy envejecida. Por tal motivo, en el anteproyecto se establecen algunas especialidades, en concreto, la periodicidad de actualización de la información, la entrada en vigor demorada de determinados contenidos de la norma y el elenco de obligaciones de publicidad activa aplicables a las PYMEL por razón de su población.

Empezando por lo último, la futura ley establece que la publicidad activa que corresponderá realizar a las entidades locales por debajo de 5.000 habitantes (el 97,5% del total de ellas) será decidida por los plenos de las entidades locales, a excepción, claro está, de aquella que ya resulta obligatoria por establecerlo así la LTAIBG o cualquier otra norma de cumplimiento obligado. Esta decisión no será del todo "libre" dado que tendrán que tomarla tras escuchar a sus vecinos. Su participación deberá ser promovida con los medios de los que dispongan, ya sea de manera presencial, electrónica o a través de cualquier otra modalidad, se reiterará al inicio de cada mandato y su seguimiento corresponderá al Comisionado de Transparencia. Las entidades deberán acreditar la publicidad de la convocatoria de dichos procesos participativos, así como las circunstancias de la realización del proceso, como mínimo, las personas que han concurrido, las manifestaciones y propuestas que hayan realizado y, en su caso, el apoyo que hayan obtenido dichas propuestas entre las personas que hayan concurrido a la convocatoria. De esta manera, el anteproyecto consigue así ligar los ejes de transparencia y participación ciudadana como ingredientes esenciales de todo proyecto de gobierno abierto.

Estos acuerdos deberán adoptarse en el plazo de los 6 meses siguientes a la entrada en vigor de la futura ley y periódicamente en los 6 primeros meses de cada mandato, y se harán públicos en sus páginas web o sedes electrónicas al igual que el resultado del proceso participativo. Los contenidos a cuya publicidad ya se hubiera comprometido la corporación en un mandato anterior, seguirán publicándose salvo que expresamente se acuerde lo contrario. De esta manera se asegura que los contenidos que ya tienen publicidad y que en su día se consideraron relevantes de cara a su conocimiento por la ciudadanía, no dejen de publicarse y sigan teniendo continuidad.

La segunda medida es la frecuencia de actualización de los contenidos. En el anteproyecto se prevé una frecuencia trimestral "por defecto", salvo que la normativa específica establezca un plazo mayor, cuando la información se genere necesariamente más allá del trimestre (por ejemplo, la aprobación del presupuesto), cuando se prevea expresamente en la futura ley o se concrete así en el catálogo de información pública. En el caso de las PYMEL la frecuencia de actualización general pasa a ser de 6 meses, al prever que la variabilidad de los contenidos también vaya a ser menor.

La tercera medida que se establece es la entrada en vigor demorada de los contenidos que pueden exigir mayor esfuerzo a las entidades locales, a fin de que puedan prepararse en condiciones óptimas para el cumplimiento de la norma. Para las entidades locales cuya población sea inferior a 20.000 habitantes, la entrada en vigor de las obligaciones de publicidad activa no previstas en la LTAIBG (recordemos que la LTPCyL no les es aplicable), de las disposiciones relativas al trámite de mediación y del título dedicado al régimen sancionador entrarán en vigor en el plazo de un año desde la publicación de la futura ley.

Esta medida, unida a la previsión legal de asistencia de las diputaciones provinciales en favor de las PYMEL, obligatoria por normativa de régimen local, y al apoyo tecnológico y la formación de los empleados públicos locales, ambos comprometidos por la Administración autonómica, deberían ser suficientes para conseguir incorporar al mundo local a una transparencia más exigente. Para dar cumplimiento a este último compromiso, la Junta de Castilla y León está desarrollando actualmente con colaboración externa un portal de transparencia de fácil manejo, *customizable* y gratuito, para que las entidades locales puedan dar cumplimiento con poco esfuerzo a la publicidad activa que vayan a comprometer. En lo que respecta a la formación, ya se ha incorporado personal de administraciones locales a las actividades de formación en materia de transparencia impartidas por la Escuela de Castilla y León de Administración Pública, habiéndose llevado a cabo recientemente una edición dirigida exclusivamente a responsables de las diputaciones provinciales.

El anteproyecto de ley no presenta para las entidades locales especificidades en cuanto al derecho de acceso y reutilización de la información, dado que la regulación básica estatal tiene un alto grado de detalle y no admite margen ni modulación en aquellos aspectos que son más decisivos. No obstante, en los títulos dedicados a la regulación de dichas materias, hay algunas previsiones más exigentes que solo alcanzan a la Administración autonómica.

VIII. IMPREGNANDO TODOS LOS ÁMBITOS DE LA VIDA SOCIAL

El anteproyecto no solo pretende generar un profundo cambio en la vida interna en la organización, sabedor de la fuerza transformadora de la transparencia, sino que también considera importante hacer calar esta cultura en la sociedad, y para ello encomienda a la Consejería de Educación que analice las diferentes alternativas existentes para promover la educación en los distintos niveles de enseñanza y para las generaciones del futuro sobre la importancia de la transparencia para el fortalecimiento de los valores democráticos a través del acceso a la información pública y su reutilización. Las universidades públicas podrán promover también la enseñanza en estas materias a través de programas específicos o introduciendo contenidos relacionados con la transparencia en estudios de carácter más generalista. Ahí está la iniciativa puesta en marcha por la Universidad de Valladolid para la creación de una cátedra institucional sobre transparencia y buen gobierno. Necesitamos ciudadanos activos, conscientes de su papel en la gestión de lo público y responsables en el ejercicio de su rol como tales. A este mismo fin responde la introducción de contenidos de este tipo en los programas y pruebas correspondientes a los diferentes procesos selectivos de acceso a la función pública, y en la formación de los que ya trabajamos en ella.

Para todo ello, se torna indispensable dotar de más medios a quienes dentro y fuera de la Administración trabajamos para que la transparencia impregne como un principio más la actividad pública. Para ello la futura ley da un espaldarazo definitivo a la creación de las unidades de transparencia, que quedaron en el tintero a pesar de estar previstas en la LTPCyL, y al incremento de medios del Comisionado y Comisión de Transparencia a fin de garantizar que estén en condiciones adecuadas de abordar todas las tareas que la futura ley les atribuye, entre otras, la evaluación externa de la gestión llevada a cabo en este campo por todos los sujetos obligados por esta ley. A estos efectos, el Comisionado deberá concretar la metodología a seguir, siendo destacable en este ámbito la utilizada por el Comisionado de Transparencia canario que se basa, a su vez, en el sistema MESTA diseñado en su día por el Consejo de Transparencia y Buen Gobierno estatal en colaboración con la extinta Agencia Estatal de Evaluación de las Políticas Públicas y la Calidad de los Servicios (AEVAL).

LEGITIMACIÓN DE LOS PARLAMENTARIOS DE NAVARRA EN EL EJERCICIO DEL *IUS IN OFFICIUM* PARA FORMULAR RECLAMACIONES ANTE EL CTN.

Juan Luis Beltrán Aguirre
Colaborador Honorífico de la UPNA
Presidente del CTN

I. INTRODUCCIÓN

Antes de que se promulgaran en nuestro país las leyes de transparencia, ya se habían establecido en leyes sectoriales regímenes específicos para solicitar y obtener acceso a información pública elaborada o en poder de la Administración sobre las materias reguladas por dichas leyes sectoriales. Así, por ejemplo, la Ley 27/2006, de 18 de julio, por la que se regulan los derechos de acceso a la información, de participación pública y de acceso a la justicia en materia de medio ambiente. Los Reglamentos de los Parlamentos de las Comunidades Autónomas también habían regulado un régimen específico de acceso a información administrativa por parte de los parlamentarios en el ejercicio del *ius in officium*. Estos regímenes específicos disponen de un sistema de garantía a fin de poder reaccionar ante la negativa de la Administración a facilitar la información solicitada, algunas veces expresado en la misma ley, otras implícito, pero que, obviamente, no incluye la reclamación ante los órganos garantes de la transparencia. A la vista de este marco normativo, la Ley básica estatal de transparencia sentó el criterio de que se regirían por su norma específica las materias o los sujetos que tengan previsto un régimen jurídico específico de acceso a la información, y que supletoriamente se aplicaría la ley de transparencia. Entonces, la pregunta a responder es si los afectados, sin perjuicio de poder elegir y usar las garantías previstas en el régimen específico, también pueden elegir y utilizar la vía de la reclamación ante el órgano garante de la transparencia correspondiente.

El 9 de marzo de 2021, dos parlamentarios forales presentaron cuatro reclamaciones ante el Consejo de Transparencia de Navarra (en adelante, CTN), al amparo del artículo 30.1 de la Ley Foral 5/2018, de 17 de mayo, de Transparencia, acceso a la información pública y buen gobierno (en adelante, LFTN), por la falta o insuficiente información facilitada por la Administración de la Comunidad Foral, que le habían solicitado por vía del artículo 14.2 del Reglamento del Parlamento[1].

Al ser la primera vez que parlamentarios forales, en el ejercicio del *ius in officium*, formulan reclamaciones, el CTN se enfrentó al dilema de si era o no competente para admitir y resolver reclamaciones de esos sujetos. Resolvió el dilema en los términos que seguidamente se explican.

II. REGÍMENES ESPECÍFICOS DE ACCESO A INFORMACIÓN PÚBLICA: LOS REGLAMENTOS DE LOS PARLAMENTOS.

1. *Legislación de transparencia y regímenes específicos de acceso a información pública*

La disposición adicional primera, apartado 2, de la Ley 19/2013, de 9 de diciembre, de *transparencia, acceso a la información pública y buen gobierno* (en adelante, LTAIBG), establece que *"Se regirán por su normativa específica, y por esta Ley con carácter supletorio,*

---

[1]   Dice este artículo: *"Para el mejor cumplimiento de sus funciones, los Parlamentarios Forales tendrán la facultad de recabar de la Administración de la Comunidad Foral de Navarra y de sus organismos públicos, sociedades públicas y fundaciones públicas, los datos, informes o documentos administrativos consecuencia de actuaciones realizadas por dichas Administraciones y entes, siempre que su conocimiento no conculque las garantías legalmente establecidas para la protección de los datos de carácter personal."*

aquellas materias que tengan previsto un régimen jurídico específico de acceso a la información.[2]" La generalidad de las leyes autonómicas de transparencia incorporan una determinación similar o, sin más, se remiten en esta cuestión a lo que dispone la LTBG en la transcrita disposición adicional.

Esta disposición adicional excluyendo la aplicación directa de la LTAIBG en todas las materias respecto de las que tengan regulado en otra norma un régimen específico de acceso, que acoge la regulación no solo existente sino, además, la que pueda generarse en el futuro, regulación que incluso podría ser reglamentaria pues la disposición adicional no excluye esta posibilidad, ha sido muy criticada por la doctrina científica[3] por la trascendencia práctica que puede tener al constituir una vía de escape para la aplicación del régimen diseñado en la LTAIBG.

---

[2] El TS, en Sentencia n° 748/2020, de 11 de junio de 2020 (Recurso de Casación n° 577/2019), fija doctrina de cuándo existe un régimen específico de acceso a la información pública y cuándo no. *"(...) las previsiones contenidas en la Ley 19/2013, de Transparencia y Buen Gobierno, por lo que respecta al régimen jurídico previsto para al acceso a la información pública, sus límites y el procedimiento que ha de seguirse, tan solo quedan desplazadas, actuando en este caso como supletoria, cuando otra norma legal haya dispuesto un régimen jurídico propio y específico de acceso a la información en un ámbito determinado, tal y como establece la Disposición adicional primera apartado segundo de la Ley 19/2013, de 9 de diciembre. Ello exige que otra norma de rango legal incluya un régimen propio y específico que permita entender que nos encontramos ante una regulación alternativa por las especialidades que existen en un ámbito o materia determinada, creando una regulación autónoma respecto de los sujetos legitimados y/o el contenido y límites de la información que puede proporcionarse (...)"* El TS en sentencia 1565/2020, de 11 de noviembre (recurso de casación n° 4614/2019), reitera la doctrina general de la STS de 11 de junio de 2020: *"La Ley 19/2013, por lo que respecta al acceso a la información pública, se constituye como la **normativa básica trasversal** que regula esta materia y crea un marco jurídico que complementa al resto de las normas. (..) Las previsiones de esta norma tan solo quedan desplazadas, actuando en este caso como supletorias, cuando otra norma legal haya dispuesto un régimen jurídico propio y específico de acceso a la información en un ámbito determinado".*

[3] Véase por toda, J. Mir Bagó, "Comentario a la disposición adicional primera", A. Troncoso Reigada, dir., *Comentario a la Ley de Transparencia, Acceso a la Información Pública y Buen Gobierno,* Thomson- Reuters Civitas, Madrid, 2017, pág. 1768.

Pues bien, los Reglamentos de los Parlamentos autonómicos, sin excepción, contienen un régimen específico para el acceso a información administrativa por parte de los parlamentarios en el ejercicio del *ius in officium*.

2. Posicionamiento de los órganos garantes de la transparencia

El Consejo de Transparencia y Buen Gobierno y el Consejo de Transparencia y Protección de Datos de Andalucía, en aplicación de la disposición adicional primera, apartado 2, de la LTAIBG, inadmiten reclamaciones formuladas por cargos electos al entender que el acceso a la información pública ha de sustanciarse por los cauces y procedimientos contemplados en su "normativa específica", si bien precisan que de la sola circunstancia de que en una persona concurra la circunstancia de ostentar un cargo público representativo no se desprende que deba seguir necesaria y exclusivamente la "normativa específica" cuando, en su condición de simple ciudadano, esté interesado en obtener una información. Entonces, razonan, a los miembros de las Cámaras se les presenta la siguiente opción: o bien, en ejercicio de la función de control de la acción del gobierno -consustancial al estatus representativo parlamentario y por ende integrante del derecho fundamental al ejercicio del cargo público ex art. 23.2 CE-, acudir a los diversos mecanismos previstos en el Reglamento parlamentario que permiten recabar información del Gobierno y la Administración; o bien, en su condición de ciudadano, ejercitar el derecho de acceso a la información pública regulado en la legislación de transparencia a fin de procurarse los "contenidos o documentos" obrantes en la correspondiente Administración. Estas dos vías obedecen a una muy diferente finalidad institucional y conducen, asimismo, a un régimen muy diverso de configuración del derecho a la información; razón por la cual es preciso que se mantenga una estricta separación entre ambas.

De ahí concluyen que si los parlamentarios eligen la vía del Reglamento del Parlamento, cuando consideren insatisfecha su solicitud de información, no pueden acudir en reclamación al respectivo Consejo o Comisionado de Transparencia. Afirman que la legislación en materia de transparencia no está llamada a reparar las eventuales ineficiencias de que puedan adolecer los instrumentos de control de la acción del gobierno regulados en el Reglamento parlamentario, pues el derecho de acceso a la información pública ex legislación de transparencia es "un derecho ajeno a la función de control político que a los [cargos públicos representativos] corresponde ejercer sobre la acción de gobierno"

Por el contrario, otros Consejos y Comisionados de Transparencia discrepan de esta interpretación y admiten reclamaciones formuladas por cargos electos. Son Cataluña, Galicia, Valencia, Aragón Canarias, etc., si bien la mayoría de los casos se han pronunciado sobre concejales, muy pocos casos sobre parlamentarios.

Desde la primera vez que se le planteó, la Comisión de Garantías del Derecho de Acceso a la Información Pública de Cataluña (GAIP) ha venido admitiendo a trámite las reclamaciones de electos locales, a las que, si se identifican como tales y piden información a su respectivo ente local, les aplica las disposiciones de la normativa local, por ser un régimen específico en el sentido de la disposición adicional primera, y supletoriamente la Ley de Transparencia de Cataluña. Una de las consecuencias de esta supletoriedad es la extensión a los electos locales de la posibilidad de interponer ante un órgano independiente la reclamación voluntaria, gratuita y más rápida que la jurisdiccional, prevista en la normativa de transparencia, lo que se justifica en el hecho de que sería un contrasentido que los electos locales, en el ejercicio del derecho fundamental del artículo 23 de la CE, tuvieran menores garantías que el resto de los ciudadanos[4]. El Consejo de Trans-

---

[4]   La STSJ de Catalunya, núm. 1074/2019, de 18 de diciembre de 2019, desestimó los recursos contencioso-administrativos interpuestos por la Diputación de Gerona frente a resoluciones de la GAIP que había estimado las reclamaciones de un diputado provincial, en los que la Diputación alegaba que la reclamación ante la GAIP ha sido prevista exclusivamente en beneficio de particulares como tales, y que los electos locales deben canalizar sus solicitudes de acceso a la información pública a través de los mecanismos específicos que prevé la legislación de régimen local; en suma, que la GAIP no tiene competencia para atender esas reclamaciones. El TSJ de Catalunya califica el razonamiento de la GAIP de impecable y considera su posición extensa, sobradamente fundamentada y de un sentido común abrumador. La GAIP argumentaba que la LTAIBG ofrece a las personas interesadas una tutela independiente, gratuita y más rápida que la jurisdiccional para garantizar el derecho de acceso, por lo que la vía de reclamación ante la GAIP no infringe el sistema de tutela establecido en la legislación de régimen local, sino que lo complementa.

parencia de Aragón añade que «por razones de carácter pragmático, la competencia para conocer de una reclamación no puede quedar condicionada por la cuestión formal del bloque normativo alegado en la solicitud, pues ello, contrariamente a lo que se afirma en las resoluciones del CTBG y del Consejo de Transparencia y Protección de Datos de Andalucía, sí que afecta al principio de seguridad jurídica».

En suma, admiten reclamaciones de concejales y diputados provinciales, a los que, si se identifican como tales, les aplican las disposiciones de la normativa local, por ser un régimen especial en el sentido de la disposición adicional primera, y supletoriamente la Ley de Transparencia autonómica, y una de las consecuencias de esta supletoriedad es la posibilidad de interponer la reclamación prevista en la normativa de transparencia[5], lo que, además de la supletoriedad, también se justifica en que sería un contrasentido que los concejales tuvieran menores garantías que el resto de los ciudadanos.

Respecto de parlamentarios, en lo que conozco, hay muy pocos pronunciamientos por parte de los órganos garantes de la transparencia: Andalucía: R/97/2016, inadmite la reclamación de un parlamentario; Cataluña: R/191/2019, de 4 de abril, admite la reclamación de un diputado del Parlamento de Catalunya.

3. Posicionamiento de la doctrina científica.

Gifreu[6] opina que la LTAIBG puede contribuir a reformular algunas de las cuestiones espinosas que plantea el ejercicio del derecho de

---

5   En concreto, la supletoriedad de la legislación de transparencia respecto de los Reglamentos de los Parlamentos ha sido rotundamente afirmada por la GAIP. Así, en su Resolución 191/2019, de 4 de abril, que resuelve una reclamación presentada por un diputado del Parlamento de Catalunya, (f. j. 1) dice: *No hay una regulación específica en el Reglamento del Parlamento sobre qué debe considerarse información pública, por lo que deberá aplicarse, por la vía de la supletoriedad, la previsión del artículo 2.b LTAIPBG, que dispone que debe considerarse información pública a los efectos del derecho de acceso "la información elaborada por la Administración y la que ésta tiene en su poder como consecuencia de su actividad o del ejercicio de sus funciones, incluida la que le suministran los demás sujetos obligados de acuerdo con lo establecido en esta ley "*

6   J. Gifreu Font, "La configuración del derecho de acceso a la información pública de los electos locales en el marco de la normativa sobre transparencia", *Revista*

información de los cargos electos pues, como quiera que el derecho de acceso de los concejales es un derecho privilegiado en comparación con el que ostentan los particulares, sería un contrasentido que no pudiera beneficiarse de las mismas garantías que se reservan al acceso ciudadano. Así las cosas, puede afirmarse que la regulación contenida en la LTAIBG les será de aplicación en la medida que contribuya a reforzar el acceso a la información de los cargos electos locales en el ejercicio de sus funciones, en contraste con las previsiones que supongan un tratamiento más restrictivo. Y ello por la evidente razón de que el derecho de los ciudadanos no puede ser de mejor condición que el de los representantes políticos de la Administración local, lo que, refiriéndose a la reclamación ante los órganos garantes, le permite afirmar: «Pues bien, siendo el de los concejales un derecho reforzado en comparación con el reconocido a los ciudadanos, nada obsta, muy al contrario, para que puedan beneficiarse de este específico sistema de impugnación, ágil y gratuito.

Por su parte, Martín Delgado escribe "en mi opinión, cabe sostener la competencia del Consejo de Transparencia para conocer de reclamaciones relativas a solicitudes a las que sean de aplicación los regímenes especiales de acceso"[7].

Matia Portilla[8], de entrada, destaca el hecho de que el derecho a la información de los representantes políticos y el derecho de los ciudadanos en general de acceso a la información pública encuentran su fundamento en preceptos constitucionales distintos, artículos 23.2 y 105.b, y están sometidos a regímenes jurídicos diferentes, pero que esa diferencia no significa ignorar que ambos derechos son instrumentos orientados a posibilitar la fiscalización tanto de la actuación de los poderes públicos como del comportamiento de sus responsables, permitiendo un control de naturaleza predominantemente política en el caso del ejercicio por los parlamentarios y miembros de las

---

Española de Derecho Administrativo, núm. 181, 2016, págs. 147-189.

7   I. Martín Delgado, "La reclamación ante el Consejo de Transparencia y Buen Gobierno: un instrumento necesario, útil y ¿eficaz?", *Las vías administrativas de recurso a debate*, Actas del XI Congreso de la AEPDA, INAP, 2016, pág. 422.

8   E. Matia Portilla, "Derecho a la información de los representantes políticos, protección de datos y transparencia", *Revista Jurídica de Castilla y León*, núm. 42, 2017, págs. 143-147.

Corporaciones Locales de la facultad derivada del artículo 23.2 CE, y de un control de naturaleza eminentemente social en el caso del derecho de acceso a la información pública atribuida a los ciudadanos por el artículo 105.b) CE. De ahí deduce que la aprobación de la LTAIBG ha venido a recordar a todos los operadores jurídicos una revalorización y fortalecimiento del derecho de los representantes políticos a acceder a la información obrante en poder de las Administraciones Públicas como instrumento necesario para el ejercicio del *ius in officium* que les garantiza el artículo 23.2 CE.

Guichot[9] opina que sobre el acceso a la información de los cargos electos ha de operarse con una interpretación gramatical, histórica, sistemática y teleológica de la normativa, general y especial, lo que le conduce a afirmar que la disposición adicional primera de la LTAIBG se refiere en su apartado segundo a la aplicación «con carácter supletorio» de la LTAIBG a las materias que tengan previsto un régimen jurídico específico de acceso a la información, y acudiendo a la regulación de la reclamación del art. 24.1 LTAIBG, ésta se prevé «frente a toda resolución expresa o presunta en materia de acceso», sin distinguir entre materias generales y materias objeto de regulación específica, con lo cual, entiende, la literalidad no supone obstáculo alguno a la competencia. Considera que resultaría de una incoherencia insoslayable que la normativa especial que desarrolla un derecho fundamental de los representantes políticos que resulta esencial para el ejercicio de sus funcionales, en que se basa el sistema de democracia representativa, se interpretara como que desprovee a éstos de una garantía con la que cuenta el común de los ciudadanos, cual es la de obtener una respuesta gratuita y rápida, por una Autoridad independiente. No obstante, añade que, ciertamente, la seguridad jurídica ganaría si hubiera incluido una referencia expresa en la norma sobre esta cuestión, pero, en cualquier caso, no parece dudar de la aplicación supletoria de la LTBG respecto de los regímenes específicos de

---

[9]   E. Guichot Reina, "El acceso de los representantes políticos a la información y la nueva normativa sobre transparencia y acceso a la información pública.", *Revista de Estudios de la Administración Local y Autonómica*, núm. 8, 2017, pág. 45; y E. Guichot Reina y C. Barrero Rodríguez, *El derecho de acceso a la información pública*, Tirant lo Blanch, Valencia, 2020, págs. 831-836.

cargos electos. En otro estudio más reciente[10], cita expresamente la disposición adicional séptima de la Ley Foral 5/2018, de 17 de mayo, de Navarra, como ejemplo de las modificaciones de la legislación de transparencia que, a su juicio, deben realizarse a fin de aclarar y evitar la disparidad de criterios y dar la necesaria seguridad jurídica.

Razquin Lizarraga[11] opina que por razones de seguridad jurídica la vía de reclamación ante los Consejos de Transparencia por parte de los parlamentarios en sus solicitudes de acceso a información en ejercicio de su *status*, debe estar prevista expresamente en los reglamentos parlamentarios o en las leyes autonómicas de transparencia. Rechaza, por tanto, que pueda actuarse por vía supletoria sin más.

4. Criterios jurisprudenciales sobre las posibles vías a utilizar por un parlamentario para hacer efectivo su derecho de acceso a información administrativa

Originariamente, el TC (STC 220/1991) consideró que la negativa a dar información a Parlamentarios solo podía ser fiscalizada en el terreno de las relaciones políticas entre Gobierno y Parlamento. El TC señala que los actos a través de los cuales se articulan las peticiones de información y preguntas de los Parlamentarios, incluidos los autonómicos, agotan sus efectos en el campo parlamentario, dando lugar al funcionamiento de instrumentos de control político que excluyen la fiscalización judicial y la del Tribunal Constitucional, al que no le corresponde el control de cualquier clase de alteración o irregularidad que se produzca en relaciones políticas o institucionales, entre el Legislativo y el Ejecutivo.

Siguiendo esta doctrina, inicialmente la jurisdicción contencioso-administrativa se negaba a entrar en estos asuntos por considerar que eran políticos, no administrativos[12]. Razonaba lo siguiente:

---

10   E. Guichot Reina, *Op. Cit.*, 2020, pág. 835.

11   M. M. Razquin Lizarraga, "Límites del derecho de información de los diputados", *Revista Española de Derecho Constitucional*, núm. 113, 2018, pág. 66.

12   Sobre la evolución legislativa y jurisprudencial del control de los "actos políticos", véase L. Latorre Vila, "La protección jurisdiccional del derecho de información de los parlamentarios (a propósito de la callada por respuesta)", *Cuadernos Manuel Jiménez Abad*, núm. 5, 2013, págs. 85-92. Sobre la naturaleza de los

"no todos los actos gubernamentales están sujetos a enjuiciamiento por los Tribunales de lo Contencioso Administrativo y que los producidos en el ámbito de las relaciones del Gobierno con el Parlamento "agotan normalmente sus efectos en el campo estrictamente parlamentario, dando lugar, en su caso, al funcionamiento de los instrumentos de control político, que excluye, generalmente, tanto la fiscalización judicial como la de este Tribunal Constitucional, al que no le corresponde el control de cualquier clase de alteraciones o irregularidades que se produzcan en las relaciones políticas o institucionales entre Legislativo y Ejecutivo."[13]

Más tarde, evolucionó la doctrina de la jurisdicción contencioso-administrativa a partir de las Sentencias del TSJ Valencia, de 29 de abril de 2011 y de 14 de enero de 2014 y de las Sentencias del TS de 25 de febrero de 2013 y 1 de junio de 2015, que las confirman en casación, en las que se afirma que el derecho fundamental a la información de los parlamentarios es protegible mediante el procedimiento preferente y sumario de la jurisdicción contencioso-administrativa, afirmando así la competencia del contencioso-administrativo para resolver sobre conflictos de acceso a información de carácter administrativo entre un parlamentario y una administración pública. Concretamente en la STS de 1 de junio de 2015:

El Gobierno de Valencia solicitaba la anulación de la STSJ de 14 de enero de 2014 aduciendo:

"la sentencia vulnera el artículo 23 CE porque la solicitud de información se produjo en sede parlamentaria conforme al artículo 12 del Reglamento de las Cortes Valencianas y que en este precepto se regula la manera en que se ha de proceder cuando no se atiendan por el Consell las solicitudes de documentación que se le dirijan por los diputados.

---

[13] actos políticos y su control, B. Marcheco Acuña, "El control jurisdiccional de los actos políticos del Gobierno en el derecho español", *Revista Internacional de Estudios de Derecho Procesal y Arbitraje*, Riedpa.com, núm. 2, 2015, págs. 1-50. ¿Pero los concejales sí, y los parlamentarios no? Mientras que para los concejales de un ayuntamiento sí que es competente el órgano garante en los casos de petición de información al Alcalde que regula el artículo 77 de la Ley 7/1985, de 2 de abril, de bases del régimen local, por tratarse de materias sometidas a la jurisdicción contencioso-administrativa, en el caso de los parlamentarios no lo es, por tratarse de una relación de naturaleza parlamentaria no juzgable por dicha jurisdicción (artículo 1.3 de la Ley de la Jurisdicción Contencioso-Administrativa). A esta conclusión llega la sentencia 107/2000, de 14 de febrero, de la sala de lo contencioso-administrativo del Tribunal Superior de Justicia de Murcia (RJC 2000, 266).

(…) estamos en el ámbito parlamentario y en él existen los medios para hacer frente a denegaciones como la que se produjo en este caso."

El TS rechaza esta argumentación y ratifica la sentencia razonando:

"En el caso de la Comunidad Valenciana, […] su Reglamento, en los artículos 8 y siguientes, reconoce a sus diputados una serie de derechos encaminados a situarles en condiciones de contribuir al ejercicio de esos cometidos (art. 12 del Reglamento).

(…)

Así, pues, el ordenamiento jurídico reconoce expresamente la facultad de estos diputados de "recabar los datos, informes y documentos administrativos" y el correlativo deber de la Administración valenciana requerida de facilitarlos a no ser que razones fundadas en Derecho se lo impida.

(….)

No queda tampoco al criterio de la Generalidad Valenciana establecer, mediante la definición de sus límites, dicho derecho o, lo que es lo mismo, la existencia de impedimentos jurídicos que hacen improcedente atender la solicitud de información. Nada impide, desde luego, a los diputados que la hayan visto rechazada, en parte o en su totalidad, seguir el camino parlamentario previsto en el artículo 12 del Reglamento. **Pero nada les impide tampoco hacer uso de los otros medios que el ordenamiento jurídico les brinda para defender su derecho fundamental y, en particular, de la tutela judicial.** Incluso, para obtener la tutela judicial hay casos en que son varios los caminos que se pueden emprender como, por ejemplo, sucede cuando cabe ensayar, incluso simultáneamente, el recurso especial para la protección de derechos fundamentales y el ordinario.

(….)

Ya al margen de las circunstancias propias de este litigio y como consideración de futuro, hay que decir que, tras la Ley 19/2013, de 9 de diciembre, de *transparencia, acceso a la información pública y buen gobierno*, y para la Comunidad Valenciana, tras la Ley 2/2015, de 2 de abril, de transparencia buen gobierno y participación ciudadana de la Comunidad Valenciana, el derecho de los parlamentarios a la información pública no puede sino verse fortalecido. En efecto, a fin de que estén en condiciones adecuadas para hacer frente a la especial responsabilidad que se les han confiado al elegirlos, habrán de contar con los medios necesarios para ello, los cuales en punto al acceso a la información y a los documentos públicos **no sólo no podrán ser inferiores a los que tiene ya a su disposición cualquier ciudadano en virtud de esas leyes, sino que deben suponer el plus añadido imprescindible.**"

Si los parlamentarios pueden acudir a la vía contencioso-administrativa cuando les es denegado el acceso a una información administrativa y, además, han de disponer de los mismos medios que el resto de los ciudadanos, obviamente, también podrán acudir potestativamente ante el correspondiente Consejo o Comisionado de Transparencia mediante una reclamación. Si los ciudadanos pueden acudir vía reclamación a los órganos garantes de la transparencia también podrán acudir los parlamentarios cuando actúen como tales.

Esta concepción ha tenido un claro reflejo en el Reglamento del Parlamento Catalán (artículo 5 quater, apartado 6, introducido en el año 2015)) que contempla expresamente la reclamación de los parlamentarios ante la GAIP en materia de acceso a la información pública. En Navarra, la incorpora implícitamente la disposición final séptima, apartado 2, de la LFTN, norma cuyo alcance y consecuencias paso a analizar seguidamente.

III. COMPETENCIA DEL CTN PARA CONOCER DE RECLAMACIONES FORMULADAS POR PARLAMENTARIOS FORALES EN PETICIONES DE INFORMACIÓN A LA DMINISTRACIÓN.

1. Disposiciones de la LFTN de las que se colige la competencia del CTN para conocer de esas reclamaciones

De entrada, en el ámbito de la actividad parlamentaria procede deslindar lo que es el "control político" del ejecutivo de lo que es una mera actividad de obtención de información administrativa. Control político y obtención de información se diferencian por su distinta estructura y finalidad. Mientras el acceso a información administrativa tiene por objeto simplemente conocer, ignorándose el fin que se dará a la información pues puede agotar sus efectos con la obtención de la información o puede ser instrumental y servir posteriormente para un juicio utilizando otros instrumentos, el control parlamentario es conocer para juzgar, para fiscalizar[14] (control político), pues incorpora un juicio crítico. El control político se vehiculiza a través de la pregunta cuyo objeto es juzgar una actuación del Gobierno. Las preguntas forman parte del control político de los parlamentarios al gobierno autonómico, en su calidad de órgano colegiado, y a su presidente, junto a otros mecanismos de control parlamentario, como las interpelaciones, mociones, moción de censura, cuestión de confianza, etcétera. Esta es una diferencia que aparece nítida en el Reglamento del Parlamento de Navarra: acceso a información administrativa: art. 14; control político: interpelaciones: art. 183 y preguntas: art. 188. Y resulta que entre las funciones del CTN está el control del acceso a información generada en la actividad administrativa de las Administraciones, no el control del acceso a información derivada de la actividad política del Gobierno de Navarra[15].

Sentado lo anterior, la primera conclusión que se muestra como obvia es que la competencia del CTN se limitaría a reclamaciones frente a peticiones insatisfechas de acceso a información administrativa formuladas vía artículo 14 del Reglamento del Parlamento, no a respuestas insatisfactorias a preguntas formuladas vía artículo 188 del Reglamento.

Pues bien, para determinar si el CTN tiene o no competencia para resolver reclamaciones presentadas por parlamentarios forales en el ejercicio del *ius in officium* ante respuestas insatisfactorias a peticiones de acceso a información administrativa formuladas al amparo del artículo 14 del Reglamento, son claves el artículo 30.1 relativo a los sujetos activos y el apartado 2 de la disposición adicional séptima, norma legal situada en el contexto de los regímenes específicos.

---

[14]   En ese sentido, M. J. Izu Belloso, *Derecho Parlamentario de Navarra*, Servicio de Publicaciones del Parlamento de Navarra, 2009, pág. 311. Sin embargo, F. Santaolalla López, *Derecho Parlamentario Español*, Dykinson S.L., Madrid, 2019, págs. 435-480, no acepta la tipificación de las preguntas como manifestación de la función parlamentaria de control pues entiende que les falta la nota sancionatoria característica del control. Para este autor son instrumentos de inspección o fiscalización.

[15]   La STS 128/1987, de 30 de julio, admite la existencia de actos políticos de gobiernos autonómicos.

El artículo 30.1 relativo a los sujetos activos, se caracteriza por su vocación de universalidad, esto es, conforma el derecho de acceso a la información pública como un derecho subjetivo de titularidad universal, titularidad que no está asociada a condición alguna ni precisa justificar interés alguno[16]. En efecto, la "neutralidad" de la LFTN se proyecta sobre la condición de la persona solicitante con tal intensidad que faculta a cualquier persona física o jurídica, sin discriminación alguna, como titular del derecho de acceso a la información de la Administración y sin exigirle ningún interés concreto. Y estos son principios generales a los que se somete la Administración foral por expreso deseo del legislador. Si cualquier ciudadano tiene derecho a solicitar la información de la Administración y, ante la negativa, a reclamar ante el CTN como una garantía institucional y administrativa, la misma conclusión ha de alcanzarse si quien actúa es un representante electo de los ciudadanos, esto es, un parlamentario foral en su petición de información a la Administración, pues las garantías para los primeros no deben ser menores que para los segundos. En suma, un parlamentario no puede ser de peor condición que un ciudadano en cuanto a las garantías en el ejercicio del derecho. Oportuno es recordar nuevamente lo declarado por el TS en su sentencia de 15 de junio de 2015 transcrita *supra*: con la entrada en vigor de la legislación de transparencia "el derecho de los parlamentarios a la información pública no puede sino verse fortalecido."

De ahí que el hecho de que quien solicite la información sea un parlamentario foral no puede ser determinante de una negativa, pues este es un representante de los ciudadanos, dotado de un plus sobre la condición ciudadana que proclama con carácter universal la LFTN respecto del derecho de acceso a la información pública, como tampoco lo es que quien la conceda o niegue sea un consejero, pues actúa aquí en su condición jurídica de órgano administrativo competente, esto es, como órgano superior del departamento competente de la Administración foral. Si el ciudadano tiene derecho a solicitar una información a la Administración de la Comunidad Foral de Navarra

---

[16]   Sobre la titularidad universal del derecho véase, entre otros, I. Martín Delgado, "El derecho de acceso a la información pública", I. Martín Delgado, dir., *Transparencia y acceso a la información pública: de la teoría a la práctica*, Iustel, Madrid, 2019, págs. 110-111.

y, ante la denegación, a acudir al CTN en garantía de su derecho, también un parlamentario foral tendrá derecho a acudir al CTN cuando solicite información de esa Administración y ésta la deniegue. La LFTN no pone límite alguno por razón de la cualidad o condición personal del solicitante, sino que sus limitaciones lo son a la información por el perjuicio que su entrega puede suponer para los derechos o intereses de terceros. No hay, pues, limitación, ni para el derecho, ni para la garantía institucional de este a través del CTN, por razón de ser parlamentario foral, concejal o cualquier otra condición electiva. La reclamación ante el CTN ofrece mayores garantías y si bien el control judicial es vía imprescindible respecto del derecho de acceso a la información, debería configurarse como la última garantía[17], no la única.

Por otra parte, la disposición adicional séptima de la LFTN establece que:

1. Esta ley foral será de aplicación, con carácter general, a toda la actividad relacionada con el acceso a la información pública de las Administraciones Públicas, instituciones públicas y entidades contempladas en el artículo 2 de la misma.

   El acceso a la información medioambiental, sobre ordenación del territorio y urbanismo, sobre archivos y documentos históricos y subvenciones, se regirá por lo dispuesto en esta ley foral, salvo en aquellos supuestos en que la normativa especial establezca con rango de ley limitaciones para el acceso por razón de la protección de determinados intereses públicos o de la protección de datos de carácter personal.

   No obstante lo anterior, se regirán por su normativa específica el acceso a la información tributaria, sanitaria, policial y cualquier otra información en que una norma con rango de ley declare expresamente el carácter reservado o confidencial de la información.

---

[17]   En este sentido, L. Casado Casado, "La reclamación ante el Consejo de Transparencia y Buen Gobierno: ¿Una vía de impugnación aplicable al acceso a la información ambiental?", *Revista catalana de dret públic*, núm. 52, 2016, págs. 22-42.

En lo que no prevea la normativa específica, será de aplicación supletoria esta ley foral.

2. En todos los casos, y cualquiera que sea la normativa aplicable, el Consejo de Transparencia de Navarra será competente para velar por el cumplimiento del derecho de acceso a la información pública y examinar las reclamaciones contra los actos y resoluciones que se dicten de concesión o denegación total o parcial de acceso a la información pública, salvo en los casos del Parlamento de Navarra, Cámara de Comptos, Consejo de Navarra y Defensor del Pueblo de Navarra.

Como es bien conocido, la doctrina calificó la disposición adicional 1ª de la LTAIBG como auténtico Caballo de Troya del derecho de acceso a la información pública por ser las regulaciones específicas una vía de escape para la aplicación del régimen general y las garantías de la LTAIBG[18]. Como anunció el Consejo de Estado en su informe al anteproyecto de ley[19], *"una norma como esta puede dejar vacío de contenido todo el régimen general de acceso a información contenido en la ley de transparencia"*. Pues bien, el legislador foral evita plenamente ese efecto negativo incorporando a la LFTN la disposición adicional séptima transcrita, que de facto deja inoperante en

---

[18]   Véase en este sentido, L. Rams Ramos, "La normativa estatal y autonómica de transparencia en España: valoración de conjunto", *Anuario de Transparencia Local*, 2018, Fundación Democracia y Gobierno Local, 2019, pág. 71.

[19]   Dictamen del Consejo de Estado nº 707/2012, de 19 de julio, al Anteproyecto de la Ley de Transparencia y Buen Gobierno: *"(...) como consecuencia del juego conjunto de las remisiones contenidas en el anteproyecto y las cláusulas que salvaguardan la vigencia de ciertos regímenes especiales, así como de la ausencia de disposiciones derogatorias, no resulta sencillo determinar en todos los casos cuál es la norma de aplicación preferente, lo que permite albergar ciertas dudas en relación con el pretendido alcance general de la disposición proyectada y, por ende, con su efecto innovador del ordenamiento jurídico (...) Se ha mencionado ya el riesgo de que una cláusula de estas características pueda en cierto modo vaciar de contenido la normativa recogida al respecto en el anteproyecto remitido en consulta. Tal riesgo podría haberse evitado introduciendo una tabla de derogaciones y vigencias de modo que no se mantengan las especialidades carentes de necesidad o justificación (...)".*

Navarra la disposición adicional primera de la LTAIBG[20]. Respetando el mínimo común denominador propio de una norma básica, precisa los casos en los que es de aplicación preferente el régimen específico y, sobre todo, mejora lo relativo a las garantías de que han de disponer los sujetos activos en defensa de su derecho de acceso a información administrativa, extendiendo la posibilidad de reclamar a todos los casos y cualquiera que sea la normativa aplicable. Es de hacer notar que esta determinación legal de la LFTN es única, es decir, ninguna otra ley autonómica de transparencia incorpora una norma similar a esta. Es una singularidad de la legislación navarra de transparencia.

La previsión contenida en el apartado 2 -en todos los casos, y cualquiera que sea la normativa aplicable-[21] ha de entenderse que tiene conexión con el derecho de los parlamentarios forales a la información obrante en poder de la Administración de la Comunidad Foral de Navarra y sus organismos públicos, sociedades públicas y fundaciones públicas, y que comprenda datos, informes o documentos administrativos consecuencia de actuaciones realizadas por dichas Administraciones (art. 14 del Reglamento del Parlamento). Dicha petición de información se formula a través del Presidente del Parlamento de Navarra, sin pasar, por tanto, por la Mesa del Parlamento de Navarra. El órgano competente de la Administración de la Comunidad Foral debe resolver sobre ella en el plazo de veinte días. Su objeto sería la documentación administrativa preexistente en poder de los órganos administrativos de la Administración de la Comunidad Foral de Navarra, que ya está elaborada y que ha sido realizada

---

20   L. Rams Ramos, *Op. Cit.*, 2019, pág. 77, hace el siguiente comentario en torno a esta norma foral: "Es de destacar en este sentido que la recientemente aprobada Ley de Transparencia de Navarra no ha sido ajena a esta complicada situación y la ha abordado frontalmente en su disposición adicional 7.ª, sobre "Regulaciones especiales del derecho de acceso a la información pública", clarificando en qué casos específicos es de aplicación preferente la norma específica, determinando la necesidad de que el establecimiento de límites adicionales se haga siempre a través de norma con rango de ley, y estableciendo sobre todo de manera muy clara los casos en los que el Consejo de Transparencia de Navarra es el competente para resolver las reclamaciones."

21   El legislador foral huyó de hacer una enumeración exhaustiva de regímenes específicos ante el riesgo de dejarse más de uno en el tintero, y optó por una fórmula abierta comprensiva de todos los regímenes específicos vigentes o que puedan regularse en el futuro.

como consecuencia de la actividad administrativa. La documentación habría de ser de naturaleza administrativa[22] y estar en el escalón administrativo, así como en archivos y fuentes de la Administración.

En suma, de un lado, el artículo 30 LFTN, al determinar los sujetos activos del derecho de acceso a la información, incluye a los parlamentarios -cualquier persona pública o privada-, y, de otro lado, la disposición adicional séptima, apartado 2, establece que se puede reclamar ante el CTN en todos los casos, y cualquiera que sea la normativa aplicable, a lo que hay que sumar el criterio jurisprudencial de que el cargo electo no debe ser de peor condición que el ciudadano, es decir, ha de disponer de las mismas garantías[23]. Se cumple, pues, con la exigencia de previsión expresa en ley autonómica que reclama Razquin Lizarraga.

Pues bien, estas consideraciones motivaron que el CTN aceptase y resolviese las reclamaciones presentadas por los parlamentarios forales a las que me he referido al inicio de este trabajo. Una de ellas, que fue inadmitida por cuestiones de fondo -el CTN consideró que la información solicitada se situaba en el nivel político, no en el administrativo- fue impugnada por vía del procedimiento especial de protección de derechos fundamentales. Con fecha de 21 de septiembre de 2021, la Sala de lo Contencioso-Administrativo del TSJ de Navarra dictó la Sentencia 246/2021, de 21 de septiembre de 2021, en la que abiertamente declara la competencia del CTN para resolver reclamaciones formuladas por parlamentarios forales en el ejercicio del *ius in officium*.

---

[22]   Conforme a la Ley 19/2013, de transparencia, debe entenderse como información pública los contenidos o documentos, cualquiera que sea su formato o soporte, que hayan sido elaborados o adquiridos por la Administraciones en el ejercicio de las actividades sujetas al derecho administrativo.

[23]   E. Guichot Reina y C. Barrero Rodríguez, "*El derecho de acceso a la información pública*", Tirant lo Blanch, 2020, Valencia, pág. 835, citan esta disposición adicional séptima como ejemplo de la normativa general de transparencia que reclaman para aclarar la competencia de los órganos garantes de la transparencia para conocer de reclamaciones en el ámbito de regímenes especiales como los reglamentos de los parlamentos.

2. Aplicación supletoria de la LFTN

Si, erróneamente en mi opinión, se insistiese en considerar insuficiente la habilitación contenida en el segundo apartado de la disposición adicional séptima de la LFTN, podría acudirse, además, a la regla de supletoriedad de la LFTN. Veámoslo.

Escribe Jiménez Plaza[24] que el principio de supletoriedad que incorpora la LTAIBG (principio que también incorpora la LFTN) juega como regla jurídica para la integración de las lagunas normativas que se puedan producir en las regulaciones especiales de cualesquiera sistemas normativos que integran el ordenamiento jurídico español en su conjunto. Por consiguiente, la aplicación rigurosa del principio de supletoriedad exige su reducción a sus estrictos términos, atendida su función integradora, cuya operatividad se ha de determinar a partir de la norma que regula el ámbito material en el que se va a aplicar el Derecho supletorio y no desde éste.

Siguiendo este criterio, hemos de observar si el Reglamento del Parlamento de Navarra padece de vacíos normativos para, en su caso, acudir supletoriamente a la LFTN. La lectura del artículo 14 nos muestra que no establece un régimen garantista como mecanismo de tutela del derecho de acceso a la información que regula. Entonces, ¿puede afirmarse que la no previsión en el Reglamento del Parlamento de ese régimen garantista ha de tenerse por un supuesto de laguna normativa?

Entiendo que sí pues un régimen acabado exige contemplar titulares, procedimiento y recurso. No establece ningún régimen específico de garantías y no puede tenerse por completa y acabada la regulación del ejercicio de un derecho que no incorpore un sistema de garantías para su efectividad. Es bien conocido el axioma de que un derecho vale jurídicamente lo que valen sus garantías. Del contenido del artículo 14 del Reglamento no se colige la existencia de un régimen jurídico completo y acabado sobre esta materia -el acceso a información pública en poder de administraciones-, ni se atisba que fuera intención

---

[24]   M. I. Jiménez Plaza, "La Disposición Adicional 1ª de la Ley 19/2013, de 9 de diciembre, de *transparencia, acceso a la información pública y buen gobierno* y el derecho de acceso a la información por los concejales: reflexiones sobre el régimen de tutela", *Revista General de Derecho Administrativo*, núm. 49, 2018.

del Parlamento construir un régimen completo y acabado que excluyera otro, aún a título supletorio, y no se entrevé porque no puede predicarse una regulación acabada de un derecho que no incorpora garantía alguna en su ejercicio y porque, además, otros Reglamentos, que tampoco incorporaban garantía alguna, sin embargo, en fechas recientes se han reformado para integrar algún mecanismo de garantía[25] y disponer así de un régimen completo y acabado del derecho de acceso por parte de los parlamentarios a información en manos de las administraciones[26].

---

[25] Los mecanismos que incorporan son diferentes, algunos a operar ante órganos parlamentarios y otros a operar ante órganos externos como es el caso de Cataluña que contempla la reclamación ante la autoridad de transparencia autonómica.

[26] Por ejemplo:
El Reglamento del Parlamento de Cataluña, reforma parcial operada el 16 julio de 2015 («D.O.G.C.» 29 julio) contiene el siguiente artículo:
Artículo 8. 6. Los diputados pueden hacer valer su derecho de acceso a la información mediante los mecanismos de garantía establecidos con carácter general por la legislación de *transparencia, acceso a la información pública y buen gobierno*. La utilización de esta vía es compatible con la aplicación de las demás medidas establecidas por el presente reglamento y no excluye dicha aplicación.
El Reglamento de las Cortes de Aragón mediante reforma operada en 2017 contiene el siguiente artículo:
Artículo 35. Control del cumplimiento del derecho a la información.
1. Cuando, a juicio del Diputado, la entidad requerida incumpliera o cumpliera defectuosamente con lo requerido, y sin perjuicio de cualquier otro recurso establecido legalmente, el Diputado podrá formular su queja ante la Mesa de las Cortes, que adoptará las medidas que considere procedentes, dando cuenta de ellas al Diputado interesado.
2. Previa solicitud de, al menos, un grupo parlamentario, la Presidencia, de acuerdo con la Junta de Portavoces, incluirá en el orden del día de una sesión plenaria de control al Gobierno una pregunta o comparecencia específica para el debate en la Cámara sobre los incumplimientos o cumplimientos defectuosos, por parte del Gobierno de Aragón o de las entidades aragonesas, de las obligaciones contenidas en este artículo. No será aplicable este apartado en los casos de reiteración de las solicitudes de información que ya hayan sido objeto de control por esta vía.
El Reglamento del Parlamento de Galicia, en reforma operada en 2018 contiene el siguiente artículo: Artículo 9
[2] bis. En caso de que la Administración autonómica no facilitara la información requerida y de que no mediara comunicación que justificase la negativa en el plazo señalado en el apartado anterior, al haber transcurrido treinta días

Pues bien, si aceptamos esto -existencia de laguna-, de entrada, sería defendible la supletoriedad de las garantías establecidas en la normativa foral de transparencia en la medida en que la LFTN es una norma general en materia de derecho de acceso a la información pública, que opta por crear, como mecanismo de tutela de ese derecho, una reclamación frente a un órgano independiente (el CTN), con carácter potestativo y previo a su impugnación en vía contencioso-administrativa, y el Reglamento del Parlamento de Navarra es una norma espacial en cuanto regula un régimen específico de acceso a información pública, pero inacabado[27]. Cierto, como advirtió Guichot[28], que no siempre será sencillo ni pacífico determinar los extremos concretos a que se extiende la supletoriedad de la LTBG. No obstante esa dificultad, en general, la doctrina se pronuncia a favor de la extensión supletoria de la reclamación ante los órganos garantes de transparencia en relación con las solicitudes de acceso a la información en regímenes específicos en la medida en que resulta más favorable. En concreto,

---

las solicitudes de información podrán ser reconvertidas, siempre a petición del autor o autora de las mismas, en pregunta en Comisión, donde recibirán el tratamiento de las preguntas orales.

Estos tres textos se han incorporado recientemente mediante modificaciones de los Reglamentos, lo que acredita que los legisladores autonómicos las tenía por lagunas legales.

[27]   En este mismo sentido se pronuncia la Resolución 57/2017, de 8 de junio, de la Comisión de Transparencia de Castilla y León, apoyándose en el Dictamen 1/2017 Comisión de Garantía del Derecho de acceso a la Información Pública de Cataluña. Afirma la posibilidad de reclamar ante la autoridad de transparencia en materia de información ambiental: *"En definitiva, dado que la normativa específica de acceso a la información ambiental, en lo que afecta a la impugnación de las denegaciones de acceso, se remite a los recursos administrativos contemplados en la legislación de procedimiento administrativo, sin realizar previsión alguna a la posibilidad de reclamación ante las autoridades independientes de transparencia y buen gobierno, a juicio de esta Comisión de Transparencia, en tanto que nos encontramos ante un aspecto no regulado, resulta de aplicación supletoria la LTAIBG y, por tanto, es posible la tramitación de las reclamaciones de acceso a la información ambiental por el Consejo de Transparencia y Buen Gobierno y por los organismos equivalentes de las Comunidades Autónomas."*

[28]   E. Guichot Reina, "Transparencia: aspectos generales" (capítulo II), en E. Guichot Reina, coord., *Transparencia, Acceso a la Información Pública y Buen Gobierno. Estudio de la Ley 19/2013, de 9 de diciembre*, Tecnos. Madrid, 2014, págs. 53-54.

Guichot[29] afirma que el sentido básico de la supletoriedad es precisamente la extensión de la esencial garantía de la reclamación ante los órganos garantes de la transparencia a los regímenes especiales que no contemplan modos específicos de reclamación. En suma, no parece haber mayores dudas de que la reclamación, en cuanto garantía, ha de extenderse supletoriamente a cualquier régimen específico que no contemple, pero que tampoco excluya expresamente esa garantía precontenciosa.

Ahora bien, antes de alcanzar esa conclusión respecto al régimen específico del artículo 14 del Reglamento, que no contempla esa garantía precontenciosa, preciso es analizar el alcance de la regla de supletoriedad contenida en el apartado primero de la disposición adicional séptima de la LFTN conforme al contexto normativo de la ley foral. Dicho de otra forma: ¿el legislador foral ha excluido o pretendía excluir esa garantía precontenciosa del sistema de garantías que corresponde a los parlamentarios en el ejercicio de su derecho de acceso a información administrativa?

El proyecto de LFTN, en su artículo 2.2 disponía que *"en el ejercicio de la actividad sujeta al Derecho Administrativo, en relación a sus actividades en materia de personal, bienes, contratación y subvenciones, será aplicable al Parlamento de Navarra....."*. Empero, esta previsión fue suprimida en la tramitación parlamentaria y, en su lugar, se incorporó una disposición adicional primera en la que se establece que *"La aplicación de los principios de transparencia de la presente ley foral al Parlamento de Navarra y a sus miembros se llevará a cabo por su Reglamento y demás normas de desarrollo y aplicación."* Este cambio operado en sede parlamentaria parece indicar que fue intención del legislador navarro impedir cualquier aplicación de la LFTN a la actividad parlamentaria.

Sin embargo, un poco más adelante, en el apartado 1 de la disposición adicional séptima dispuso:

> Esta ley foral será de aplicación, con carácter general, a toda la actividad relacionada con el acceso a la información pública de las Administraciones Públicas, instituciones públicas y entidades contempladas en el artículo 2 de la misma.

---

[29]   E. Guichot Reina y C. Barrero Rodríguez, *Op. Cit.*, 2020, pág. 770.

> *El acceso a la información medioambiental, sobre ordenación del territorio y urbanismo, sobre archivos y documentos históricos y subvenciones, se regirá por lo dispuesto en esta ley foral, salvo en aquellos supuestos en que la normativa especial establezca con rango de ley limitaciones para el acceso por razón de la protección de determinados intereses públicos o de la protección de datos de carácter personal.*
>
> *No obstante lo anterior, se regirán por su normativa específica el acceso a la información tributaria, sanitaria, policial y cualquier otra información en que una norma con rango de ley declare expresamente el carácter reservado o confidencial de la información.*
>
> **En lo que no prevea la normativa específica, será de aplicación supletoria esta ley foral.**

Así pues, contempla la supletoriedad de la LFTN, pero conviene insistir en que el inciso primero precisa que la LFTN es de aplicación general a toda la actividad relacionada con el acceso, aunque tenga un régimen específico, pero solo respecto de los sujetos reseñados en el artículo 2 y, como hemos comprobado, se excluyó al Parlamento de los sujetos reseñados en el artículo 2 y, además, la disp. adic. 1ª, establece que lo relativo a la transparencia se regirá exclusivamente conforme a lo que disponga su Reglamento y la normativa de desarrollo.

Parece, pues, evidente la intención del legislador foral de excluir al Parlamento de Navarra de la aplicación de las normas de transparencia de la LFTN, tanto de publicidad activa como de la pasiva, incluso en su actividad sujeta al Derecho administrativo (personal, bienes, contratación, etc.), intención de la que es plausible inferir que también alcanzaría al ámbito de las garantías de que han de disponer los parlamentarios en el ejercicio de su oficio. Ello nos abocaría a la conclusión de que esa exclusión arrastra la no posibilidad por parte de los parlamentarios forales de utilizar supletoriamente la reclamación ante el CTN.

No obstante, creo que la literalidad, taxatividad y descontextualización de la expresión *"En lo que no prevea la normativa específica, será de aplicación supletoria esta ley foral"* permite defender, fuera o no ésta la intención del legislador, la aplicación supletoria de la LFTN respecto de la actividad parlamentaria.

Además, la aplicación supletoria de la LFTN podría defenderse desde la óptica siguiente. La LTBG, con el carácter de norma básica, establece la regla general de supletoriedad. Entonces, la supletoriedad forma parte del mínimo común denominador normativo propio de las bases, de manera que cualquier exclusión de la supletoriedad por una ley autonómica quebraría ese mínimo común denominador. Incluso, siguiendo la doctrina de la STC 134/2017 (el salto de la legislación básica de mínimo común garantista a máximo común excluyente)[30], sería plausible entender que la disp. adic. 1ª al declarar el carácter supletorio de la LTAIBG, a pesar de ser básica, agota el espacio normativo e impide, por ende, que una ley autonómica incida sobre esta cuestión de ninguna manera. De ser esto así, la consecuencia es que la LFTN, por mor de la normativa básica, también forzosamente habría de ser supletoria respecto del régimen de garantía en el acceso a la información regulado en el artículo 14 del Reglamento del Parlamento de Navarra, pues el Reglamento no la excluye expresamente.

En cualquier caso, a efectos de reclamaciones formuladas por parlamentarios no es necesario acudir al principio de supletoriedad pues tenemos suficiente habilitación a través del artículo 30 y del apartado 2 de la disposición adicional séptima de la LFTN. Así lo ha confirmado la sentencia del TSJ de Navarra 246/2021, de 21 de septiembre de 2021.

---

[30]   Sobre esta sentencia, véase E. Roig Molès, "Las bases como "máximo" común: comentario a las Sentencias del Tribunal Constitucional 134/2017, de 16 de noviembre, y 145/2017, de 14 de diciembre, que consideran básica la exclusión de determinadas personas del sistema sanitario público", en *Observatorio de Derecho Público*, disponible en: https://www.foroautonomias.es/las-bases-como-maximo-comun-comentario-a-las-sentencias-del-tribunal-constitucional-1342017-de-16-de-noviembre-y-1452017-de-14-de-diciembre-que-consideran-basica-la-exclusion-d/

CONSEJO DE TRANSPARENCIA Y PARTICIPACIÓN DE LA COMUNIDAD DE MADRID: COMPARATIVA DE SU NATURALEZA JURÍDICA CON OTRAS AUTORIDADES DE TRANSPARENCIA ESPAÑOLAS

Rafael Rubio Núñez

Vocal del Consejo de Transparencia y Participación de la Comunidad de Madrid y profesor titular de la Universidad Complutense de Madrid

Ana Ibarz Moret

Directora del Gabinete de Comunicación, Transparencia y Relaciones Institucionales del Consejo de Transparencia y Participación de la Comunidad de Madrid

I. INTRODUCCIÓN

Nuestra sociedad está marcada por el impacto de las crisis económicas y sociales, por la corrupción y por la erosión de la legitimidad de los poderes públicos. Ante este contexto, y como respuesta al deterioro de la imagen de las instituciones y a la pérdida de confianza de la ciudadanía hacia el ámbito público, la Administración y sus gobernantes han asumido la demanda ciudadana que cada vez exige de una mayor transparencia e integridad en la actuación pública.

En este sentido, es bien sabido que en 2013 las Cortes Generales aprobaron la Ley 19/2013, de 9 de diciembre, de Transparencia, Acceso a la Información Pública y Buen Gobierno (en adelante, LTAIBG). La promulgación de esta ley, largamente demandada por la sociedad, supuso una oportunidad para promover un cambio de cultura de las instituciones y avanzar hacia una Administración más abierta, participada y responsable, así como para mejorar la calidad democrática y recuperar y fortalecer la confianza de la ciudadanía.

Desde entonces, se ha llevado a cabo un proceso de regulación, tanto a nivel estatal como autonómico, de distintos mecanismos y órganos de control y protección de la transparencia. Por tanto, este estudio parte de la premisa de que la proliferación de las distintas leyes en materia transparencia y la creación de órganos de control –a los que nos referiremos genéricamente como autoridades de transparencia– son una declaración del creciente enfoque regulatorio de los poderes públicos. Aprovechando la aprobación de la última ley autonómica en esta materia, la Ley 10/2019, de 10 de abril, de Transparencia y de Participación de la Comunidad de Madrid (en adelante, LTPCM), y la creación del Consejo de Transparencia y Participación madrileño, en las siguientes páginas se expone una comparativa del conjunto de las autoridades de transparencia autonómicas con el fin de ofrecer una visión global y actualizada de las mismas.

Para ello, se lleva a cabo una aproximación a la configuración de estas autoridades de transparencia y se examinan las distintas posibilidades elegidas por los legisladores autonómicos en cuanto a su forma y funcionamiento, atendiendo a los elementos comunes y prestando especial atención a aquellas cuestiones específicas que difieren de la LTAIBG o del resto de leyes autonómicas con el fin de contrastarlos entre sí y reflexionar sobre los elementos que pueden favorecer su independencia, imparcialidad y especialización.

II. EL PROCESO DE CREACIÓN DE LAS AUTORIDADES DE TRANSPARENCIA AUTONÓMICAS EN ESPAÑA

La LTAIBG establecía un estándar mínimo de obligaciones con el objeto de "ampliar y reforzar la transparencia de la actividad pública, reconocer y garantizar el derecho de acceso a la información relativa a aquella actividad" (art. 1.) a todas las personas, de acuerdo con lo previsto en el artículo 105.b de la Constitución. Además, la ley regulaba la posibilidad de formular reclamaciones ante denegaciones expresas o presuntas de solicitudes amparadas en el derecho de acceso a la información (art. 24).

Para su resolución, la norma creaba en el ámbito estatal el Consejo de Transparencia y Buen Gobierno (en adelante, CTBG), un órgano de control encargado de velar por el cumplimiento de las normas de publicidad activa, y de salvaguardar el ejercicio de derecho de acceso a la información pública y la observancia de las normas de buen gobierno (arts. 33 y 34). Cabe señalar que debido al retraso que se produjo en la elaboración y publicación definitiva de la LTAIBG, Galicia, Baleares, Extremadura y Navarra ya habían aprobado, de forma previa a la norma estatal, legislación que se ocupaba en mayor o menor medida de la transparencia.

No obstante, desde que se publicó la LTAIBG y se instituyó el CTBG, todas las comunidades comenzaron a promulgar una batería de leyes y de reglamentos que han ido adaptando la normativa estatal y desarrollando los aspectos básicos de la misma. Debemos apuntar que este desarrollo normativo no solo ha venido estimulado por la aprobación de la LTAIBG, sino también por su carácter y estructura que, según señala Jiménez Asensio, "exigía un despliegue normativo ulterior por parte de los diferentes niveles de gobierno"[1].

Como consecuencia de este proceso, han proliferado en nuestro ordenamiento diferentes autoridades autonómicas de control. La norma estatal establece que las comunidades pueden atribuir la competencia de conocer las reclamaciones que se formulen respecto a las entidades públicas de su ámbito territorial al CTBG mediante la suscripción de un convenio o, por el contrario, asumirlas a través de organismos autonómicos ya existentes o de nueva creación (art. 24.6 y D.A. 4ª LTAIBG).

Sin embargo, prescinde de fijar unos requisitos mínimos de diseño relacionados con la forma y funcionamiento, por lo que las comunidades han llevado a cabo una regularización heterogénea de la figura análoga al CTBG estatal, distinguiendo tantos modelos de autoridades de control en materia de transparencia como leyes autonómicas existentes[2].

---

[1]   R. Jiménez Asensio, "Instituciones de garantía de la transparencia", *El Cronista del Estado Social y Democrático de Derecho*, núm. 68, 2017, pág. 60.

[2]   Ibídem, pág. 69; E. Orduña Prada, y J. M. Sánchez Saudinós, "La estructura orgánica del Consejo de Transparencia y Buen Gobierno", págs. 1709-1710, en A.

1. El ecosistema actual de las autoridades de transparencia en España

Lo primero que se advierte al observar el mapa autonómico referente a la normativa reguladora en materia de transparencia es que, actualmente, todas las comunidades disponen de leyes de transparencia propias, a excepción de País Vasco, cuya Ley de Transparencia, Participación Ciudadana y Buen Gobierno se encuentra en trámite desde hace tiempo (véase Tabla 1).

Además, como ya hemos visto, la Ley 4/2013, de 21 de mayo, de Gobierno Abierto de Extremadura (en adelante, LGAEx) fue aprobada antes de la publicación de la LTAIBG y se mantiene sin cambios debido a que su proceso de tramitación fue casi simultáneo al de la norma estatal e incluye elementos que posteriormente incorporaron otras normas autonómicas. También merece especial mención que el Pleno del Parlamento navarro ha aprobado recientemente la modificación de la Ley Foral 5/2018, de 17 de mayo, de Transparencia, Acceso a la Información y Buen Gobierno (en adelante, LTNv) para establecer un mejor control, transparencia e información pública en relación a los procesos de convocatoria, adjudicación e implementación de proyectos financiados con fondos europeos.

Por último, la LTPCM es la incorporación más reciente al mapa autonómico de legislación en materia de transparencia. Por tanto, podemos considerar que, prácticamente, hemos llegado a lo que Guichot Reina denomina como el fin del proceso "fundacional" o "normativo", un proceso que no ha sido nada sencillo y que ha requerido de la presión de distintos *stakeholders* para incluir la aprobación de la normativa reguladora en materia de transparencia en la agenda pública[3].

Troncoso, dir., Comentario a la Ley de *Transparencia, Acceso a la Información Pública y Buen Gobierno*, Thomson Civitas, Madrid, 2017, págs. 1696-1717.

[3]   E. Guichot Reina, "¿Cuánto hemos avanzado en transparencia?", *Revista Española de la Transparencia*, núm. 5, segundo semestre 2017, págs. 24-30.

Tabla 1. Normativa reguladora y censo de autoridades de transparencia por Comunidades Autónomas

Comunidad	Normativa reguladora (por orden cronológico)	Autoridad de transparencia
Islas Baleares	Ley 4/2011, de 31 de marzo, de buena administración y buen gobierno de las Islas Baleares (LBAIB) Decreto 1/2019, de 11 de enero, regulador de la Comisión para las Reclamaciones de Acceso a la Información Pública	Comisión para la resolución de las reclamaciones de acceso a la información pública de las Islas Baleares (CRAIPIB). *Creada por el Decreto 1/2019, de 11 de enero*
Extremadura	Ley 4/2013, de 21 de mayo, de Gobierno Abierto de Extremadura (LGAEx)	Convenio con el CTBG
Andalucía	Ley 1/2014, de 24 de junio, de Transparencia Pública de Andalucía (LTAn)	Consejo de Transparencia y Protección de Datos de Andalucía (CTPDAn)
La Rioja	Ley 3/2014, de 11 de septiembre, de Transparencia y Buen Gobierno de La Rioja (LTLR)	Convenio con el CTBG
Murcia	Ley 12/2014, de 16 de diciembre, de Transparencia y Participación Ciudadana de Murcia (LTMu)	Consejo de la Transparencia de la Región de Murcia (CTMu)
Canarias	Ley 12/2014, de 26 de diciembre, de Transparencia y de Acceso a la Información Pública de Canarias (LTCn)	Comisionado de Transparencia y Acceso a la Información Pública de Canarias (CTCn)
Cataluña	Ley 19/2014, de 29 de diciembre, de *Transparencia, Acceso a la Información Pública y Buen Gobierno* de Cataluña (LTCat)	Comisión de Garantía de Acceso a la Información Pública de Cataluña (GAIP)
Castilla y León	Ley 3/2015, de 4 de marzo, de Transparencia y Participación Ciudadana de Castilla y León (LTCL)	Comisionado de Transparencia (CTPC) y Comisión de Transparencia de Castilla y León (CTCL)
Aragón	Ley 8/2015, de 25 de marzo, de Transparencia de la Actividad Pública y Participación Ciudadana de Aragón (LTAr)	Consejo de Transparencia de Aragón (CTar)
Comunidad Valenciana	Ley 2/2015, de 2 de abril, de Transparencia, Buen Gobierno y Participación Ciudadana de la Comunidad Valenciana (LTCV)	Consejo de Transparencia, Acceso a la Información Pública y Buen Gobierno de la Comunidad Valenciana (CTCV)

Galicia	Ley 1/2016, de 18 de enero, de Transparencia y Buen Gobierno de Galicia (LTGa)	Comisionado de Transparencia (CTVP) y Comisión de Transparencia de Galicia (CTGa)
Castilla-La Mancha	Ley 4/2016, de 15 de diciembre, de Transparencia y Buen Gobierno de Castilla-La Mancha (LTCM)	Consejo Regional de Transparencia y Buen Gobierno de Castilla-La Mancha (CTRCM)
Cantabria	Ley 1/2018, de 21 de marzo, de Transparencia de la Actividad Pública de Cantabria (LTCb)	Consejo de Transparencia de Cantabria (CTCb). *Sin instituirse*
Navarra	Ley Foral 5/2018, de 17 de mayo, *de* Transparencia, Acceso a la Información Pública y Buen Gobierno de Navarra (LTNv)	Consejo de Transparencia de Navarra (CTNv)
Asturias	Ley 8/2018, de 14 de septiembre, de Transparencia, Buen Gobierno y Grupos de Interés de Asturias (LTAs)	Consejo de Transparencia y Buen Gobierno de Asturias (CTAs). *Sin instituirse*
Comunidad de Madrid	Ley 10/2019, de 10 de abril, de Transparencia y Participación de la Comunidad de Madrid (LTPCM)	Consejo de Transparencia y Participación de la Comunidad de Madrid (CTPCM)
País Vasco	Decreto 128/2016, de 13 de septiembre, de la Comisión Vasca de Acceso a la Información Pública (LTPV) Ley de Transparencia, Participación Ciudadana y Buen Gobierno. *En trámite*	Comisión Vasca de Acceso a la información Pública (CVAIP). *Creada por el Decreto 128/2016, de 13 de septiembre*

Fuente: elaboración propia

Respecto a las autoridades de transparencia autonómicas que regulan estas leyes, se advierte que están constituidas por un conjunto heterogéneo de Consejos, Comisionados y Comisiones. Además del CTBG estatal se contabilizan un total de quince autoridades, siendo el Consejo de Transparencia y Participación de la Comunidad de Madrid el último en crearse y en entrar en funcionamiento.

Es preciso matizar que entre estos quince organismos de control se incluyen las autoridades de transparencia creadas por las respectivas leyes de transparencia de Cantabria, Asturias y Castilla-La Mancha, aunque en la práctica continúan pendientes de constituirse o de iniciar su puesta en marcha. Así, en estos tres casos coexiste la regulación formal de órganos que todavía no están en funcionamiento con la vigencia de sendos convenios con el CTBG para la resolución de las reclamaciones en materia de acceso a la información pública.

En este sentido, un grupo mayoritario de comunidades han aprobado leyes de transparencia propias y han creado sus autoridades de transparencia específicas, como es el reciente caso de Madrid (art. 72.1 LTPCM), Canarias (art. 58.1 LTCn), Murcia (art. 38.1 LTMu), Andalucía (art. 43.1 LTAn), Aragón (art. 37.1 LTAr), Comunidad Valenciana (art. 39 LTCV) y Cataluña (art. 39.1 LTCat), o han atribuido las competencias a un organismo ya existente en su ámbito territorial, como sucede en Galicia (art. 32.1 LTGa) y en Castilla y León (art. 11.1 LTCL).

Otras comunidades han optado por atribuir las competencias para resolver las reclamaciones en materia de acceso a los correspondientes Defensores del Pueblo[4], en el caso de Galicia al Valedor Do Pobo (art. 33.1 LTGa), y en el caso de Castilla y León al Procurador del Común (art. 11.1 LTCL).

También merecen especial mención las autonomías en las que hay situaciones transitorias, como Baleares (art.1, Decreto 1/2019, de 11 de enero) y País Vasco (art.1, Decreto 128/2016, de 13 de septiembre), que han modificado sus leyes de transparencia mediante decretos en los que se crean autoridades de control que se autodefinen como provisionales.

Asimismo, Extremadura y La Rioja –bien porque así lo han decidido sus Gobiernos o por sus propias leyes– no han creado ninguna autoridad de transparencia y han encomendado al CTBG la competencia para resolver las reclamaciones previstas en el artículo 24 de la LTAIBG, a través de sendos convenios.

---

[4]   Galicia ha atribuido la competencia al Valedor Do Pobo, dentro del cual ha creado el Comisionado de Transparencia para el control de las obligaciones en materia de transparencia, y la Comisión de Transparencia como órgano adscrito al mismo para resolver las reclamaciones en materia de acceso a la información. Por su parte, Castilla y León ha creado dos órganos: el Comisionado y la Comisión de Transparencia, que tiene atribuida la función de resolver las reclamaciones en materia de acceso.

1.1. Naturaleza jurídica y vinculación con la Administración autonómica

En cuanto a la configuración de las autoridades de transparencia, en todas las leyes autonómicas, sin excepción alguna, se incide nominalmente en el carácter independiente de las respectivas autoridades de garantía de la transparencia, en su autonomía y no sometimiento a instrucciones jerárquicas. Sin embargo, a la mayoría de autoridades de transparencia autonómicas no se les ha atribuido personalidad jurídica propia y tampoco se las ha configurado como autoridades administrativas independientes.

En este sentido, y siguiendo el modelo del CTBG y del resto de organismos, el Consejo madrileño "actúa con plena independencia orgánica y funcional" (art. 72.2 LTPCM), aunque más allá de su articulado no dispone de personalidad jurídica propia y es la Asamblea de Madrid la que lo provee de los medios personales y materiales (art. 73.2 LTPCM), con la consecuente limitación en cuestiones de autogestión.

Por tanto, un primer análisis del conjunto de las leyes de transparencia autonómicas pone de manifiesto que hay varios modelos de vertebración de las autoridades de control en función de su relación con la Administración y que pueden implicar diversos niveles de garantía formal de su independencia (véase Tabla2).

Tabla 2. Naturaleza jurídica de las autoridades de transparencia autonómicas

	Comunidad y autoridad de transparencia	Órgano al que se adscribe	Relación con la Administración	Personalidad jurídica propia
Autoridades con dependencia orgánica al Parlamento autonómico (3)	Comunidad de Madrid (CTPCM)	Asamblea de Madrid (art.72.1 LTPCM)	-	No
	Canarias (CTCn)	Parlamento de Canarias (art.59.1 LTCn)	-	No
	Castilla-La Mancha (CRTCM)	Cortes de Castilla-La Mancha (art. 61.1 LTCM)	-	No

Autoridades adscritas o relacionadas con la Consejería o departamento autonómico responsable en materia de transparencia (6)	Aragón (CTAR)	Departamento competente en materia de transparencia (art.37.2 LTAr)	-	No
	Islas Baleares (CRAIPIB)	Consejería de Presidencia competente en materia de transparencia y buen gobierno (art.1.4, Decreto 1/2019, de 11 de enero)	-	No
	Navarra (CTNv)	Departamento de Presidencia, Función Pública, Interior y Justicia (art.63.2 LTNv)	-	No
	País Vasco (CVAIP)	Viceconsejería de Función Pública (D.A, Decreto 128/2016, de 13 de septiembre)	A través de la Dirección de Atención a la Ciudadanía, Innovación y Mejora de la Administración (D.A, Decreto 128/2016, de 13 de septiembre)	No
	Comunidad Valenciana (CTCV)	Consellería competente en materia de transparencia y acceso a la información pública (art. 39 LTCV)	-	No
	Cataluña (GAIP)	Departamento de la Generalitat competente en materia de políticas de transparencia (art.41.1 LTCat)	A través del Consejero responsable del departamento de la Generalitat competente en materia de políticas de transparencia (art.55.1, Decreto 111/2017, de 18 de julio, por el cual se aprueba el Reglamento de la GAIP)	No
Autoridades vinculadas al Defensor del Pueblo (2)	Galicia (CTVP y CTGa)	Valedor do Pobo (art.32.1 LTGa)	-	No
	Castilla y León (CTPC y CTCL)	Procurador del Común (art.11.1 LTCL)	-	No

Autoridades administrativas independientes (4)	Andalucía (CTPDAn)	-	A través de la Consejería de la Presidencia (art.43.4)	Sí
	Murcia (CTMu)	-	A través de la Consejería competente en materia de transparencia (art.38.3)	No
	Asturias (CTAs)	-	-	Sí (previsto)
	Cantabria (CTCb)	-	A través del órgano directivo competente en materia de transparencia (art.33.3)	Sí (previsto)

Fuente: elaboración propia

En primer lugar, encontramos un grupo de órganos sin personalidad jurídica propia que no se adscriben a los ejecutivos autonómicos, sino que dependen de las cámaras legislativas. Este modelo de configuración en el que las autoridades de transparencia quedan adscritas o dependen orgánicamente de los parlamentos autonómicos resulta interesante –al menos desde una perspectiva formal– porque supone alejar a los órganos de control de la transparencia pública de la administración sobre cuyas resoluciones tendrán que pronunciarse, favoreciendo de este modo la independencia de los órganos. Esta es la fórmula que se ha seguido en la configuración del Consejo de Transparencia y Participación de la Comunidad de Madrid, que está orgánicamente adscrito a la Asamblea. Sigue el mismo patrón el Consejo Regional de Transparencia y Buen Gobierno de Castilla-La Mancha, que se adscribe a las correspondientes Cortes (art. 61.1 LTCM), y el Comisionado de Transparencia y Acceso a la Información Pública de Canarias, que depende del Parlamento canario (art. 59.1 LTCn).

En segundo lugar, encontramos un grupo mayoritario de autoridades de transparencia adscritas o relacionadas con la consejería o departamento autonómico responsable en materia de transparencia. A esta fórmula de integración en el departamento responsable o a la consejería correspondiente han recurrido Aragón (art. 37.2 LTAr), Comunidad Valenciana (art. 39 LTCV), Cataluña (art. 41.1 LTCat), Islas Baleares (art. 1.4, Decreto 1/2019, de 11 de enero) y Navarra (art. 63.2 LTNv).

Por ejemplo, en el caso catalán, la Comisión de Garantía de Acceso a la Información Pública canaliza su relación con la Administración mediante el consejero responsable del parlamento de la Generalitat competente en materias de transparencia (Art. 55.1, Decreto 111/2017, de 18 de julio); mientras que la Comisión Vasca de Acceso a la Información Pública no se integra en la estructura jerárquica de la Viceconsejería de Función Pública a la que se adscribe, vehiculizando sus relaciones con la Administración a través de la Dirección de Atención a la Ciudadanía, Innovación y Mejora de la Administración (D.A., Decreto 128/2016, de 13 de septiembre).

En tercer lugar, dos autoridades de transparencia se articulan mediante organismos ya existentes en su ámbito territorial, concretamente, a través de los Defensores del Pueblo. Galicia opta por atribuir la competencia de resolver las reclamaciones al Valedor do Pobo a través del Comisionado de la Transparencia (art. 32 LTGa) con el fin de "garantizar la auténtica independencia del órgano", mientras que Castilla y León vincula su Comisionado y la Comisión de Transparencia al Procurador del Común (art. 11 y 12 LTCL).

Finalmente, el modelo seguido por las autoridades de transparencia de Andalucía (art. 43.1 LTAn), Murcia (art. 38.1 LTMu), Cantabria (art. 33.1 LTCb) y Asturias (art. 63.1 LTAs) es el que más se asemeja a la regulación del CTBG estatal. Estas cuatro autoridades han sido creadas con cierto estatus de independencia y acogiéndose a fórmulas asociadas a administraciones independientes. Cabe señalar que el Consejo de Transparencia y Protección de Datos de Andalucía encaja plenamente en el patrón del CTBG estatal, ya que cuenta con personalidad jurídica propia y posee plena capacidad y autonomía orgánica y funcional. Desde el punto de vista institucional, se relaciona con la Administración de la Junta de Andalucía a través de la Consejería de Presidencia (art. 43.4 LTAn).

1.2. Estructura interna, carácter y competencia para la resolución de reclamaciones

La naturaleza de las autoridades de transparencia autonómicas también tiene que ver con el modo de organización interna respecto a la atribución de la competencia de resolver las reclamaciones en materia de acceso. En este sentido, la estructura –en uno o varios órganos diferenciados y con distintas competencias– y el carácter –unipersonal o colegiado– de las autoridades de transparencia son criterios decisivos a la hora de enjuiciar la independencia de las autoridades de control.

El CTBG cuenta con un modelo institucional complejo, conformado por dos órganos regulados en la LTAIBG: un órgano colegiado (la Comisión de Transparencia y Buen Gobierno) y un órgano dominante (la Presidencia). En función de la estructura interna de las autoridades de transparencia autonómicas, se observa que han optado por esta configuración Aragón (art. 6.1, Decreto 32/2016, de 22 de marzo, del Gobierno de Aragón, por el que se aprueba el Reglamento de Organización y de Funcionamiento del Consejo de Transparencia de Aragón), Navarra (art. 65.1 LTNv), Murcia (art. 38.5 LTMu) y Andalucía (art. 46.1 LTAn).

En un segundo caso, encontramos las autoridades de transparencia que, además de tener un órgano plenario de carácter colegiado, también cuentan con un órgano superior, como la Comisión Ejecutiva, de carácter colegiado. Pueden incluirse dentro de este grupo las autoridades de transparencia de la Comunidad Valenciana (art. 40.1 LTCV) y Castilla-La Mancha (art. 61.2.a LTCM). Además, cabe señalar que, como hemos visto, las autoridades de Castilla y León (art. 12 LTCL) y Galicia (art. 33 LTGa) disponen, formalmente, de una Comisión como órgano colegiado, pero ponen especial énfasis en la correspondiente figura de los Defensores del Pueblo, que en ambos casos tienen atribuida la competencia para la resolución de las reclamaciones.

Es atípico el modelo estructural por el que optó la ley catalana de transparencia, que realizó un reparto de las funciones de control según el ámbito de la transparencia, atribuyendo a la Comisión de Garantía de Acceso a la Información Pública la resolución de las reclamaciones de derecho de acceso a la información, previstas en el artículo 24 de la LTAIBG (art. 39.1 LTCat), mientras que el control del resto de obligaciones establecidas en la legislación las atribuye a otras instituciones.

Finalmente, las autoridades de transparencia de Madrid, Canarias, País Vasco e Islas Baleares no cuentan con una estructura interna diferenciada en varios órganos aunque, a efectos de organización y gestión del trabajo, sus miembros pueden ocupar distintos cargos. Por ejemplo, de los tres funcionarios de carrera de la Administración autonómica que forman parte de la Comisión Vasca de Acceso a la Información Pública, uno ejerce el cargo de presidente y el resto se encargan de la Secretaría de la Comisión (art. 2.1, Decreto 128/2016, de 13 de septiembre).

Por otra parte, haciendo referencia al diseño institucional del órgano competente para la resolución de las reclamaciones de acceso a la información, podemos diferenciar entre órganos unipersonales y órganos colegiados, señalando que el modelo más extendido es la creación de órganos primordialmente colegiados (Consejos o Comisiones de Transparencia).

Resulta destacable la colegialidad del Consejo de Transparencia y Participación de la Comunidad de Madrid, en el que la presidencia se ejerce de forma rotatoria –según el orden establecido por la Asamblea regional– por un periodo de dos años entre sus tres consejeros y añade que "en los supuestos de vacante, ausencia, enfermedad u otro motivo legítimo del presidente, sus funciones pasarán a ser ejercidas temporalmente por el que deba sucederle en el turno de rotación" (art. 74.5 LTPCM). Este rasgo es característico del Consejo madrileño e introduce mayores garantías de independencia en el funcionamiento de esta autoridad.

Cabe señalar que, en los casos en que las Comunidades Autónomas que se han inclinado por autoridades de transparencia colegiadas, la participación del Parlamento Regional también suele ser importante –aunque no tiene por qué ser determinante en la composición–, dado que de forma habitual los grupos parlamentarios proponen a uno o varios miembros, como sucede en el caso de Madrid (art. 74.1 LTPCM).

También debemos apuntar el marcado carácter colegiado de las autoridades de control de Aragón (art. 7.1, Decreto 32/2016, de 22 de marzo) e Islas Baleares (art. 3.4, Decreto 1/2019, de 11 de enero), cuyos miembros eligen entre sí al presidente de la autoridad, que se centra en asumir funciones de representación de la autoridad, dirección del personal, convocar las sesiones, etc., por lo que el núcleo esencial de las facultades de dirección reside en el conjunto de la autoridad.

Por el contrario, varias autoridades de transparencia se configuran como órganos unipersonales. En este sentido, es llamativo que el CT-BG se configura como un órgano colegiado pero responde al modelo de órgano con carácter unipersonal dado que la función de resolver las reclamaciones que se presenten en aplicación del artículo 24 de ley estatal corresponde al presidente (art. 38.2.c LTAIBG). Lo mismo sucede en el Consejo andaluz que, aunque posee una Comisión consultiva de carácter colegiado, le atribuye la capacidad de resolución a la figura unipersonal del Director (art. 48.b LTAn).

También tiene atribuida la función de resolver las reclamaciones de acceso el presidente del Comisionado canario –una autoridad de carácter unipersonal con una configuración atípica pero que garantiza la independencia, ya que cuenta con una autonomía reforzada– (art. 63.1.a LTCn), y está previsto en el caso del Consejo asturiano (art. 66.1.c LTAs).

Por otra parte, Castilla y León (art. 13.3 LTCL) y Galicia (art. 33.3 LTGa) cumplen con el requisito de colegialidad porque atribuyen a sus respectivas Comisiones de Transparencia la resolución de las reclamaciones, aunque entre los miembros que las componen se encuentran el Procurador del Común y el Valedor do Pobo –que actúan como Comisionados–, por lo que se podría considerar que estas autoridades de control tienen una cierta tendencia de órgano unipersonal.

Así, podemos concluir que a pesar de que la colegialidad no es garantía absoluta de imparcialidad, las autoridades de transparencia de Andalucía, Canarias y Asturias no cumplen con el requisito de colegialidad exigido en el artículo 112.2 de la Ley 39/2015, de 1 de octubre, del Procedimiento Administrativo Común de las Administraciones Públicas en el que se establece que las reclamaciones sustitutivas de los recursos deben ser conocidas por órganos colegiados o por comisiones específicas. Estas autoridades no están exentas de riesgos para su independencia, tales como la concentración de responsabilidad en el presidente ante presiones externa o que su actuación no sea neutral.

1.3. Composición, nombramiento, incompatibilidades y ceses

La configuración de las autoridades de transparencia también es dispar tanto en lo que se refiere al número de miembros que las integran –oscilando entre los tres de Madrid o Islas Baleares a los diecinueve actuales de Murcia– como a las áreas de procedencia de los mismos (véase Tabla 3). En referencia a este último aspecto, los miembros de las autoridades de control pueden agruparse en cuatro grupos presentes en la composición de los órganos: expertos; representantes de administraciones y de entes públicos; representantes de grupos parlamentarios; y representantes de la sociedad civil.

Dada la heterogeneidad en la composición de las autoridades de transparencia, se observa que los representantes de la sociedad civil proceden de organizaciones sindicales y empresariales, de intereses económicos y sociales, de consejos de participación ciudadana o de asociaciones de consumidores y usuarios. Por ejemplo, el Consejo de Transparencia de Aragón está formado, entre otros miembros, por dos representantes de los agentes sociales, colectivos o asociaciones con mayor representatividad en la comunidad y dos representantes de las organizaciones y asociaciones de defensa de los consumidores y usuarios, entre otros (art. 6.2, Decreto 32/2016, de 22 de marzo).

Entre los miembros de algunas autoridades de transparencia destacan los perfiles de las personas expertas, como sucede en el caso de los tres consejeros del Consejo de Transparencia y Participación de la Comunidad de Madrid (art. 74.2 LTPCM); para los respectivos presidentes de las autoridades de control de Canarias (art. 59.1 LTCn), Murcia (art. 6 LTMu) y Navarra (art. 65.2 LTNv); o de los miembros de la Comisión Ejecutiva del Consejo de Transparencia de la Comunidad Valenciana (art. 41.1 LTCV).

Además, algunas autoridades de transparencia responden a una diversa y compleja composición. Por ejemplo, entre los miembros de las administraciones y entes públicos que componen el Consejo de Transparencia de la Región de Murcia se encuentran representantes de las consejerías y órganos competentes en materia de transparencia, hacienda y protección de datos, representantes de las universidades públicas, del Consejo Económico y Social, del Consejo Jurídico y de la federación de Municipios de Murcia (art. 38.5 LTMu); o en el caso del Consejo de Transparencia de la Comunidad Valenciana, cuya Comisión Ejecutiva está formada por un número de miembros igual al de grupos parlamentarios en las Cortes y la Comisión Consultiva la forman 11 miembros en representación de la sociedad civil y de administraciones y organismos públicos (art. 41.2 LTCV).

Tabla 3. Órgano con atribuciones para la resolución de las reclamaciones, carácter y designación

Comunidad y autoridad de transparencia	Órgano para la resolución de reclamaciones	Carácter	Designación
Comunidad de Madrid (CTPCM)	Pleno (art.77.a LTPCM)	Colegiado. 3 miembros (art.74.1 LTPCM)	Designación parlamentaria por mayoría de tres quintos (art.74.1 LTPCM)
Canarias (CTCn)	Comisionado (art.63.1.a LTCn)	Unipersonal (art.59.1 LTCn)	Designación parlamentaria por mayoría de tres quintos (art.59.1 LTCn)
Castilla-La Mancha (CRTCM)	Comisión Ejecutiva (art.62.3.d LTCM)	Colegiado. Presidencia y dos Adjuntías. (art.61.2.a LTCM)	Designación parlamentara por mayoría de tres quintos en primera vuelta y absoluta en segunda (art.62.1 LTCM)
Aragón (CTAR)	Pleno (art.37.3.a LTAr)	Colegiado. Representantes de la administración pública, universidades, órganos consultivos, defensorías del pueblo, organizaciones representativas de la economía y la sociedad, entre otras (art.37.4 LTAr)	Los miembros son designados por el titular del departamento correspondiente previa designación de las entidades e instituciones representadas. El presidente es elegido de entre los miembros del pleno (arts. 7.1 y 8.1, Decreto 32/2016, de 22 de marzo)
Baleares (CRAIPIB)	Comisión (art.2, Decreto 24/2016, de 29 de abril)	Colegiado. 3 personas (art.3.1, Decreto 24/2016, de 29 de abril)	Sorteo público (art.3.1, Decreto 24/2016, de 29 de abril)
Navarra (CTNv)	Pleno (art.64.1.a LTNv)	Colegiado. Presidente y representantes de la administración pública, universidades, órganos consultivos, defensorías del pueblo, organizaciones representativas de la economía y la sociedad, entre otras (art.65.1 LTNv)	Los miembros del pleno los propone el presidente del Consejo, previa designación de las entidades e instituciones representadas. El presidente es elegido por el parlamento (art.65.2 LTNv)

País Vasco (CVAIP)	Comisión (art.3, Decreto, 128/2016, de 13 de septiembre)	Colegiado. 3 personas (presidente y dos vocales) (art.2.1, Decreto, 128/2016, de 13 de septiembre)	Nombrados por el Consejero o Consejera del Departamento de Administración Pública y Jurídica previa convocatoria pública (art.1, Decreto, 128/2016, de 13 de septiembre)
Comunidad Valenciana (CTCV)	Comisión Ejecutiva (art. 42.1.a LTCV)	Colegiado. Número de miembros igual al número de grupos parlamentarios (art.41.1 LTCV)	Designación parlamentaria por mayoría de tres quintos (art.41.1 LTCV)
Cataluña (GAIP)	Comisión (art.39.1 LTCat)	Colegiado. 3-5 personas (art.40.1 LTCat)	Designación parlamentaria por mayoría de tres quintos y evaluación individual de los candidatos en Comisión parlamentaria (arts.40.1 y 40.2 LTCat)
Galicia (CTVP)	Comisión (art.33.3 LTGa)	Colegiado. 6 personas (art.33.2 LTGa)	Designación parlamentaria del Valedor do Pobo por mayoría de tres quintos. Forman parte de la Comisión el Valedor do Pobo, el adjunto a él, representantes del Gobierno, instituciones y Federación de Municipios (los representantes de organizaciones son designados por sus correspondientes organizaciones). (art.33.2 LTGa)
Castilla y León (CTPC)	Comisión (art.13.3 LTCL)	Colegiado. 3 personas (art.12 LTCL)	Designación parlamentaria del Procurador del Común por mayoría de tres quintos. Forman parte de la Comisión el Procurador del Común, un adjunto (designado por él) o persona de la institución y Secretario (designado por el Procurador) (art.12 LTCL)

Andalucía (CTPDAn)	Director (art.48.1.b LTAn)	Unipersonal	Designación parlamentaria por mayoría absoluta (art.47.2 LTAn)
Murcia (CTMu)	Pleno (art.38.4.b LTMu)	Colegiado. Presidente y representantes de la administración pública, universidades, órganos consultivos, defensorías del pueblo, organizaciones representativas de la economía y la sociedad, entre otras (art.38.5 LTMu)	Los miembros del pleno los propone el presidente del Consejo, previa designación de las entidades e instituciones representadas. El presidente lo elige el Parlamento (art.38.6 LTMu)
Asturias (CTAs, previsto)	Presidente (art.66.1.c LTAs)	Unipersonal	Designado por el Pleno de la Junta General del Principado de Asturias por mayoría de dos tercios (art.65.1 LTAs)
Cantabria (CTCb)	-	-	-
Extremadura (convenio CTBG)	-	-	-

Fuente: elaboración propia

Respecto a las exigencias o requisitos que deben acreditar las personas que son nombradas miembros de las autoridades de transparencia, cabe señalar que la mayoría de leyes autonómicas son poco incisivas y establecen que el nombramiento debe recaer en "personas de prestigio" con "competencia y experiencia", conceptos jurídicos excesivamente abiertos. Además, es llamativo que en las legislaciones autonómicas no se aplique un concepto básico como que, al menos, una parte representativa de sus miembros sean conocedores de la materia de transparencia, por lo que resulta sencillo que se desempeñe una labor menos técnica de la que sería deseable.

No obstante, algunas normativas autonómicas establecen una serie de requisitos específicos (Véase Tabla 4). En el caso del Consejo madrileño, los tres consejeros son elegidos entre personas de reconocido prestigio con diez años de experiencia profesional acreditada en actividades relacionadas con el sector público, la transparencia y el acceso a la información pública (art. 74.2 LTPCM); la legislación catalana, además de diez años de experiencia profesional, exige que los miembros de su Comisión sean expertos juristas en derecho público y técnicos en materia de archivos o gestión documental (art. 40.3 LTCat); mientras que la Comisión balear, con un marcado carácter técnico, está formada por juristas de reconocido prestigio con más de cinco años de experiencia profesional en el derecho público (art. 3.1, Decreto 1/2019, de 11 de enero).

En cuanto a la designación y nombramiento de los miembros, debemos señalar de forma positiva los modelos en los que se exigen mayorías reforzadas para garantizar una mayor independencia, como sucede con las normativas de las autoridades de transparencia de Madrid (art. 74.1 LTPCM), Cataluña (art. 40.1 LTCat), Comunidad Valenciana (art. 41.1 LTCV) y Canarias (art. 59.1 LTCn). A diferencia del requerimiento de estas mayorías cualificadas, para la designación del presidente del Consejo andaluz (art. 47.2 LTAn) y del presidente del Consejo navarro (art. 65.2 LTNv) es necesaria mayoría absoluta de sus respectivos parlamentos.

Por otra parte, los miembros de la Comisión balear son nombrados por el Consejo de Gobierno a propuesta del Consejero de Presidencia sin intervención del Parlamento (art. 3.1, Decreto 1/2019, de 11 de enero), y la presidencia de la Comisión vasca recae en un alto cargo –concretamente, en el titular de la dirección de Atención a la Ciudadanía e Innovación y Mejora de la Administración– que nombra a dos vocales que son funcionarios de carrera seleccionados previa convocatoria pública y nombrados por el Consejero del Departamento de Administración Pública y Justicia, por lo que existe una estrecha vinculación a la administración autonómica (art. 2.1, Decreto 128/2016, de 13 de septiembre).

Tabla 4. Requisitos para el nombramiento de los miembros del órgano que resuelve las reclamaciones y permanencia

Comunidad y autoridad de transparencia	Requisitos nombramiento	Permanencia
Comunidad de Madrid (CTPCM)	Reconocido prestigio con 10 años de experiencia profesional acreditada en actividades relacionadas con el sector público, la transparencia y el acceso a la información pública (art.74.2 LTPCM)	6 años, no renovable (art.74.2 LTPCM)
Canarias (CTCn)	Reconocido prestigio y competencia profesional (art.59.1 LTCn)	5 años, no renovable (art.59.1 LTCn)
Castilla-La Mancha (CRTCM)	Expertos de competencia o prestigio reconocido y con una dilatada experiencia profesional y sin afiliación a partidos, federaciones de partidos, o agrupaciones de electores (art.62.1 LTCM)	5 años, renovable una vez (art.62.1 LTCM)
Aragón (CTAR)	No se establecen	4 años, renovable una vez (art.10, Decreto 32/2016, de 22 de marzo)
Baleares (CRAIPIB)	Miembros de la abogacía de la Comunidad Autónoma (art.3.1, Decreto 24/2016, de 29 de abril)	3 años (art.3.1, Decreto 1/2019, de 11 de enero)
Navarra (CTNv)	Reconocido prestigio y competencia profesional (art.65.4 LTNv)	4 años, no renovables (art.65.2 LTNv)
País Vasco (CVAIP)	-Presidente: titular de la Dirección de Atención a la Ciudadanía e Innovación y Mejora de Administración. -Vocales: funcionarios de carrera de la Administración general de la Comunidad Autónoma (art.2.1, Decreto, 128/2016, de 13 de septiembre)	4 años (art.2.3, Decreto, 128/2016, de 13 de septiembre)
Comunidad Valenciana (CTCV)	Expertos de competencia o prestigio reconocido y con más de diez años de experiencia profesional (art. 41.1 LTCV)	5 años (art.41.1 LTCV)
Cataluña (GAIP)	Juristas especialistas en derecho público y técnicos en materia de archivos o gestión documental. Expertos de reconocida competencia y prestigio con más de 10 años de experiencia (art.40.3 LTCat)	5 años, no renovable. Renovación gradual cada dos años y medio (art.10, Decreto 111/2017, de 18 de julio)

Galicia (CTVP)	El Valedor do Pobo es elegido previa propuesta del parlamento a través de las Comisiones de Peticiones. No hay exigencias especiales respecto al perfil (Ley 8/1984, de 5 de junio, del Valedor del Pueblo)	5 años (art.2.1, Ley 8/1984, de 5 de junio, del Valedor del Pueblo)
Castilla y León (CTPC)	No hay exigencias especiales respecto al perfil	5 años, renovables una vez (art.2.1. Ley 2/1994, de 9 de marzo, del Procurador del Común de Castilla y León)
Andalucía (CTPDAn)	Reconocido prestigio y competencia profesional (art.47.2 LTAn)	5 años, no renovable para el Director y renovables para la Comisión consultiva (art.47.1 LTAn)
Murcia (CTMu)	Reconocido prestigio (art.38.6 LTMu)	5 años, no renovable para el presidente y 4 años renovables para la Comisión consultiva (arts.38.6 y 38.7 LTMu)
Asturias (CTAs, previsto)	Personas de reconocido prestigio, atendiendo a criterios de competencia profesional y experiencia (art.65.1 LTAs)	5 años, renovable una vez (art.65.1 LTAs)
Cantabria (CTCb)	-	-
Extremadura (convenio CTBG)	-	-

Fuente: elaboración propia

En referencia a la duración de los cargos, la legislación madrileña en materia de transparencia difiere del resto de normativas estableciendo un mandato de seis años no renovable para sus miembros (art. 74.2 LTPCM). Por el contrario, en la mayoría de leyes autonómicas se establecen mandatos de cinco años, aunque se distinguen distintos mecanismos: la norma andaluza establece un mandato no renovable para el Director del Consejo y renovable para los miembros de su Comisión consultiva (arts. 47.1 LTAn); y la normativa murciana fija mandatos de distinta duración en función del órgano, siendo por un periodo de cinco años no renovable la presidencia y de cuatro años para la Comisión consultiva (arts. 38.6 y 38.7 LTMu).

También es llamativo el sistema establecido para la Comisión de Garantía de Acceso a la Información Pública de Cataluña, cuya legislación establece cargos de cinco años de duración, aunque introduce que la Comisión se renueva parcialmente cada dos años y medio (arts. 10.1 y 10.2, Decreto 111/2017, de 18 de julio).

Además, se observa que en la mayoría de casos se exige dedicación exclusiva a los presidentes, vocales y miembros de las Comisiones Ejecutivas, aunque existen algunas excepciones. Murcia (art.65.4 LTMu), y Aragón (art.37.5 LTAr) no exigen dedicación exclusiva a los miembros de sus Consejos; mientras que la legislación de la Comunidad Valenciana no exige dedicación exclusiva ni al presidente ni a los miembros de la Comisión Ejecutiva (art. 41.3 LTCV), y Castilla-La Mancha solo exige dedicación exclusiva a los miembros de la Comisión Ejecutiva, compuesta por la Presidencia y dos Adjuntías (art. 62.5 LTCM).

El presidente del Comisionado de Transparencia de Castilla y León puede optar por desempeñar sus funciones en régimen de dedicación exclusiva o parcial, aunque en este último caso deberá ser autorizado por la Comisión Parlamentaria de Relaciones con el Procurador del Común (art. 7, Resolución de 20 de febrero de 2014, de la Mesa de las Cortes de Castilla y León, por la que se aprueba el Reglamento de Organización y Funcionamiento del Procurador del Común de Castilla y León). En el caso de la Comisión vasca, no se exige dedicación exclusiva al cargo de las personas funcionarias que la componen, pudiendo alternar con el desempeño de las tareas propias de su puesto de trabajo y considerándose como jornada laboral efectiva. Además, serán compensados económicamente en la forma y condiciones que se determinen en función de la asunción de tareas, el tiempo y la dedicación en el ejercicio de la actividad y por el número de asuntos que conozcan (art. 2.2, Decreto 128/2016, de 13 de septiembre). Sin embargo, en el resto de autoridades de transparencia que no exigen dedicación exclusiva no se establecen remuneraciones y solo se prevén indemnizaciones por asistencia a las sesiones, desplazamiento o dietas.

Por otra parte, la regulación de las incompatibilidades –a excepción de casos concretos– es poco exigente. No obstante, debemos señalar que las comunidades que atribuyen al presidente de las autoridades de control la resolución de las reclamaciones en materia de acceso, el régimen de incompatibilidad resulta más estricto que para el resto de miembros. Por ejemplo, la ley de transparencia andaluza establece un régimen más preciso al considerar Alto Cargo al Director del Consejo de Transparencia y Protección de Datos, con rango de asimilado al de la persona titular de Viceconsejería. Por tanto, queda sujeto al régimen de incompatibilidades y obligaciones de los Altos Cargos de la Administración de la Junta de Andalucía y a lo previsto en la legislación estatal (art. 9, Decreto 434/2015, de 29 de septiembre, por el que se aprueban los Estatutos del Consejo de Transparencia y Protección de Datos de Andalucía). No obstante, también se le aplican una serie de estrictas incompatibilidades políticas y de desempeño de puestos directivos, así como el ejercicio de cualquier cargo electo o de designación política o el desarrollo de cualquier cargo o puesto en las Administraciones públicas o en sus entidades públicas o privadas adscritas o dependientes (art. 19.2, Decreto 434/2015, de 29 de septiembre). En el caso de la normativa murciana (art. 38.8 LTMu) y de la navarra (art. 65.4 LTNv) se añade a sus respectivos presidentes la incompatibilidad de pertenencia a un partido político, incluyendo los cuatro años anteriores a su elección.

En la normativa reguladora del Comisionado de Transparencia de Canarias, el régimen de incompatibilidades para el Director es reforzado (art. 60 LTCn); mientras que para el cargo del presidente y de los consejeros del Consejo madrileño se establecen incompatibilidades con todo cargo o empleo en la Administración pública en situación de servicio activo –salvo la actividad docente– con el desempeño de cualquier cargo público o político, con todo mandato representativo, con el desempeño de funciones directivas en un partido político o en un sindicato, asociación o fundación y con el empleo al servicio de los mismos, con el ejercicio activo de las carreras judicial y fiscal y con cualquier actividad profesional, mercantil o laboral (art. 75 LTPCM).

Finalmente, debemos apuntar que las causas tasadas de cese fijadas en la normativa estatal se han reproducido en la mayoría de las leyes y reglamentos que regulan las distintas autoridades de transparencia, aunque un elemento diferencial entre el CTBG y las autoridades de transparencia autonómicas en las que intervienen sus respectivos parlamentos en el proceso de designación es que, en el segundo caso, son las cámaras legislativas las que tendrán que apreciar las causas de cese legalmente establecidas.

Como ejemplo, es interesante destacar que en el caso del Director del Consejo andaluz la separación es acordada por el Consejo de Gobierno autonómico, teniendo que ser oída por la Comisión consultiva (art. 47.4.c LTAn); mientras que en la normativa del Consejo madrileño se establece que los supuestos de cese anticipado de los consejeros son los determinados en la normativa estatal y, de producirse alguno de los mismos, las vacantes en el cargo son declaradas por la Presidencia de la Asamblea regional. Sin embargo, en los casos que requieren de una valoración de las circunstancias que así las justifiquen –como el incumplimiento grave de las obligaciones propias del cargo–, la decisión será adoptada por la cámara legislativa con una mayoría reforzada de las tres quintas partes (art. 76 LTPCM).

1.4. Funciones

En referencia al papel institucional de las autoridades de transparencia autonómicas, el análisis refleja que la atribución de las funciones varía levemente (véase Gráfico 1). En líneas generales, se ha seguido el modelo del CTBG estatal, que además de la función de resolver las reclamaciones en materia de acceso, posee funciones similares en materia de publicidad activa y otras que van más allá del control y que forman parte de la esfera del asesoramiento técnico y del fomento de la transparencia.

Así, las funciones atribuidas al Consejo madrileño (art. 77 LTPCM) siguen la estela del CTBG. Pueden clasificarse según se correspondan con el ámbito de la publicidad activa (como es el control de las obligaciones de publicidad activa que establece la ley); con el ámbito del derecho de acceso (el conocimiento y resolución de las reclamaciones ante denegaciones presuntas o expresas de solicitudes de acceso a la información); o en relación a la transparencia como concepto que abarca a ambas vertientes (evaluar el grado de aplicación y cumplimiento de la ley, resolver consultas, instar a los órganos competentes la incoación de los expedientes disciplinarios o sancionadores); y por último, una serie de funciones más corporativas (presentar un informe anual).

Cabe señalar que algunas autoridades de transparencia disponen de mayor alcance en virtud de las competencias que se le atribuyen en su normativa de creación, como es el caso del Consejo andaluz –que incorpora la protección de datos–, el Consejo valenciano –que incluye la materia correspondiente al buen gobierno–, o las autoridades adscritas a las defensorías del pueblo, que tienen atribuidas competencias más genéricas.

No obstante, se observa que la función de resolver los recursos en materia de derecho de acceso a la información la tienen atribuida todas las autoridades de transparencia autonómicas, y siete de ellas también tienen la competencia de controlar el cumplimiento de las obligaciones en materia de publicidad activa, entre las que se incluyen los Consejos de Madrid (art. 77.b LTPCM), Andalucía (art. 48.1.g LTAn) y el Comisionado canario (art. 63.1.b LTCn).

Además, llama la atención que la Comisión de Garantía del Derecho de Acceso a la Información Pública de Cataluña tiene atribuciones en la resolución de las reclamaciones por la vía de la mediación. La inclusión de este mecanismo como alternativo para la resolución de las reclamaciones, siendo vinculantes sus acuerdos en caso de aceptación voluntaria del proceso de mediación (arts. 42 y 43 LTCat) supone una novedad respecto al resto de Leyes de Transparencia.

La función de efectuar requerimientos para la subsanación de los incumplimientos que pudieran producirse de las obligaciones establecidas en materia de publicidad activa la tienen atribuida siete autoridades de transparencia; mientras que solo seis autoridades tienen la competencia de instar a los órganos competentes la incoación de expedientes disciplinares o sancionadores.

Además, la legislación canaria (art. 64 LTCn), la castellano-leonesa (art. 14 LTCL) y la madrileña (art. 78 LTPCM), entre otras, imponen a los sujetos de aplicación de la ley colaborar y facilitar a los respectivos Comisionados toda la información que soliciten, lo que supone un amplio poder a la hora de impulsar el acceso a la información que las administraciones eventualmente no quieran ofrecer o que hayan podido denegar.

Gráfico 1. Número de autoridades de transparencia a las que se les atribuyen las funciones (incluyendo el CTBG)

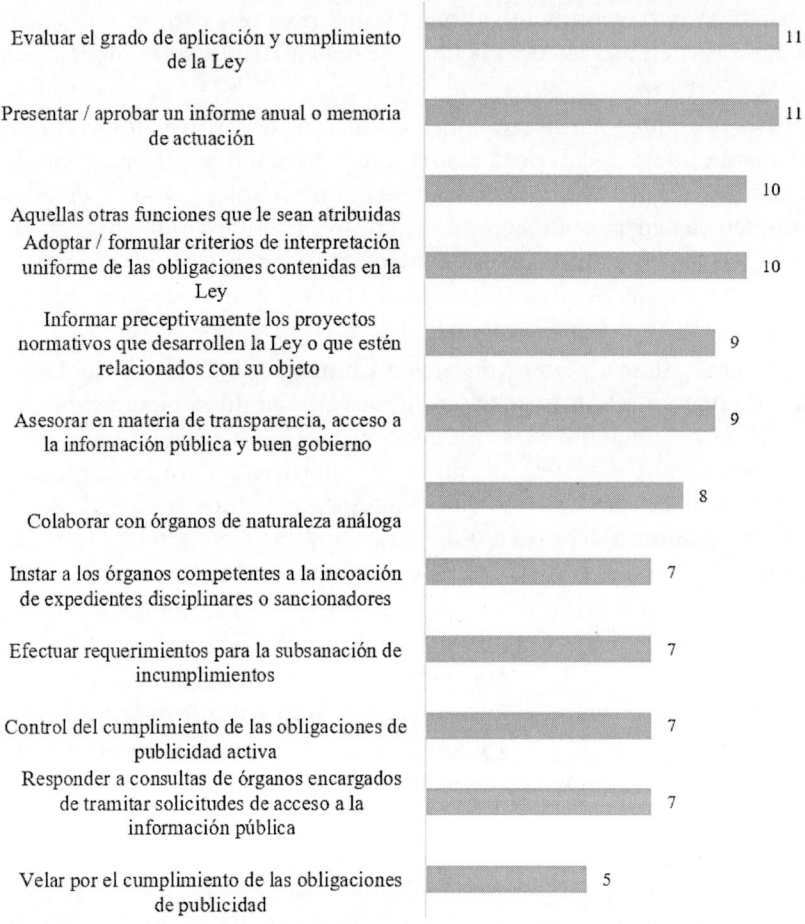

Fuente: elaboración propia

Por tanto, en relación a las funciones y atribuciones asignadas, podemos establecer una primera categoría de autoridades de transparencia que siguen el modelo estatal y que, además de asumir la función de conocer y resolver de las reclamaciones en materia de acceso, tienen atribuida la función de control del cumplimiento de las obligaciones de publicidad activa y otras funciones más genéricas, incluyendo los

Consejos de Madrid, Andalucía, Comunidad Valenciana, Aragón y Murcia, el Comisionado canario y la Comisión de Transparencia de Castilla y León.

Las autoridades de transparencia de Galicia, Navarra, Castilla-La Mancha y Cantabria siguen un modelo de atribución de funciones mixto, en el que a la función de resolver las reclamaciones de acceso a la información pública se suman otras competencias de carácter más genérico como la de informar preceptivamente sobre proyectos normativos, resolución de consultas, elaboración de criterios, etc., y otras de carácter corporativo; mientras que Baleares, País Vasco y Cataluña han optado por un modelo de autoridad u "órgano mono-cultivo"–según ha venido a referirse Jiménez Asensio[5]– que se limita a conocer y resolver de las reclamaciones en materia de acceso, aunque en ocasiones asuman algunas funciones corporativas.

Por otra parte, cabe destacar que, por lo general, la normativa reguladora no otorga a las autoridades de transparencia potestad de ejecución forzosa de las resoluciones ni potestades sancionadoras en los supuestos más graves de incumplimiento, aunque existen varias excepciones. Por ejemplo, el Consejo de Transparencia y Participación de la Comunidad de Madrid iniciará e instruirá el procedimiento sancionador cuando por acuerdo del órgano competente, por iniciativa propia, a petición razonada de otros órganos o por denuncia, se tenga conocimiento de hechos que puedan ser constitutivos de una infracción tipificada en el Título VI (art. 86.1 LTPCM). Además, el Consejo de Transparencia de Aragón (art. 41.2 LTAr) y el Consejo de Transparencia de Navarra (art. 64.1.i LTNv) tienen potestad para imponer multas coercitivas.

1.5. Funcionamiento de las autoridades de transparencia: dotación de medios económicos, materiales y personales

La dotación de medios suficientes para el funcionamiento y para el desarrollo de la misión institucional de las autoridades de transparencia es un elemento fundamental para garantizar su independencia y autonomía. No obstante, es preciso recordar que estos organismos

---

[5]   R. Jiménez Asensio, *Op. Cit.*, pág. 68.

han sido creados en un escenario marcado por los cambios sociales, económicos y políticos, por la recesión tras la crisis económica, el límite del gasto público y la reducción de los recursos humanos de las Administraciones. Así se refleja en la Disposición Adicional del Real Decreto 919/2014, de 31 de octubre, por el que se aprueba el Estatuto del Consejo de Transparencia y Buen Gobierno, que establece que la creación y puesta en marcha del CTBG no puede suponer un incremento de dotaciones, retribuciones u otros gastos de personal al servicio del sector público.

En este sentido, Aragón (D.A. 4ª, Decreto 32/2016, de 22 de marzo), Castilla y León (D.A. 2ª LTCL) y Asturias (D.A. 5ª LTAs) especifican en sus normativas que la creación de sus autoridades de transparencia no incrementa el gasto público, pero no se observa mayor grado de concreción o detalle legal en el resto de legislaciones autonómicas. Por ejemplo, la ley de transparencia madrileña establece que su Consejo deberá contar "con una unidad de apoyo jurídico, técnico y administrativo de la Asamblea de Madrid, así como de los medios personales y materiales que sean necesarios" (art. 73.2 LTPCM).

Por el contrario, en la Disposición Final 1ª del Decreto 434/2015, de 29 de septiembre, por el que se aprueban los Estatutos del Consejo de Transparencia y Protección de Datos de Andalucía, no se establece de forma explícita la negativa al incremento del gasto público. Además, este Consejo merece una mención especial dado que es la única de las autoridades de transparencia autonómicas que, siguiendo el modelo del CTBG, ha sido dotada de una cierta autonomía financiera. A las asignaciones presupuestarias establecidas en el Presupuesto de la Comunidad Autónoma y a los rendimientos de los bienes o valores de su patrimonio, añade los rendimientos de las publicaciones, estudios y demás actuaciones del Consejo, las contraprestaciones derivadas de los convenios firmados por el Consejo, y otros que pudiera recibir según lo previsto en el Texto Refundido de la Ley General de la Hacienda Pública de la Junta de Andalucía, aprobado por Decreto Legislativo 1/2010, de 2 de marzo (art. 19, Decreto 434/2015, de 29 de septiembre).

Por otra parte, la mayoría de las autoridades de transparencia no disponen de presupuesto específico ni de una sección propia dentro de los presupuestos generales de su Comunidad Autónoma. No obstante, algunas de las leyes autonómicas sí reflejan distintas posibilidades, como en el caso del Consejo andaluz, que tiene la opción de elaborar y aprobar su propio anteproyecto de presupuesto, que posteriormente se incorpora al presupuesto de la Comunidad Autónoma (art. 20, Decreto 434/2015, de 29 de septiembre), o del Consejo murciano, que elabora y aprueba el anteproyecto de presupuestos y que figura como una sección dentro de los Presupuestos Generales de la Comunidad Autónoma (art. 38bis.1 LTMu).

En el caso de Castilla-La Mancha el procedimiento establecido es distinto. El presupuesto del Consejo constituye un programa específico dentro del presupuesto de las Cortes de Castilla-La Mancha, pero el anteproyecto de presupuesto es aprobado a propuesta de la Presidencia de la Comisión Ejecutiva por la Mesa de las Cortes, que lo remitirá a la consejería competente en materia de Hacienda para que sea integrado en el Proyecto de Ley de Presupuestos Generales de la Junta de Comunidades de Castilla-La Mancha (art. 17 del Reglamento de Organización y Funcionamiento del Consejo Regional de Transparencia y Buen Gobierno, 2018/8275).

El procedimiento del Consejo de Transparencia de la Comunidad Valenciana es similar ya que, anualmente formula al departamento del Consell competente en materia de transparencia la propuesta de los recursos necesarios para desarrollar su actividad, de acuerdo con el calendario fijado por las normas de elaboración de los presupuestos de la Generalitat. Asimismo, se establece que el Consejo puede adoptar una instrucción en el ámbito de organización interna con los indicadores a seguir para definir dicha propuesta (art. 77.2, Decreto 105/2017, de 28 de julio, del Consell, de desarrollo de la Ley 2/2015, de 2 de abril, de la Generalitat, en materia de transparencia y de regulación del Consejo de Transparencia, Acceso a la Información Pública y Buen Gobierno, 2017/7496).

Llama la atención el caso de la Comisión de Garantía de Acceso a la Información Pública de Cataluña, que cuenta con un presupuesto propio con capacidad y con autonomía para poder ejecutarlo. En este sentido, establece que la Comisión "aprueba anualmente el anteproyecto del presupuesto que debe tener la información que determinan las normas para elaborar los presupuestos de la Generalitat. Una vez aprobado, el presupuesto asignado a la Comisión debe constar en un apartado propio dentro del presupuesto del departamento de la Generalitat al cual se queda adscrita" (art. 52, Decreto 111/2017, de 18 de julio).

En cuanto a la provisión de recursos humanos, la mayoría de las autoridades de transparencia se dotan de los medios facilitados por la institución, departamento o consejería a la que están adscritas, como es el caso de los Consejos de Madrid (art. 73.2 LTPCM), Navarra (art. 63.2 LTNv), Comunidad Valenciana (art. 39 LTCV) y del Comisionado de Canarias (art. 62.2 LTCn).

Además, al igual que sucede con el CTBG estatal, el Consejo andaluz es el único que dispone de su propia relación de puestos de trabajo y será la Dirección la que elabore la propuesta. Según se introduce en el artículo 16.1 del Decreto 434/2015, de 29 de septiembre, se especifica que la propuesta de relación de puestos de trabajo será elaborada por la Dirección; y en el caso de la Comisión de Garantía de Derecho de Acceso a la Información Pública de Cataluña, los puestos de trabajo constan en la relación puestos de trabajo del departamento en el que se adscribe (art. 53 del Reglamento de la Comisión de Garantía del Derecho de Acceso a la Información Pública).

Dista de los anteriores casos el modelo previsto en la destinación de personal del Consejo Regional de Transparencia y Buen Gobierno de Castilla-La Mancha. El artículo 22 del Reglamento de Organización y Funcionamiento del este Consejo establece un modelo mixto: por un lado, el personal de las Cortes deberá prestar apoyo jurídico, técnico y administrativo al Consejo –como también sucede en el caso del Consejo madrileño–; y por otro lado, contará con los medios personales necesarios previstos en la Relación de Puestos de Trabajo aprobada por la Mesa, a propuesta de la Presidencia de la Comisión ejecutiva y previo informe del letrado mayor.

III. A MODO DE CONCLUSIONES

La transparencia constituye un pilar básico y un objetivo indispensable para el desarrollo efectivo del derecho a saber de los ciudadanos y para el impulso de la participación en una sociedad moderna y democrática. Actualmente, prácticamente todas las Comunidades

Autónomas cuentan con su propia legislación en materia de transparencia y quince comunidades ya disponen de autoridades de control, aunque en alguna de ellas, como en Cantabria o Asturias, no hayan empezado a funcionar o lo hayan hecho a través de órganos provisionales, como sucede en el País Vasco o Islas Baleares

Del análisis realizado sobre el diseño de las autoridades de transparencia con la finalidad de ofrecer una visión global y actualizada y de detectar aquellos rasgos de configuración que pueden ser susceptibles de introducir mayores garantías de especialización, imparcialidad e independencia en su funcionamiento, pueden extraerse algunas conclusiones:

En primer lugar, el ecosistema actual de autoridades de transparencia está constituido por un conjunto heterogéneo de Consejos, Comisionados y Comisiones, reflejando que no hay un modelo único a seguir para lograr la independencia de esas autoridades respecto del poder político y de los ejecutivos. No obstante, se observa una mayor preferencia por un modelo que imita al CTBG estatal, con una estructura basada en un órgano colegiado formado por diversidad de miembros, y por otro órgano de presidencia o colegiado de dirección.

Además, y a pesar de que todas las leyes autonómicas declaran firmemente la independencia de sus autoridades de transparencia y la no sujeción a influencias externas, lo cierto es que la mayoría de estos órganos no tienen personalidad jurídica propia. Esta es la condición formal más adecuada para su configuración, pero no necesariamente suficiente para garantizar su independencia.

En segundo lugar, entre las autoridades de transparencia que asumen la competencia de resolver las reclamaciones en materia de acceso a la información pública debería consolidarse el ejercicio de la función de control y la atribución de potestad sancionadora para garantizar el cumplimiento de las resoluciones dictadas.

En tercer lugar, sería deseable profesionalizar la condición de miembro de las autoridades de transparencia mediante el nombramiento de personas con capacidad técnica, expertas en materia de transparencia y con formación jurídica para reducir el riesgo de imparcialidad en el que estas podrían incurrir al componerse los órganos de resolución de las reclamaciones por representantes políticos. Asimismo, sería oportuno que quien ostentara la condición de miembro de estas autoridades de control, lo hiciera en un régimen de dedicación exclusiva, considerándose esencial el establecimiento de regímenes severos de incompatibilidades detalladas en las respectivas normativas con el objetivo de evitar que los miembros de estos órganos puedan incurrir en conflictos de intereses o minen la imparcialidad de la autoridad y sus decisiones.

En cuanto a la designación de los miembros, el sistema de mayoría reforzada otorga mayor legitimidad a las autoridades de transparencia y, además, refuerza la independencia de sus miembros respecto a los poderes ejecutivos. En este sentido, consideramos que es conveniente evitar que los mandatos de los miembros coincidan con el periodo de cada legislatura y que los miembros dispongan de un estatuto de inamovilidad en el que se tipifiquen las causas tasadas de cese, al fin de reducir cualquier riesgo de sumisión política y para garantizar la independencia de las autoridades de transparencia y de sus miembros, y para evitar cualquier interferencia o amenaza de interrupción de los cargos.

Por otra parte, disponer de un presupuesto propio y específico en cuya elaboración pueda participar la propia autoridad de transparencia, poseer recursos materiales suficientes y definir la relación de puestos de trabajo, con una relación de puestos de trabajo propia y equilibrada, no solo resulta importante para garantizar el funcionamiento autónomo de las autoridades de transparencia, sino también para reforzar su posición institucional y fortalecer las garantías de independencia. Así, es preciso señalar que en contextos de no incremento del gasto público, la falta de determinación en la distribución de los medios personales, materiales y económicos puede suponer un riesgo para el cumplimiento de las funciones atribuidas a estas autoridades de transparencia.

Finalmente, cabe apuntar que la política de transparencia va reafirmándose en nuestro país a pesar de que las autoridades de control se han instituido en una etapa caracterizada por la contención del gasto público, por lo que debemos valorar positivamente su creación y puesta en funcionamiento, considerándolo un compromiso por parte de las distintas administraciones.

ANÁLISIS DE LA TRANSPARENCIA EN ANDALUCÍA: APLICACIÓN EFECTIVA DE LA LEY 1/2014, DE 24 DE JUNIO, DE TRANSPARENCIA PÚBLICA DE ANDALUCÍA Y PROPUESTAS DE MEJORA

María Dolores Montero Caro

Profesora Derecho Constitucional. Universidad de Córdoba

I. EL PRINCIPIO DE TRANSPARENCIA EN EL DEBATE NACIONAL Y AUTONÓMICO

Ya decía Bobbio que "un Estado tiene mayor o menor democracia según sea la extensión del poder visible respecto del invisible"[1], por lo que no es de extrañar que en los últimos años, más concretamente desde la desafección política e institucional producida en la ciudadanía a raíz de la crisis de 2008, el poder político haya puesto sobre la mesa la necesaria regulación del principio de transparencia; entendiendo este como el planteamiento de que la información considerada de carácter público pertenece a la ciudadanía y, por tanto, debe encontrarse a su disposición, o bien de forma activa, o previa petición del interesado (lo que jurídicamente se conoce como derecho de acceso). Se entiende así, en consecuencia, que la implementación de medidas de transparencia ha servido como facilitador de la rendición de cuentas y responsabilidad de quienes ostentan un cargo público o

---

[1] N. Bobbio, El futuro de la democracia, Edit. Plaza y Janes, Barcelona, 1985.

representativo. Por ello, al igual que otros principios constitucionales como el de publicidad de las normas, legalidad o seguridad jurídica, en una sociedad de la información como en la que nos encontramos, la transparencia debe ser una noción consustancial a la propia idea de democracia. Ya no solo basta con la exigencia de eficacia de las Administraciones, sino que además tienen que parecerlo. Así, tal y como describe acertadamente González Ganaza "en este terreno no debe entrar en juego la propaganda populista, sino una transparencia creíble, en la cual el ciudadano pueda confiar plenamente y llegar a comprender los problemas reales a los que se enfrenta su sociedad y sus instituciones"[2].

Muestra manifiesta de este nuevo interés en el ámbito jurídico-político de incorporar los parámetros del denominado Gobierno Abierto; el cual descansa en los pilares de participación ciudadana, colaboración, integridad, rendición de cuentas y, por supuesto, en el principio de transparencia, lo encontramos en la inclusión en los programas electorales de nuevos apartados bajo el sobrenombre de medidas de "regeneración democrática" o "regeneración institucional". La incorporación de estas promesas en las campañas electorales celebradas desde las generales de diciembre de 2015 hasta el día de hoy, vienen a intentar paliar el hartazgo de la opinión ciudadana ante la crisis política e institucional que se vio incrementado con la salida a la luz de numerosos casos de corrupción. En la siguiente tabla se muestra un análisis comparativo de cómo se introdujeron aspectos relacionados con la regeneración democrática en los programas electorales de los partidos que obtuvieron mayor representación parlamentaria tanto en las elecciones generales celebradas el 20 de diciembre de 2015 como en las de 28 de abril de 2019[3].

[2]   M.A. González Ganaza, "La ley 1/2014, de 24 de junio de Transparencia Pública de Andalucía y la actividad del Consejo de Transparencia y Protección de Datos de Andalucía: una perspectiva sociológica y desde la ciencia política", A. Troncoso, coord., Transparencia Pública y Comunidades Autónomas, Tirant lo Blanch, Valencia, 2018.

[3]   Se ha omitido el estudio de los programas electorales con el que concurrieron a las elecciones generales de 10 de noviembre de 2019, teniendo en consideración el breve espacio de tiempo trascurrido respecto a las elecciones de abril del mismo año, hecho éste que supuso que no sufrieran modificaciones sustanciales en lo referente a las medidas de regeneración que nos ocupan.

Tabla 1: Promesas electorales sobre regeneración democrática, transparencia y gobierno abierto

FUERZAS POLÍTICAS	Elecciones Generales de 20 de diciembre de 2015	Elecciones Generales de 28 de abril de 2019
Partido Popular	Denominación "Una Administración más eficaz"	Denominación "Una mejor democracia"
	Promesas - Simplificación de la Administración Pública - Fortalecimiento de la Administración local y provincial - Avances en la Administración electrónica - Reconocer el trabajo de los empleados públicos	Promesas - Reforma del reglamento del Congreso y del Senado para fortalecer la función de control al Gobierno. - Restricción del uso del Decreto-Ley en períodos preelectorales. - Mejora de la dispersión normativa. - Regulación del voto electrónico en plenos municipales. - Regulación de la actividad de los grupos de interés mediante el registro de profesionales y empresas. - Mayor transparencia en la financiación de los partidos políticos. - Mayor profesionalización del CIS - Nueva Ley de Protección de la Información Clasificada que sustituya a la Ley de Secretos Oficiales. - Finalizar con el modelo de Administrador único de la corporación de RTVE. - Mejora del portal de transparencia y fortalecimiento del Consejo de Transparencia. - Cambio en la Ley Orgánica del Poder Judicial para garantizar la independencia en el sistema de elección de los vocales del CGPJ. - Análisis riguroso de las ofertas de empleo público plurianuales y flexibles. - Transición digital de la Administración Pública.
	Denominación "La España que queremos"	
	Promesas - Potenciación de la Oficina de Recuperación y Gestión de los Activos en materia de corrupción - Especialización en los juzgados en materia de corrupción - Desarrollo de la Ley de Transparencia, control de subvenciones públicas y mayor acceso a la información pública.	

Partido Socialista Obrero Español	Denominación "La defensa de lo público: renovación democrática, política e instituciones al servicio de la ciudadanía"	Denominación "Nuevos derechos para la ciudadanía en una sociedad digital, en un territorio cohesionado y con instituciones democráticas renovadas"
	Promesas - Propuestas de democratización de las instituciones - Reforma del sistema parlamentario: reforma de los reglamentos del Congreso y del Senado y mayor importancia a los debates parlamentarios - Reforma de la Administración pública - Impulso de la estrategia estatal de gobierno abierto - Transformación portales web del gobierno - Impulso de una cultura de participación: aprobación de una ley y un portal de participación - promoción del voluntariado - potenciación de la Iniciativa Legislativa Popular - Modificación de la ley de transparencia - Creación de la Oficina Ciudadana del Congreso de los Diputados. - Refundir la ley de partidos políticos con la ley sobre financiación y potenciar la participación de los afiliados en la elección de los cargos orgánicos. - Considerar los programas electorales como vinculantes y, por tanto, sujetos a la rendición de cuentas. - Lucha contra la corrupción: regulación de los lobbies, revisión de normas de contratación pública, creación de la Oficina Anticorrupción y ampliación de los poderes del Tribunal de Cuentas, entre otras.	Promesas A) Digitalización de la sociedad: - garantía de conectividad digital y reducción de brechas geográficas o de género a través de un bono social de acceso a internet. - Difundir y velar por el cumplimiento de una Carta de Derechos Digitales. - Actualizar políticas de supervisión del mercado digital. - Fomentar una Administración digital en una única plataforma, creando una Carpeta Ciudadana. - Mayor formación en competencias digitales entre la población. B) Regeneración democrática: - Aprobación de un Plan Integral para garantizar la regeneración democrática. - Pacto de Estado que incluya una ley integral sobre la lucha contra la corrupción. - Reforma de la Ley de Transparencia - Supresión de los aforamientos, salvo en el ejercicio de la actividad política propia del cargo. - Mejora del portal de transparencia y aprobación de un Código Ético de conducta para altos cargos y gobierno. - Código de Buenas Prácticas para la participación de las ONG y la sociedad civil en los procesos de toma de decisiones. - Reforma de la Ley tributaria en lo referente a las grandes empresas. - Reforma de los Reglamentos del Congreso y del Senado.

Ciudadanos	Denominación "Regeneración democrática e institucional"	Denominación "Tolerancia cero con la corrupción"
	Promesas - Incluir dentro del art. 23 CE el derecho de protección de datos personales y el derecho de transparencia. - Inclusión de nuevos derechos constitucionales - Supresión de aforamientos, suplicatorios o indultos por corrupción política. - Despolitización de la Justicia: supresión del CGPJ, asignando sus funciones al presidente del TS, asistido por dos adjuntos. - Supresión de las diputaciones provinciales y del Senado, creando en su lugar un Consejo de Presidentes de las Comunidades Autónomas. - Nueva ley electoral basada en el modelo alemán.	**Promesas** A) Lucha contra la corrupción, protección de los denunciantes y fin de privilegios políticos: - Supresión de aforamientos políticos - Imposibilidad de ocupación de cargo público por aquellos imputados formalmente por delitos de corrupción. - Nuevo delito en el código penal sobre enriquecimiento injustificado de los cargos públicos. - Aprobación de una Ley de Protección del Denunciante en casos de corrupción. - Nueva ley de partidos políticos que refuerce su democracia interna, transparencia y rendición de cuentas. - Prohibición de los indultos a políticos condenados por corrupción, rebelión y sedición. B) Revisión del Estatuto Básico del Empleado Público y promoción de una Ley de Función Pública Estatal: - aprobación de una ley que garantice la independencia y autonomía presupuestaria de los órganos reguladores. - Actualización de la Ley de Defensa de la competencia. - Aprobación de una nueva Ley de Transparencia y Participación. - Regulación de los lobbies. - Nueva ley del Tribunal de Cuentas. - Mayor independencia y pluralidad de RTVE. C) Modernización, agilización y eficacia del poder judicial: - Elección directa de los vocales del CGPJ por jueces y magistrados. - Reforma del Estatuto Orgánico del Ministerio Fiscal. - Mejora de los plazos en la investigación judicial de casos complejos de corrupción.
	Denominación "La Administración al servicio del Buen Gobierno"	
	Promesas - Protección a los denunciantes en casos de corrupción - Imposibilitar a las personas investigadas por delitos de corrupción a presentarse en listas electorales ni ocupar cargos públicos. - Responsabilidad subsidiaria de los partidos políticos en casos de corrupción - Garantizar las elecciones primarias en los partidos políticos. - Auditorías obligatorias externas para los partidos políticos - Prohibición de donaciones con personas físicas o jurídicas que tengan relaciones económicas con la Administración.	

		D) Lucha contra el fraude y la evasión fiscal: - Aprobación de una Ley de Lucha contra el fraude y la evasión fiscal. - Mejora de los medios y la autonomía de la Agencia Tributaria. - Impulso de una Ley de Derechos y Garantías del contribuyente.
Podemos (Unidas Podemos, desde 2019)	Denominación "Democracia política"	Denominación "Garantías Democráticas y de Ciudadanía"
	Promesas - Referéndum revocatorio - Facilitar los requisitos de presentación de una iniciativa legislativa popular y fomentar otros procesos participativos. - Reforma de los reglamentos parlamentarios - Reforma del sistema electoral - Obligatoriedad de elecciones primarias dentro de los partidos - Derogación del llamado voto rogado - Reforma del Tribunal Constitucional - Reducción del número de altos cargos - Aprobación de una ley de profesionalización de la Administración Pública. - Ampliación de la Ley de Transparencia - Aprobación de una ley integral para la regeneración democrática de las instituciones. - Implantación de un Observatorio Ciudadano de Evaluación de Políticas Públicas y Rendición de Cuentas. - Creación de una base de datos de contrataciones y licitaciones. - Desarrollo de un Plan Nacional contra la Corrupción y para la Transparencia Institucional.	Promesas - Prohibición de financiar campañas electorales de los partidos políticos mediante créditos bancarios. - Prohibición para bancos y fondos de ser propietarios de los medios de comunicación a través de acciones. - Implementación de un impuesto a las transacciones financieras y reforma del impuesto de sociedades. - Reestructuración coordinada de las deudas públicas en el marco de la zona euro. - Lucha contra los paraísos fiscales. - Democratización del Consejo de Seguridad de las Naciones Unidas. - Regulación de las puertas giratorias en política. - Aprobación de una norma reguladora de los lobbies. - Aprobación de un Plan Nacional contra la Corrupción. - Supresión de aforamientos y de la irresponsabilidad regia. - Eliminar algunos de los privilegios de los cargos electos. - Amplia reforma de la ley electoral. - Obligación de realizar primarias en todos los partidos. - Fomentar la responsabilidad informativa y ciudadana crítica frente a las *fake news*. - Creación de un Observatorio Ciudadano de Evaluación de Políticas Públicas y Rendición de Cuentas.

	- Aprobación de una nueva Ley de financiación de los partidos políticos. - Creación de un Departamento de Recuperación de Activos envueltos en casos de corrupción. - Redefinición del delito fiscal.	- Despolitización del Tribunal de Cuentas - Reforma del sistema de elección del CGPJ a través de un sistema directo por la ciudadanía. - Modernización de la carrera judicial.
Vox	* No concurren a las elecciones	Denominación "Ley electoral y transparencia"
		Promesas - Reforma del sistema electoral para que valga lo mismo el voto de todos los españoles. Una parte de los diputados serán elegidos en distrito único nacional. - Supresión de las cuotas (por sexo o cualquier otra causa) en las listas electorales. - Control de los cargos públicos antes, durante y después de su mandato, reforzando la normativa de incompatibilidades de los políticos tras el abandono del cargo. - Reforma del poder judicial y eliminación del Tribunal Constitucional, pasando sus funciones a ser asumidas por una sala sexta del Tribunal Supremo. - Nuevo delito de "despilfarro público" en el código penal.

Fuente: Elaboración propia a partir de los datos extraídos de los respectivos programas electorales.

Tal como ilustra la tabla 1, a pesar de las diferencias ideológicas de algunos de los partidos políticos, existía un cierto consenso en modificar o regular determinadas materias relacionadas con la regeneración democrática en general y con la transparencia en particular. En este sentido, conviene destacar el acuerdo en la necesidad de reformar y desarrollar la Ley 19/2013, de 9 de diciembre, de Transparencia, Acceso a la Información Pública y Buen Gobierno (LTAIBG, en adelante), llegando, en algunos casos, a pedir la aprobación de una nueva norma que englobara también la materia reservada a participación ciudadana (programa de Ciudadanos de 2019).

Como se puede inferir de lo expuesto *supra*, y visto desde una perspectiva sociopolítica, la prioridad en medidas tendentes a la regeneración política e institucional para hacer frente al desencanto ciudadano, lo que se conoce como crisis de representatividad, dejó paso a un nuevo escenario de crisis política, la crisis territorial, a razón del referéndum, no autorizado, sobre la posible independencia de Cataluña el 1 de octubre de 2017. De este modo, no era de extrañar que esta cuestión fuera una de las más debatidas durante las dos campañas electorales celebradas en 2019. De modo similar, podría decirse que también se ha visto afectado el orden de prioridades electoralistas, aunque no se hayan celebrado elecciones generales, a raíz de la crisis sanitaria provocada por la pandemia de la COVID-19. Sin duda, es evidente que la actualidad política marca la agenda de quienes pretenden erigirse como representantes públicos, lo cual ha dado como resultado que la transparencia pública en la actualidad ya no sea uno de los temas prioritarios en las políticas públicas y desarrollo normativo de leyes como la estatal de transparencia que, ya casi ocho años después de su aprobación, sigue sin contar con un reglamento que la desarrolle.

Bajando al ámbito autonómico, el panorama es muy similar. A la fecha de redacción de este estudio, y dentro de las competencias que le son atribuidas, la mayor parte de las Comunidades Autónomas han aprobado sus propias normas en materia de transparencia. Llama la atención que incluso algunas de ellas sean anteriores a la norma estatal, como son el caso de la Ley 4/2013, de 21 de mayo, de Gobierno Abierto de Extremadura o la Ley 4/2011, de 31 de marzo, de la Buena Administración y del Buen Gobierno de las Illes Balears.

En el caso de Andalucía la situación es muy particular, ya que, pese a contarse con un anteproyecto de ley de transparencia pública desde junio de 2013, finalmente se optó por retrasar la aprobación de la norma autonómica hasta que hiciera lo propio la estatal, con el claro objetivo de adaptarse a ella. La aprobación en diciembre de 2013 de la LTAIBG que definía las bases sobre la materia de transparencia y acceso a la información pública supuso el punto de partida y la norma de referencia para la aprobación de las leyes autonómicas, de hecho, la inmensa mayoría de ellas vieron la luz entre los años 2014 y 2015. No obstante, y siguiendo los datos proporcionados en la tabla 2, resulta llamativo que el País Vasco todavía no cuente con una ley de transparencia autonómica, más aún teniendo presente que ha sido uno de los territorios donde más se han implementado medidas sobre gobierno abierto, como fueron, por ejemplo, la creación pionera del portal web *Irekia* encargado de impulsar medidas de gobierno abierto,[4] o su incorporación como miembro de la Alianza internacional para el Gobierno Abierto desde el año 2018, dando lugar a que la comunidad autonómica vasca haya sido considerada líder destacada frente al resto de Comunidades Autónomas en lo referente a la calidad de sus portales de datos abiertos[5]. No obstante, el País Vasco, en el momento en el que se redacta este estudio, tiene en trámite una proposición de ley de transparencia y participación ciudadana, por lo que se espera que en un plazo no muy dilatado de tiempo vea la luz la correspondiente norma autonómica, si bien es cierto que el trámite parlamentario ha sufrido numerosas paralizaciones. Un caso similar de continuas paralizaciones ha sufrido la tardíamente aprobada Ley 10/2019, de 10 de abril, de Transparencia y de Participación de la Comunidad de Madrid, con entrada en vigor en 2020.

---

[4] Disponible en: https://.www.irekia.euskadi.eus/es
[5] R. Curto- Rodríguez, "Los portales autonómicos de datos abiertos y la información relacionada con la rendición de cuentas. Punto de partida y situación tras la entrada en vigor de la Ley 19/2013 de *transparencia, acceso a la información pública y buen gobierno*", *Revista Española de la Transparencia*, núm. 5, 2017, págs. 80-93.

Tabla 2: Legislación autonómica en materia de transparencia

Comunidad Autónoma	Norma principal	Normativa de desarrollo
Andalucía	Ley 1/2014, de 24 de junio, de Transparencia Pública de Andalucía	Decreto 289/2015, de 21 de julio, por el que se regula la organización administrativa en materia de transparencia pública en el ámbito de la Administración de la Junta de Andalucía y sus entidades instrumentales
		Decreto 434/2015, de 29 de septiembre, por el que se aprueban los Estatutos del Consejo de Transparencia y Protección de Datos de Andalucía
		Acuerdo de 28 de mayo de 2020, de la Comisión General de Viceconsejeros y Viceconsejeras, por el que se aprueban las directrices para la confección de los planes operativos previstos en el artículo 42.1 de la Ley 1/2014, de 24 de junio, de Transparencia Pública de Andalucía.
Aragón	Ley 8/2015, de 25 de marzo, de Transparencia de la Actividad Pública y Participación Ciudadana de Aragón	Decreto 32/2016, de 22 de marzo, del Gobierno de Aragón, por el que se aprueba el Reglamento de Organización y de Funcionamiento del Consejo de Transparencia de Aragón
		Ley 5/2017, de 1 de junio, de Integridad y Ética Públicas
		Ley 6/2017, de 15 de junio, de Cuentas Abiertas de Aragón
Canarias	Ley 12/2014, de 26 de diciembre, de Transparencia y de Acceso a la Información Pública de Canarias	Ley 5/2010, de 21 de junio, Canaria de Fomento a la Participación Ciudadana
Cantabria	Ley de Cantabria 1/2018, de 21 de marzo, de Transparencia de la Actividad Pública	
Castilla – La Mancha	Ley 4/2016, de 15 de diciembre, de Transparencia y Buen Gobierno de Castilla- La Mancha	Decreto 7/2018, de 20 de febrero, por el que se aprueba el Código Ético para los Altos Cargos o Asimilados de la Administración de la Junta de Comunidades de Castilla-La Mancha
		Decreto 8/2018, de 20 de febrero, por el que se crea y regula el Registro de Grupos de Interés de Castilla-La Mancha.
		Reglamento de Organización y Funcionamiento del Consejo Regional de Transparencia y Buen Gobierno.

Castilla y León	Ley 3/2015, de 4 de marzo, de Transparencia y Participación Ciudadana de Castilla y León	Decreto 7/2016, de 17 de marzo, por el que se regula el procedimiento para el ejercicio del *derecho de acceso a la información pública* en la Comunidad de Castilla y León.
Cataluña	Ley 19/2014, de 29 de diciembre, de *Transparencia, Acceso a la Información Pública y Buen Gobierno* de Cataluña	Decreto 8/2021, de 9 de febrero, sobre la transparencia y *el derecho de acceso a la información pública.*
		Decreto 111/2017, de 18 de julio, por el que se aprueba el Reglamento de la Comisión de Garantía del *Derecho de Acceso a la Información Pública*
		Decreto 233/2016, de 22 de marzo, por el que se crea la Comisión Interdepartamental de Transparencia y Gobierno Abierto.
		Decreto 102/2015, de 11 de junio, de nombramiento de los miembros de la Comissió de Garantia del Dret d'Accés a la Informació Pública designados por el Parlament de Catalunya.
Comunidad Foral de Navarra	Ley Foral 5/2018, de 17 de mayo, de *Transparencia, acceso a la información pública y buen gobierno* y Ley Foral 11/2012 de la Transparencia y del Gobierno Abierto. Modificada por la Ley Foral 5/2016, de 28 de abril.	Decreto Foral 7/2017, de 1 de febrero, por el que se nombra a la Presidenta y a los miembros del Consejo de Transparencia de Navarra
		Acuerdo de 26 de junio de 2017, del Consejo de Transparencia de Navarra, por el que se aprueban las normas de organización y funcionamiento del Consejo de Transparencia de Navarra
Comunidad de Madrid	Ley 10/2019, de 10 de abril, de Transparencia y de Participación de la Comunidad de Madrid.	

			Modificación de la Ley 2/2015, de 2 de abril, de la Generalitat, de Transparencia, Buen Gobierno y Participación Ciudadana de la Comunitat Valenciana introducida por la Ley 10/2015, de 29 de diciembre, de medidas fiscales, de gestión administrativa y financiera, y de organización de la Generalitat.
Comunidad Valenciana	Ley 2/2015, de 2 abril, de Transparencia, Buen Gobierno y Participación Ciudadana de la Comunitat Valenciana.	Modificadoras de la Ley 2/2015	Ley 2/2016, de 4 de marzo, de la Generalitat, de modificación de la Ley 2/2015, de 2 de abril, de Transparencia, Buen Gobierno y Participación Ciudadana de la Comunitat Valenciana.
		Ley 5/2016, de 6 de mayo, de cuentas abiertas para la Generalitat Valenciana.	
		Decreto 56/2016, del Consell, de 6 de mayo, por el que se aprueba el Código de Buen Gobierno de la Generalitat.	
		Decreto 105/2017, de 28 de julio, del Consell, de desarrollo de la Ley 2/2015, de 2 de abril, de la Generalitat, en materia de transparencia y de regulación del Consejo de Transparencia, Acceso a la Información Pública y Buen Gobierno.	
Extremadura	Ley 4/2013, de 21 de mayo, de Gobierno Abierto de Extremadura.	Ley 18/2015, de 23 de diciembre, de cuentas abiertas para la Administración Pública Extremeña	
Galicia	Ley 1/2016, de 18 de enero, de Transparencia y Buen Gobierno de Galicia.	Resolución de 1 de diciembre de 2016 por la que se dispone la publicación de la modificación del Reglamento interno de la Comisión de la Transparencia de Galicia.	

Islas Baleares	Ley 4/2011, de 31 de marzo, de la Buena Administración y del Buen Gobierno de las Illes Balears.	Ley 16/2016, de 9 de diciembre, de creación de la Oficina de Prevención y Lucha contra la Corrupción en las Illes Balears.	
		Ley 3/2017, de 7 de julio, de modificación de la Ley 20/2006, de 15 de diciembre, municipal y de régimen local de las Illes Balears, para introducir medidas de transparencia y participación	
		Decreto 1/2019, de 11 de enero, regulador de la Comisión para las Reclamaciones de Acceso a la Información Pública	
La Rioja	Ley 3/2014, de 11 de septiembre, de Transparencia y Buen Gobierno de la Rioja.		
Ciudad Autónoma de Melilla	Reglamento de Transparencia y Acceso a la Información Pública de la Ciudad Autónoma de Melilla.		
Principado de Asturias	Ley del Principado de Asturias 8/2018, de 14 de septiembre, de Transparencia, Buen Gobierno y Grupos de Interés.		
País Vasco	*No existe ley aprobada en materia de transparencia.		
Región de Murcia	Ley 12/2014, de 16 de diciembre, de Transparencia y Participación Ciudadana de la Comunidad Autónoma de la Región de Murcia	Modificadoras de la Ley 12/2014:	Ley 12/2015, de 30 de marzo de Cámaras Oficiales de Comercio, Industria, Servicios y Navegación de la Región de Murcia
			Ley 7/2016, de 18 de mayo, de Reforma de la Ley 12/2014, de 16 de diciembre, de Transparencia y Participación Ciudadana de la CA de la Región de Murcia.

Fuente: Elaboración propia.

Alguna de estas normas no limita su objeto exclusivamente a la materia de la transparencia, sino que lo comparten con el de participación o, incluso, en el caso de Extremadura, recibe el nombre de ley de gobierno abierto. En este sentido, no debemos olvidar que, tal y como apropiadamente afirma Delgado "la transparencia es un elemento fundamental del gobierno abierto. Es decir, cuando se habla de transparencia no tiene por qué referirse a gobierno abierto, pero éste no puede entenderse sin la transparencia"[6].

De este modo, si realizamos una clasificación en función del objeto de la norma autonómica podemos diferenciar tres grandes bloques: por un lado, las autonomías que eligen una regulación en exclusividad sobre transparencia pública y/o acceso a la información (Andalucía, Canarias, Cantabria y la Ciudad Autónoma de Melilla); por otro lado, aquellas que prefieren condensar en una única ley las medidas sobre transparencia y participación (Aragón, Castilla y León y Comunidad de Madrid), y por último, aquellas más ambiciosas que, al igual que ocurre en la norma estatal, incluyen junto a la transparencia preceptos referentes al buen gobierno (Cantabria, Castilla-La Mancha, Cataluña, Navarra, Comunidad Valenciana, Extremadura, Galicia, Islas Baleares, Principado de Asturias, La Rioja y Murcia).

Sin embargo, al igual que está ocurriendo con la LTAIBG, las continuas convocatorias electorales y falta de acuerdos políticos están propiciando una paralización del desarrollo normativo de las leyes autonómicas, cuando, en la mayor parte de los casos, han pasado entre seis y siete años desde que se aprobó la ley de transparencia en su respectivo ámbito territorial. En esta línea se pronuncia Guichot cuando afirma que "la ley española y la mayor parte de las leyes autonómicas se sitúan en un rango razonable de exigencia, pero deja un amplio margen de desarrollo normativo y de interpretación aplicativa de cuyo uso dependerá el nivel real de transparencia"[7].

---

[6]   F. Delgado Morales, "De qué hablamos cuando hablamos de transparencia", *Revista Española de la Transparencia*, núm. 1, 2015, págs.23-30.

[7]   E. Guichot, "Reflexiones acerca de la aplicación de la nueva normativa sobre transparencia pública" Revista Andaluza de Administración Pública, núm. 94, enero-abril 2016, pág. 97.

II. EL CAMINO JURÍDICO DE LA TRANSPARENCIA EN ANDALUCÍA

1. *Los primeros pasos hacia la Ley 1/2014, de 24 de junio, de transparencia en Andalucía.*

La reforma del Estatuto de Autonomía Andaluz (EAA, en adelante) en el año 2007 incorporó un Título I novedoso, ya que por primera vez se añadía con carácter estatutario un conjunto de derechos sociales, deberes y políticas públicas siendo titulares las personas que contaran con vecindad administrativa en Andalucía, sin perjuicio de lo establecido para el derecho de participación en los asuntos públicos (art. 30 EAA) y de acuerdo con las leyes reguladoras de los derechos fundamentales y libertades públicas. En esta, podríamos decir, "Carta de Derechos y Deberes Andaluza", se abordan diferentes concepciones vinculadas con la calidad democrática, como son, el derecho a la participación en la vida pública (art. 30.1.e EAA), el derecho a una buena administración (art. 31 EAA), así como el derecho de acceso de todas las personas a las nuevas tecnologías de la información y de la comunicación (art. 34 EAA).

Asimismo, entre los objetivos que Andalucía plasma en su Estatuto en el art. 10, se encuentran, por un lado, el fomento de la calidad democrática, así como en defensa del interés general, la participación ciudadana en la elaboración de políticas públicas y en el ámbito político, en aras de una democracia social avanzada y participativa. Objetivos que lógicamente encuentran su reflejo en el Título I antes mencionado, en concreto al referirse a la aplicación efectiva de los principios rectores de las políticas públicas (art. 37.1 EAA).

Tras la aprobación del Anteproyecto de Ley de Transparencia Pública de Andalucía por parte del Consejo de Gobierno el día 4 de junio de 2013, se abrió un período de debate y alegaciones para que la ciudadanía y las entidades pudieran contribuir a la mejora del texto redactado, pues estaría carente de sentido que una ley que se alzase como la norma reguladora del principio de transparencia no lo incorporase desde sus inicios, incluso antes de su aprobación. Con esa finalidad se abrieron diferentes vías de participación y debate, como fue el período de información pública, cuya finalidad radicaba en la posible presentación de alegaciones a través de la web creada a tal efecto por la Junta de Andalucía, o bien, a través de las oficinas de registro, un foro de discusión incluido en la web de transparencia. Asimismo, y con carácter divulgativo, se realizaron diferentes jornadas en las ocho capitales andaluzas con la finalidad de explicar el anteproyecto de ley y recibir aportaciones de los allí presentes.

Las conclusiones derivadas de este *feedback* con la ciudadanía y organizaciones promotoras de la transparencia, así como el resultado de los diferentes dictámenes e informes solicitados a los órganos e instituciones reflejaron un elevado interés en incluir un régimen sancionador en caso de incumplimiento que no estaba presente en la redacción del anteproyecto[8].

Atendiendo a este requerimiento se incluyó en el Proyecto de Ley el Título VI, regulador del régimen sancionador, que incluye, en primer lugar, sanciones de carácter disciplinario a las infracciones imputables a las autoridades, directivos y al personal al servicio de las entidades previstas en el ámbito subjetivo de la norma; y en segundo lugar, otro tipo de sanciones consistentes en la amonestación o multa para las infracciones cometidas por personas físicas o jurídicas obligadas al suministro de información conforme a los artículos 4 y 5 de la ley.

2. La aprobación en 2014 de la ley de transparencia andaluza

Tal y como se ha señalado con anterioridad y, coincidiendo con la esfera estatal, desde el año 2012 el ejecutivo andaluz venía manifestando públicamente su interés en regular el principio de transparencia. No obstante, siguiendo uno de los principios básicos configuradores del Estado Autonómico como es la lealtad institucional, tras algunos debates internos, se consideró más apropiado esperar a la

---

[8]   Para más información al respecto, véase: Informe de la Dirección General de Presupuestos (ref: DJMP/GGLJ – 4283/2013), Informe de la Dirección General de Planificación y Organización de los Servicios Públicos (ref: 30.21.2013 LGL),Informe del Consejo de los consumidores y usuarios de Andalucía (ref: 22/2013), Informe del Consejo Andaluz de Concertación Local (12 de julio de 2013), Informe de la Secretaría General Técnica Informe del Gabinete Jurídico de la Junta de Andalucía, Dictamen del Consejo Económico y Social de Andalucía 820 de enero de 2014) y Dictamen del Consejo Consultivo de Andalucía (ref: 73/2014).

aprobación de una norma estatal en materia de transparencia para, de esta forma, adaptarse a ella y, en la medida de lo posible, ampliar algunos de sus contenidos dentro de las competencias que la propia Constitución española reserva a las Comunidades Autónomas (art. 149.1. 18º CE). Es así como, el 18 de febrero de 2014, el Consejo de Gobierno andaluz aprobó el Proyecto de Ley de Transparencia Pública de Andalucía (LTPA, en adelante), culminando el 11 de junio de 2014 con su aprobación por unanimidad por los miembros del Pleno del Parlamento Andaluz, convirtiéndose así en la primera ley autonómica sobre transparencia aprobada tras la norma estatal[9].

A diferencia de la ley estatal y de otras leyes autonómicas, la LTPA es exclusivamente una ley reguladora de la transparencia en su amplio sentido, es decir, el de publicidad activa y el de derecho de acceso a la información pública, también conocido como publicidad pasiva. Sin embargo, no es una norma de gobierno abierto[10], como sí lo es la extremeña, puesto que no contiene preceptos referentes a los otros pilares que lo conforman: participación y colaboración. Igualmente, en Andalucía ya se encontraba en trámite una ley reguladora de la participación, dando lugar por tanto a dos normas independientes: por un lado, la LTPA de 2014 y, por otro, la Ley 7/2017, de 27 de diciembre, de Participación Ciudadana de Andalucía.

Si bien la LTPA fue aprobada en junio de 2014, su entrada en vigor se retrasó hasta un año después de su publicación en el BOJA, es decir hasta el 30 de junio de 2015, dilación aún más pronunciada para las entidades locales andaluzas quienes, conforme a la disposición final quinta de la LTPA, dispusieron para su adaptación de un plazo máximo de dos años desde la entrada en vigor de la LTAIBG, haciéndola así coincidir con la fecha de entrada en vigor de la propia ley estatal.

---

[9]   Para un estudio en profundidad de la Ley 1/2014, de 24 de junio, de Transparencia Pública de Andalucía puede consultarse S. Fernández Ramos, coord., Estudio sobre la Ley de Transparencia Pública de Andalucía, Instituto Andaluz de Administración Pública, Sevilla, 2015.

[10] Durante la tramitación parlamentaria de la LTPA el Grupo parlamentario popular defendió la idea de que en la norma se incluyera la materia de Buen Gobierno, siguiendo así la misma estructura que la ley estatal, aunque finalmente aceptaron el compromiso del entonces gobierno socialista de impulsar una ley de buen gobierno sobre la figura de altos cargos.

Entre las diferencias más notables de la LTPA con respecto a la ley estatal, además del mayor alcance de su objeto y de la información publicable de forma proactiva por la Junta de Andalucía, se encuentra la inclusión de dos nuevas categorías: un Título IV, sobre fomento de la transparencia, y un Título VI, que reconoce un procedimiento sancionador en caso de incumplimiento de las obligaciones derivadas de la ley (aspecto éste muy cuestionado en el ámbito estatal al no haberse incluido en la LTAIBG[11]). Pero, sin duda, junto a la incorporación del régimen sancionador, otra de las más destacables características de la norma autonómica es la fijación de un plazo de 20 días prorrogables con los que cuenta la Administración andaluza para dar respuesta a las solicitudes de acceso de la información pública. Se trata, sin duda, de una acusada diferencia con respecto al plazo previsto en la norma estatal, fijado en un mes.

El hecho de ser la primera norma autonómica aprobada tras la LTAIBG y, como acabamos de enunciar, con una regulación más ambiciosa que ésta, ha propiciado que muchas otras Comunidades Autónomas tomaran como referencia la LTPA para la redacción de sus propias normas sobre transparencia. A modo de ejemplo, se aprecia claramente la influencia del régimen sancionador de la ley andaluza en la Ley 2/2015, de 2 de abril, de Transparencia, Buen Gobierno y Participación Ciudadana de la Comunidad Valenciana (Título III); en la Ley 12/2014, de 16 de diciembre, de Transparencia y Participación Ciudadana de la Comunidad Autónoma de la Región de Murcia (Título V); o en la Ley 12/2014, de 26 de diciembre, de transparencia y de acceso a la información pública de Canarias (Título V).

---

[11]   En el informe de consulta del 3 de agosto de 2012 del anteproyecto de ley estatal se afirmó que "son varias las observaciones que solicitan la inclusión de mecanismos que permitan sancionar el incumplimiento de las obligaciones de publicidad activa". Asimismo, el Grupo Parlamentario UPyD presentó una enmienda a la norma en la cual proponía una sección destinada a la regulación de los aspectos básicos de régimen sancionador.

III. LA APLICACIÓN EFECTIVA DE LA LTPA

1. Evaluación del funcionamiento del portal de transparencia

Siete años después de la aprobación de la LTPA es tiempo más que suficiente para evaluar su efectividad, entendiendo como tal si realmente, gracias a la plasmación del principio de transparencia en la norma autonómica, se ha facilitado el conocimiento por la ciudadanía de la actividad de los poderes públicos y de las entidades con financiación pública, y se ha promovido el ejercicio responsable de dicha actividad y el desarrollo de una conciencia ciudadana y democrática plena[12].

Siguiendo el último de los informes de situación elaborado por la Secretaría de Transparencia de la Junta de Andalucía sobre la aplicación de la LTPA (2021)[13], que engloba el periodo comprendido entre la fecha de entrada en vigor de la ley (30 de junio de 2015) y el 31 de marzo de 2021, se han recibido un total de 10.561 solicitudes de información pública, de las que 9.647 han sido resueltas. Destaca el amplio porcentaje de solicitudes cuya resolución ha sido estimatoria total o parcialmente (70,8%) frente a las denegatorias (2,3%), correspondiendo el restante 26,9% a las solicitudes que no han llegado a admitirse a trámite por concurrir alguna de las causas de inadmisión previstas en el art. 18 de la LTAIBG y el art. 30 de la LTPA.

Se trata esta de una cifra significativa, si la comparamos por ejemplo con las 42.663 solicitudes acumuladas hasta la misma fecha a través del portal de transparencia estatal[14] (tabla 3). No obstante, además de la evidente diferencia de población a la que se dirige cada uno, es importante aclarar que mientras para el ámbito estatal contamos

---

[12]   M.D. Montero Caro, "Balance de la configuración autonómica de la transparencia en España. Especial referencia a Andalucía", *Revista Española de la Transparencia*, núm. 8, 2019, pág. 149.

[13]   Secretaría de Transparencia. 2021. Aplicación de la Ley de Transparencia Pública de Andalucía. Informe de situación a 31/03/2021. Disponible en: https://www.juntadeandalucia.es/transparencia/transparencia-andalucia/estadisticas.html (Fecha de consulta: 9 de julio de 2021).

[14]   Portal de la Transparencia. 2021. Boletín Estadístico del Portal de la Transparencia. Junio 2021. Disponible en: https://transparencia.gob.es/transparencia/transparencia_Home/index/MasInformacion/Portal-en-cifras.html (fecha de consulta: 9 de julio de 2021).

con estos datos acumulados desde diciembre de 2014, en el caso andaluz esta estadística comienza en junio de 2015. Por esta razón, para poder realizar una comparativa en igualdad de condiciones, nos centraremos en analizar las cifras desde 2016 (fecha en que se contabiliza el año natural completo en las dos Administraciones) hasta diciembre de 2020, por ser este el último finalizado. Mientras que a nivel estatal se recibieron un total de 32.435 solicitudes de acceso a la información pública en el período 2016-2020, la Junta de Andalucía, a través de su portal de transparencia, recibió 9404 solicitudes en dicho espacio temporal. No es una diferencia muy significativa teniendo en cuenta que uno es a nivel estatal y el otro a nivel autonómico, algo que no viene sino a demostrar nuevamente que la ciudadanía suele participar de forma más activa en aquellas Administraciones más cercanas a su lugar de residencia, aspecto este que sería aún más acusado si nos centráramos en el estudio de las entidades locales al tratarse este del "ámbito más propicio para impulsar la participación de la ciudadanía en la gestión de los asuntos públicos y la elaboración de políticas locales, dado que el ámbito local es el de mayor cercanía e interacción de la ciudadanía con la Administración"[15].

Tabla 3: Evolución del número total de solicitudes de acceso a información pública

	2014	2015	2016	2017	2018	2019	2020	2021	Total
Solicitudes presentadas a nivel estatal	608*	3151	3340	4230	5955	7449	11451	6479**	42663
Solicitudes presentadas en Andalucía	Sin datos	605	1622	1646	1762	1610	2764	564***	10573 (10561 según la última actualización oficial)

*Solo diciembre
** De enero a junio
*** De enero a marzo

Fuente: Elaboración propia a partir de los datos extraídos de los informes sobre aplicación de la transparencia a nivel estatal: http://transparencia.gob.es/transparencia/

15   J. Castellanos Claramunt, La participación ciudadana en el ámbito local. La integración democrática de lo local y de lo global en la era digital. Temes de Les Corts Valencianes, Valencia, 2020. pág. 106.

transparencia_Home/index/MasInformacion/El-portal-en-cifras.html y andaluz: https://www.juntadeandalucia.es/transparencia/transparencia-andalucia/estadisticas.html

Si reflejamos estas cifras de una forma gráfica (gráfico 1) se puede apreciar una evolución ascendente del uso del derecho de acceso a la información pública por parte de la ciudadanía. No obstante, este crecimiento es más pronunciado en el ámbito estatal, mientras que a nivel andaluz parece sufrir un ligero estancamiento. Al mismo tiempo, cabe destacar un aumento exponencial significativo en el año 2020, tanto en el ámbito autonómico como en el estatal, siendo este último mucho más agravado.

Si observamos los datos mensuales de 2020 se aprecia que tanto en marzo como en abril se triplica y cuadriplica las solicitudes de acceso a la información pública recibidas por la ciudadanía, hecho que podemos relacionar claramente con las semanas de confinamiento estricto que se produjo como consecuencia de la declaración del estado de alarma en todo el territorio nacional a raíz de la crisis sanitaria provocada por la pandemia de la COVID-19[16].

La imposibilidad de salir de nuestros domicilios, salvo para cuestiones esenciales, propició un uso masivo de internet y, por tanto, de la administración electrónica, de ahí que muchos españoles aprovecharan esta ocasión para dirigirse a la Administración y pedir algún tipo de información de carácter público. Asimismo, la ingente cantidad de datos sanitarios, políticos, etc., con los que fuimos bombardeados durante esos meses, propició un mayor interés por obtener el máximo de información posible relacionada con la pandemia sanitaria y todos los cambios que ésta estaba produciendo en nuestras vidas[17].

---

[16]   Real Decreto 463/2020, de 14 de marzo, por el que se declara el estado de alarma para la gestión de la situación de crisis sanitaria ocasionada por el COVID-19

[17]   Para un análisis en profundidad, desde el punto de vista constitucional, sobre las consecuencias jurídicas de la pandemia sanitaria puede consultarse la obra: *La constitución en tiempos de pandemia*, A. I. Dueñas Castrillo, D. Fernández Cañueto, P. Guerrero Vázquez y G. Moreno González, coords., Dykinson y Ediciones Universidad de Valladolid, Madrid, 2021.

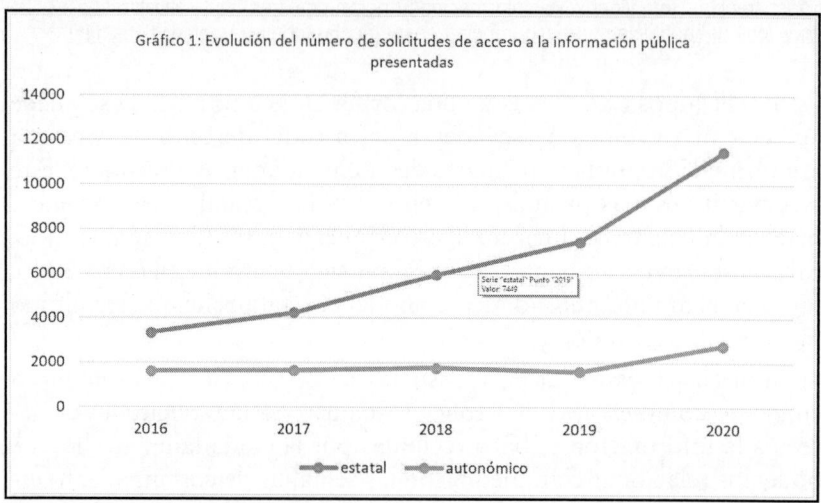

Gráfico 1: Evolución del número de solicitudes de acceso a la información pública presentadas

Fuente: Elaboración propia a partir de los datos proporcionados por la tabla 3.

En lo que respecta al medio utilizado para la presentación de solicitudes de acceso a la información pública, tanto en el ámbito estatal como en el andaluz, destaca de forma sobresaliente la vía telemática frente a la vía presencial. Concretamente, un 89,4% de andaluces y andaluzas y un 91,7% de españoles y españolas han preferido hacer uso del formulario web proporcionado por la Administración andaluza y por la estatal respectivamente. Por consiguiente, podemos afirmar que, al menos en lo relativo al procedimiento de acceso a la información pública, se está consolidando el uso de la Administración electrónica. Objetivo este que fue uno de los fundamentales para la aprobación de una nueva Ley de Procedimiento Administrativo Común en 2015 que, además, contribuye al cumplimiento del principio de transparencia pública, tal y como se desprende de su propia exposición de motivos cuando afirma:

> *"Sin embargo, en el entorno actual, la tramitación electrónica no puede ser todavía una forma especial de gestión de los procedimientos, sino que debe constituir la actuación habitual de las Administraciones. Porque una Administración sin papel basada en un funcionamiento íntegramente electrónico no sólo sirve mejor a los principios de eficacia y eficiencia, al ahorrar costes a ciudadanos y empresas, sino que también refuerza las garantías de los interesados. En efecto, la constancia de documentos y actuaciones en un archivo electrónico facilita*

el cumplimiento de las obligaciones de transparencia, pues permite ofrecer información puntual, ágil y actualizada a los interesados".[18]

En cuanto a las temáticas más demandadas en las solicitudes de acceso de los últimos años en Andalucía, destacan los asuntos concernientes al ámbito laboral: relación de puestos de trabajo, condiciones de trabajo, oferta pública de empleo y bolsas de trabajo; siendo la Unidad de Transparencia de la Consejería de Educación y Deporte la que más solicitudes ha recibido (un 28,5% del total). A la luz de estos resultados, podría ser conveniente revisar el contenido de publicidad activa de esta Consejería, ya que es probable que la mayor demanda de solicitudes pueda venir derivada de una transparencia proactiva insuficiente.

Además del informe de situación sobre las solicitudes de acceso a la información pública, la Secretaría de Transparencia de la Junta de Andalucía elabora otro informe relativo a la navegación web de su portal de transparencia[19]. De acuerdo con los datos que en él figuran (gráfico 2), cabe destacar que, de las cerca de 39 millones de páginas visitadas en el período comprendido entre el 1 de enero de 2018 al 30 de abril de 2021, más del 65% se reparten entre la sección sobre relaciones con la ciudadanía y la relativa a contratos, convenios y subvenciones. En cuanto al perfil del usuario, en términos genéricos nos encontramos ante una mujer (un 60,7% frente al 39,3% de hombres) de mediana edad (aproximadamente el 50% tienen una edad comprendida entre los 45 y 64 años), que consulta la web de la Junta de Andalucía desde fuera la Comunidad Autónoma (un 51,9%). Este último dato es muy significativo, al igual que el hecho de repartirse el otro 50% restante entre las ocho provincias andaluzas, siendo Sevilla quien representa casi la mitad de las solicitudes de acceso que tienen su origen en Andalucía, alcanzando el 20,7% del total. Sin atrevernos a hacer una conclusión de forma categórica, pues para ello

---

18   Ley 39/2015, de 1 de octubre, del Procedimiento Administrativo Común de las Administraciones Públicas.

19   Informe sobre navegación en la Sección de Transparencia del Portal de la Junta de Andalucía. Desde el 1 de enero de 2018 hasta el 30 de abril de 2021. Disponible en: https://www.juntadeandalucia.es/export/drupaljda/2104_navegacion.pdf (fecha consulta: 10 de junio de 2021).

deberíamos conocer quiénes son los solicitantes, estos dos últimos datos nos pueden estar dando una idea de que, además de un criterio meramente demográfico, el propio portal de transparencia esté siendo consultado en su mayor medida por personal del ámbito académico, periodistas o funcionarios de la Administración autonómica, pues la mayor parte de las sedes institucionales de Andalucía se encuentran situadas en la provincia de Sevilla. Si esto fuera así, podríamos plantearnos si realmente estuviese el portal de transparencia cumpliendo su objetivo, ya que, aunque la LTPA habla de "garantizar la accesibilidad universal de todas las personas" (art. 9.4 LTPA), es evidente que la ciudadanía andaluza debería ser la más interesada en las cuestiones que compete a su propia Administración autonómica. En este punto conviene recordar las palabras de Jiménez cuando afirma que "un portal de transparencia que no lidera su comunicación es un portal a merced de sus agentes externos, para bien o para mal"[20]

Gráfico 2: Estadísticas sobre navegación web del portal de transparencia de la Junta de Andalucía (1 enero 2018 a 30 de abril de 2021)

 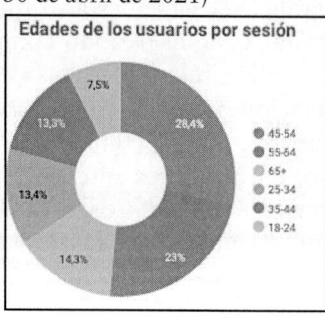

---

[20]   S. Jiménez Meroño, "El uso de los portales de transparencia. Definición de un modelo explicativo de uso". *Revista Española de la Transparencia*, núm. 5, 2017, pág. 69.

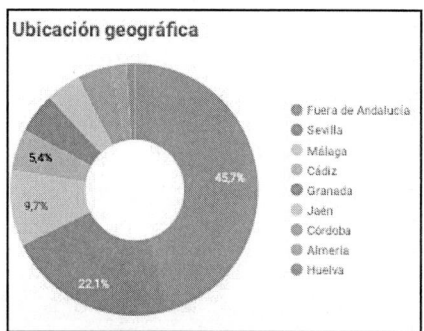

Fuente: Estadísticas del Portal de transparencia de la Junta de Andalucía. Informe de situación sobre navegación web. Disponible en: https://www.juntadeandalucia.es/transparencia/transparencia-andalucia/estadisticas.html (Fecha de consulta: 10 de julio de 2021)

Precisamente, las secciones visitadas en el portal de transparencia andaluz que aparecen en el gráfico 2 coinciden con algunas de las informaciones públicas que la LTPA obliga a publicar conforme a lo dispuesto en sus artículos 10 al 16. En particular, la ley andaluza, además de complementar y detallar las materias sujetas a la obligación de publicidad activa de la ley estatal, enumeradas en los preceptos del 6 al 8 de la LTAIBG, incorpora *ex novo* una serie de categorías referentes a información sobre procedimientos, cartas de servicio y participación ciudadana. De esta forma, la LTPA configura la información pública sujeta a la obligación de transparencia o publicidad activa en siete grandes categorías: información institucional y organizativa (art. 10); información sobre altos cargos y personas que ejerzan la máxima responsabilidad de las entidades incluidas en el ámbito de aplicación de la Ley (art. 11); información sobre planificación y evaluación (art. 12); información de relevancia jurídica (art. 13) información sobre procedimientos, cartas de servicio y participación ciudadana (art. 14); información sobre contratos, convenios y subvenciones (art. 15) e información económica, financiera y presupuestaria (art. 16).

Sobre esta cuestión conviene hacer una precisión alrededor de la delimitación de la obligación de publicidad activa de la norma andaluza con respecto a la estatal. Así, mientras la LTAIBG no suministra una definición concreta sobre ésta, sino que se limita a recordar que se trata de "la información que han de publicar los sujetos obligados, de forma periódica y actualizada, cuyo conocimiento sea relevante para garantizar la transparencia de su actividad relacionada con el funcionamiento y control de la actuación pública" (art. 5.1 LTPA), la LTPA sí que amplia la definición de la obligación de publicidad de la información pública, afirmando que la misma debe ser "veraz, objetiva y actualizada" y que se hace con el objetivo final de controlar la actuación pública por parte de la ciudadanía, favoreciendo su participación (art. 9.1 LTPA)[21].

2. El papel del Consejo de Transparencia y Protección de Datos de Andalucía

El cumplimiento de la normativa prevista sobre los dos grandes pilares en los que descansa el principio de transparencia, esto es, la obligación de publicidad activa de las actuaciones públicas y el derecho de acceso a la información pública, son, además de la tarea añadida de velar por el cumplimiento de la normativa de protección de datos, las finalidades principales del Consejo de Transparencia y Protección de Datos de Andalucía (CTPDA, en adelante). Al igual que ocurre en la mayor parte de territorios, con la aprobación de las leyes de transparencia autonómicas se crea una Administración institucional independiente con personalidad jurídica propia y plena autonomía en materia de control de transparencia. En Andalucía, el CTPDA fue creado en virtud del art. 43 de la LTPA y desarrollado por el Decreto 434/2015, de 29 de septiembre, por el que se aprueban sus Estatutos.

2.1. El CTPDA y la publicidad activa

A continuación, realizaremos un breve análisis sobre la labor del Consejo en estos últimos años en materia de transparencia, dejando,

---

[21]   Falcón Pliego realiza un estudio detallado sobre cómo la LTPA regula la obligación de publicidad activa, comparándola con cómo hace lo propio la Ley Estatal de 2013, en: J.L. Falcón Pliego, "La publicidad activa en la Ley 1/2014, de 24 de junio, de Transparencia Pública de Andalucía y en la actividad del Consejo de Transparencia y Protección de Datos de Andalucía", Transparencia Pública y Comunidades Autónomas, A. Troncoso Reigada Coord., Tirant lo Blanch, Valencia, 2018, págs. 473-515.

por tanto, al margen lo referente a su tarea relativa a velar por el cumplimiento de la normativa de protección de datos respecto a los ficheros de titularidad pública (art. 48.1.i. LTPA).

En primer lugar, con respecto a las obligaciones de publicidad activa recogidas en los artículos del 6 al 8 de la LTPA, el propio Consejo, dentro de su función como divulgador y creador de criterios de interpretación uniforme de las obligaciones contenidas en la ley, ha elaborado un catálogo de obligaciones de publicidad activa indicando quiénes serían los sujetos obligados en cada caso, conforme al art. 3 de la LTPA[22]. No obstante, y como era de esperar, gran parte de la pormenorización de las obligaciones sobre transparencia se han ido construyendo en función de las situaciones particulares que se han desarrollado en estos años de vigencia de la norma. En este sentido, el propio CTPDA ha venido resolviendo alguna de estas consultas planteadas por sujetos obligados, que se convierten en criterios a seguir en casos similares.

Concretamente, en 2016 el Consejo dio respuesta a una consulta realizada por concejales de Ayuntamiento sobre la obligación o no de suministrar información acerca de las cantidades percibidas por estos en conceptos de ayudas sociales, ante la duda razonable de colisión entre el principio de transparencia y la protección de datos personales (C-1/2016). El Consejo, conforme a la normativa aplicable en materia de transparencia (LTAIBG, por derivación del art. 26 LTPA) y protección de datos (Ley Orgánica 15/1999, de 13 de diciembre de Protección de Datos de Carácter personal[23]) concluyó al respecto que, si las ayudas sociales objeto de solicitud de acceso no guardan conexión con los datos especialmente protegidos de los art. 7.2 y 3 de LOPD, deberá prevalecer el interés público en la divulgación de la información por tratarse de cargos públicos.

Por su parte, en lo que respecta al ámbito temporal, el Consejo interpreta acertadamente que no existe ninguna limitación, pues allá donde la ley no establece plazo, no se debe limitar. En este sentido, la LTPA cuando define el acceso a la información pública hace referencia

---

[22]   Catálogo de Obligaciones de Publicidad Activa de la Ley 1/2014, de 24 de junio, de Transparencia Pública de Andalucía, disponible en: https://www.ctpdandalucia.es/sites/default/files/inline-files/catalogo-obligaciones-publicidad-activa-ltpa-sujetos-obligados-art3.pdf (fecha de consulta: 10 de julio de 2021).

[23]   Vigente en aquel momento.

a la información pública "que obre en poder" de la Administración Pública, por lo que deja abierta la puerta a que también pudieran solicitarse dichos datos a concejales de corporaciones anteriores, siempre y cuando, esa información estuviera en poder de la entidad local correspondiente.

Otra de las consultas planteadas al CTPDA fue formulada en el año 2018 por el Colegio de Podólogos de Andalucía con la siguiente literalidad:

> *"Rogamos puedan indicarnos de manera ejemplificativa aquellos actos de la Corporación Profesional sujetos a Publicidad Activa. De igual modo, rogamos puedan indicarnos de manera ejemplificativa contratos de las Corporaciones Profesionales Colegiados sujetos al Derecho Administrativo".*

Se trata esta de una consulta sin unas conclusiones categóricas, como sí lo era la anterior de 2016, puesto que, indica el Consejo, "es el sometimiento al derecho administrativo el requisito imprescindible para extender la exigencia de publicidad activa a una concreta actividad de la Corporación" (C-1/2018), quedando, por tanto, al margen aquellos actos adoptados por el Colegio profesional en su esfera estrictamente privada.

Asimismo, en el año 2020 el CTPDA da respuesta a dos consultas sobre publicidad activa. La primera de ellas trata el asunto referente a la retirada de documentos en la página web, sede electrónica o portal de transparencia, transcurrido el trámite de información pública a solicitud de los afectados (C-1/2020). Es muy interesante leer las consideraciones jurídicas que hace el Consejo sobre esta cuestión, pues aprovecha la ocasión para hacer un llamamiento público tanto al ejecutivo estatal como al autonómico, al indicar que, precisamente, el plazo de retirada de la información de la web es uno de los interrogantes a los que ni la LTAIBG ni la LTPA da respuesta, por lo que debería ser uno de los aspectos a incluir en el futuro y, ya tardío, reglamento de desarrollo. Al no estar limitado reglamentariamente, el CTPDA resuelve dicha consulta afirmando que "una vez transcurrido el periodo de información pública, la Administración debe retirar el documento de la correspondiente sede electrónica, portal o página web, siempre y cuando así lo solicite el titular del derecho a la propiedad intelectual", si lo hubiere.

Por último, la segunda de las consultas realizadas al Consejo en el año 2020 versaba sobre la incidencia del marco normativo regulador de la transparencia en el Reglamento de Organización y Funcionamiento del Consejo Audiovisual de Andalucía (ROFCAA) en relación con el proceso de formación interna y ulterior exteriorización de su voluntad (C-2/2020). El CTPDA argumenta la prevalencia de la regla general de acceso a la información pública de las deliberaciones adoptadas en el seno de los órganos colegiados a la hora de interpretar los preceptos reglamentarios (ROFCAA), que únicamente podrán ser limitadas si se justifica y motiva alguno de los supuestos legales que permiten su restricción. En efecto, prosigue el Consejo, para la aplicación de los límites de publicidad activa "se exigirá que se argumente la existencia de un riesgo real, actual y concreto para tales intereses, no bastando la exposición de meras conjeturas ni la mención de remotas o hipotéticas posibilidades de que se irrogue un perjuicio con motivo de la divulgación de la información" (Resolución 42/2016, FJ 9°).

Otra de las funciones del CTPDA vinculadas a la publicidad activa es el propio control de la misma en virtud de los términos previstos por el art. 23 de la LTPA, el cual afirma que el Consejo tendrá capacidad para efectuar, ya sea por iniciativa propia o como consecuencia de denuncia, requerimientos para la subsanación de los incumplimientos que pudieran producirse de las obligaciones de publicidad activa. En virtud de ello, y con los datos actualizados a fin del año 2020, la evolución trimestral del número de denuncias presentadas sobre esta materia entre los años 2016-2020 muestra un claro ascenso en los tres primeros años de existencia del Consejo, con un acusado retroceso desde 2019, tal y como se puede apreciar en la tabla 4.

Tabla 4: Denuncias trimestrales presentadas ante el CTPDA 2016-2020

Denuncias	1er trimestre	2° trimestre	3er trimestre	4° trimestre	TOTAL
2016	0	49	8	10	67
2017	29	81	93	69	272
2018	85	178	10	14	287
2019	13	12	8	19	52
2020	20	6	10	14	50

Fuente: Informe del CTPDA cuarto trimestre 2020. Disponible en: https://www.ctpdandalucia.es/sites/default/files/inline-files/Informe%204%20Trimestre%202020.pdf

Las particularidades de cada una de estas denuncias presentadas ante el CTPDA por presuntos incumplimientos de la normativa autonómica en materia de publicidad activa pueden consultarse de forma actualizada en el buscador creado al efecto por la propia web del Consejo[24], entre las que destacan aquellas que hacen referencia a la estructura organizativa de las entidades públicas, información sobre agendas institucionales o retribuciones de cargos públicos, o sobre planeamiento urbanístico, entre otras[25].

2.2. El CTPDA y *el derecho de acceso a la información pública.*

El legislador autonómico dejó claro el carácter interpretativo en materia de transparencia que le iba a ser atribuido al CTPDA con la redacción del art. 48.1.b) de la LTPA, en el que se asigna a su director la función de "resolución de las reclamaciones contra las resoluciones expresas o presuntas en materia de acceso que puedan presentarse por las personas solicitantes o por las terceras personas interesadas en los supuestos previstos en la legislación básica". Para ello, podrá adoptar "criterios de interpretación uniforme de las obligaciones contenidas en la ley" (art. 48.1.c LTPA).

---

[24]   Disponible   en: https://www.ctpdandalucia.es/buscar-resoluciones-sobre-denuncias.

[25]   El primer expediente sancionador incoado por el incumplimiento de la Ley de Transparencia Pública de Andalucía tras la resolución en la que se declaró el incumplimiento de la obligación de publicidad activa del gobierno de la Junta de Andalucía, como consecuencia de la denuncia interpuesta por el grupo parlamentario popular en 2016 es analizado por Ruíz- Sillero Bernal en: M.T. Ruíz-Sillero Bernal, "El primer expediente sancionador incoado por el incumplimiento de la Ley de Transparencia Pública de Andalucía", *Revista Española de la Transparencia*, Núm. 10, 2020, págs. 49-64.

Tabla 5: Reclamaciones trimestrales presentadas ante el CTPDA 2016-2020

Reclamaciones	1er trimestre	2º trimestre	3er trimestre	4º trimestre	TOTAL
2016	52	55	41	85	233
2017	72	251	85	87	495
2018	109	144	121	89	463
2019	135	120	198	128	581
2020	171	46*	145	134	496

Con la declaración de estado de alarma el 14 de marzo de 2020 se suspendieron los plazos de los procedimientos administrativos, de ahí que el número sea particularmente bajo.

Fuente: Informe del CTPDA cuarto trimestre 2020. Disponible en: https://www.ctpdandalucia.es/sites/default/files/inline-files/Informe%204%20Trimestre%202020.pdf

Siguiendo con la promoción de la Administración electrónica, la totalidad de procedimientos con el Consejo pueden iniciarse de forma online, ya que su propia web contiene un apartado denominado "ventanilla electrónica" a través de la cual se puede realizar alguna de las siguientes acciones: solicitud de acceso a información pública, reclamación en materia de derecho de acceso, denuncia por incumplimiento de las exigencias de publicidad activa, consulta en materia de transparencia para los sujetos obligados, así como otros referentes al cumplimiento de la normativa sobre datos personales.

Cabe destacar el impulso que el CTPDA otorga a la transparencia aprobando en febrero de 2018, el Plan de Control e Inspección sobre Publicidad Activa de 2018[26], cuyo objetivo consiste, por un lado, en examinar el cumplimiento de las obligaciones de publicidad activa por los sujetos obligados y, por otro, en establecer recomendaciones o directrices con base en los resultados obtenidos. Son cuatro las líneas sobre las que se estructura este Plan, referidas a:

- "verificación del cumplimiento del art.13.1.e) de la LTPA en relación con disposiciones publicadas en boletín oficial estableciendo periodo de información pública" (línea 1),

---

[26] Plan de Control e Inspección de Publicidad Activa 2018. Avance sobre el informe de ejecución: Disponible en: https://www.ctpdandalucia.es/sites/default/files/inline files/avance sobre el informe de ejecucion del pcipa 2018.pdf

- "aproximación al cumplimiento de las obligaciones de publicidad activa entre los sujetos obligados por percepción de subvenciones por importe superior a 100.000 euros" (línea 2),
- "cumplimiento de obligaciones de publicidad activa entre corporaciones de derecho público andaluzas y entidades asimilables en lo relativo a sus actividades sujetas al derecho administrativo" (línea 3),
- y, por último, "cumplimiento de obligaciones de publicidad activa por parte de las universidades públicas andaluzas en relación con la información institucional y administrativa de sus entes instrumentales" (línea 4).

Se trata así de cumplir con una de las funciones del CTPDA previstas en el artículo 48 de la LTPA: la de ejercer el control de la publicidad activa en los términos previstos en el art. 23 de la misma, en virtud del cual el Consejo "podrá efectuar, por iniciativa propia o como consecuencia de denuncia, requerimientos para la subsanación de los incumplimientos que pudieran producirse de las obligaciones de publicidad activa por parte de los sujetos obligados a realizar la misma".

Con el cambio de gobierno autonómico en 2019, se aprobó un nuevo Plan Anual de Control e Inspección Sobre Publicidad Activa del año 2019-2020[27] que descansa sobre las siguientes líneas:

- "control del cumplimiento de obligaciones de publicidad activa por parte del Parlamento de Andalucía y otras instituciones de autogobierno de la Comunidad Autónoma" (línea 1),
- "verificación de la publicación electrónica por parte de los sujetos obligados de sus inventarios de actividades de tratamiento" (línea 2),
- y "comprobación del cumplimiento de las obligaciones de publicidad activa entre los sujetos obligados por percepción de subvenciones por importe superior a 100.000 euros" (línea 3).

---

[27] Resolución de 7 de noviembre de 2019, del Consejo de Transparencia y Protección de Datos de Andalucía, por la que se aprueba el Plan de Control e Inspección sobre Publicidad Activa de 2019-2020. Disponible en: https://www.ctpdandalucia.es/sites/default/files/inline-files/boja_plan_inspeccion_19_20.pdf

IV. ¿Y AHORA QUÉ? DEBATES ACTUALES EN TORNO AL DESARROLLO DEL GOBIERNO ABIERTO ANDALUZ. ESPECIAL REFERENCIA AL PRINCIPIO DE TRANSPARENCIA.

En la actualidad, tanto a nivel estatal como autonómico, existe un estancamiento en el desarrollo de normativa en materia de transparencia. En concreto, desde la aprobación de la LTAIBG, los sucesivos gobiernos han incorporado en sus respectivos planes anuales normativos la aprobación del reglamento de desarrollo de esta ley, sin que, en ninguno de los casos, haya visto finalmente la luz. De hecho, el último intento por aprobar el susodicho desarrollo reglamentario, en virtud de la Disposición Final Séptima de la LTAIBG, se encuentra recogido en el Plan Anual normativo de 2020[28], inserto en el Ministerio de Política Territorial y Función Pública, así como en el actual IV Plan de Gobierno Abierto de España 2020-2024, encontrándose en la actualidad en una fase avanzada de tramitación tras haber superado dos procesos de información pública, uno de consulta previa y haber sido informado a los diferentes ministerios, a las Comunidades Autónomas, a la Federación Española de Municipios y Provincias (FEMP), a la Dirección de Régimen jurídico autonómico y local, a la Oficina de Coordinación y Calidad Normativa, a la AEPD, al CTBG y al Consejo de Estado, que elaboró un Dictamen al respecto (CE-D-344/2019).

En Andalucía, la situación no dista mucho de la estatal. En efecto, en el Plan Anual Normativo de 2017 se incluía una previsión sobre el Decreto por el que se aprueba el reglamento de la LTPA que llegó a alcanzar la fase de trámite de consulta previa para el proyecto de decreto[29]. No obstante, con la llegada de un nuevo gobierno de signo político contrario al que llevaba años gobernando Andalucía, se vio

---

[28] Plan Anual Normativo de 2020 del Gobierno de España. Ministerio de la Presidencia, Relaciones con las Cortes y Memoria Democrática, disponible en: https://transparencia.gob.es/transparencia/dam/jcr:7df7e523-7a89-47b2-8428-71e6fa878f8f/PAN-2020.pdf.

[29] Resolución de la Viceconsejería de la Presidencia y Administración Local por el que abre el trámite de consultas previas del proyecto del Decreto por el que se apruebe el reglamento de desarrollo de la ley de 1/2014, de 24 de junio, de Transparencia Pública de Andalucía. Disponible en: https://www.juntadeandalucia.es/

oportuno iniciar el procedimiento para elaborar un nuevo reglamento de desarrollo de la LTPA que fue sometido a la fase de consulta pública previa a su elaboración entre el 12 de diciembre de 2020 y el 11 de enero de 2021 por la nueva Consejería de Turismo, Regeneración, Justicia y Administración Local, dirigida por el también vicepresidente, Juan Marín. Sin embargo, según los propios datos sobre normativa autonómica disponibles en la web de transparencia de la Junta de Andalucía, a la fecha de redacción de este estudio (julio de 2021) el Plan anual normativo que se encuentra disponible es el de 2018. No se ha actualizado este apartado desde el 5 de abril de 2018. El ejecutivo andaluz ha fundamentado esta decisión en virtud de la declaración como inconstitucional del art. 132 de la Ley 39/2015, de 1 de octubre, del Procedimiento Administrativo Común de las Administraciones Públicas (LPAC, en adelante), que hacía referencia, precisamente, a la obligatoriedad de las Administraciones Públicas de elaborar un Plan Normativo anual (FJ. 7.b) y 7. c). STC 55/2018, de 24 de mayo).

Pese al pronunciamiento del Alto Tribunal, llama la atención cómo en la web que debe dar cuenta de toda la información de carácter público del Gobierno Autonómico precisamente se encuentre sin actualizar el apartado referente a los planes normativos. En consecuencia, el usuario que necesite conocer el avance normativo en la Comunidad Autónoma Andaluza, deberá, o bien acudir a la web del Parlamento Andaluz, o dentro del mismo portal de transparencia consultar el apartado de "normativa en elaboración", que lógicamente no coincide con el concepto de Plan normativo, pues mientras que en el primero de ellos ya se ha comenzado el proceso legislativo o ejecutivo, el segundo es más una declaración de intenciones a corto plazo (un año natural) en lo referente a la próxima aprobación normativa. Es por esta razón que, al margen de no tratarse ya de una obligación, hay otras Comunidades Autónomas que siguen haciendo público su Plan anual normativo, como son, por ejemplo: la Comunidad Valenciana, que pese a dejar constancia de no estar obligada legalmente por el ya declarado inconstitucional art. 132 LPAC, considera que:

---

export/drupaljda/Resoluci%C3%B3n%20apertura%20tr%C3%A1mite%20 anonimizado.pdf

"Ello no impide, sin embargo, que la institución de la planificación normativa y, en concreto, el instrumento del plan de periodicidad anual, constituya un instrumento eficaz de racionalización en la actuación de la Administración de la Generalitat Valenciana y que, además, proporciona un trámite reflexivo a la hora de abordar cada nueva regulación que debe pasar el doble filtro de la aptitud para cumplir eficazmente el objetivo pretendido y de no imponer a la sociedad más cargas administrativas que las imprescindible para lograr su fin; son los principios de lo que se conoce, respectivamente, como *better regulation* y *smart regulation*. Indudablemente, este proceso debe de completarse con una mejora retroalimentada a partir del proceso de evaluación de las normas aprobadas.

Por ello, pese a no existir obligación legal de que la Administración de la Generalitat elabore su plan normativo de vigencia anual, el *Consell* opta por mantener este instrumento que, con la experiencia que se está adquiriendo a lo largo de los sucesivos ejercicios, debe desembocar en una indudable mejora de la regulación de los diferentes ámbitos de competencia de la Generalitat y dejará su impronta en las normas que en un futuro se elaboren"[30].

En la misma línea que la Comunidad Valenciana se sitúa el Gobierno de Aragón que, el 25 de enero de 2021, aprobó el Plan Anual Normativo del Gobierno de Aragón correspondiente al año 2021, vinculándolo al, ya no obligatorio, art. 132 de la LPAC. Sin duda, aunque no sea exigible legalmente la elaboración de los Planes Anuales Normativos después del pronunciamiento del Tribunal Constitucional, sí debemos tener presente que cuando la ley de transparencia estatal o, en el ámbito que nos ocupa, la andaluza de 2014, enumera la información que debe ser publicada de forma proactiva (arts. 10-16 LTPA) hace siempre referencia a unos mínimos[31].

Por otra parte, en lo referente a las solicitudes de acceso a la información, realizadas en Andalucía desde que se puso en marcha el procedimiento tras la aprobación de la LTPA, los datos analizados no

---

[30]   Informe de ejecución dela Plan Normativo de la Administración de la Generalitat Valenciana 2020. Disponible en: https://gvaoberta.gva.es/documents/7843050/165306282/Informe+DGRRCC+cumplimiento+PN+2020.pdf/71bccaea-541b-4f15-93ef-29c3a56d3286

[31]   L. Cotino Hueso, "La nueva Ley de Transparencia y Acceso a la Información", Anuario Facultad de Derecho- Universidad de Alcalá VII, núm. 7, 2014, pág. 248.

son escasos si lo comparamos, de forma proporcional, con el mismo procedimiento en el ámbito estatal. No obstante, sí que sería interesante conocer las verdaderas causas por las que no se produce un mayor uso del derecho de acceso a la información, ya que si ello es consecuencia del aumento del contenido de publicidad activa presente en el portal de transparencia no sería precisamente algo negativo. En este sentido, siempre es recomendable que "para que la ciudadanía interiorice el principio de transparencia lo ideal siempre es que comience de arriba hacia abajo, es decir, que se origine en las instituciones públicas"[32].

Tras siete años de la existencia de la LTPA una de las cuestiones que sigue siendo difícil de comprobar es si realmente gracias a la existencia de este tipo de normas se está consiguiendo fomentar una verdadera cultura de la transparencia entre la ciudadanía o, por el contrario, se está convirtiendo en una norma que, aun siendo necesaria, básicamente está vinculada al ámbito meramente académico y/o periodístico, ya que ha facilitado a los medios de comunicación el acceso a información pública de relevancia. En este sentido, se debe recordar que la libertad de información consagrada en el art. 20.d) de nuestra Constitución, precisamente habla de la misma en una doble vertiente: como derecho a comunicar la información veraz y como derecho a recibirla de forma libre. En esta línea, deberíamos hacer una autocrítica constructiva para evitar caer en lo que con acierto Cruz Rubio ha denominado "transparencia opaca", es decir, aquella apertura simulada en la que en realidad de lo que se trata es de evitar el control y la sanción ciudadana y no de crear y, sobre todo, creerse la cultura de la transparencia en la Administración Pública española de cualquier ámbito territorial (estatal, autonómica y/o local)[33].

Para concluir, conviene dejar constancia de algunos debates en torno al principio de transparencia en el ámbito andaluz que podrían suponer una mejora de la percepción ciudadana con respecto a sus instituciones y gobernantes. Sin duda, la tan ansiada regeneración democrática que, como hemos tenido ocasión de analizar en el primer

---

[32] M.D. Montero Caro, *op. cit.*, pág. 151.
[33] C.N. Cruz-Rubio, Transparencia y buen gobierno: valores y herramientas del gobierno abierto, INAP, Madrid, 2014.

apartado de este estudio, ha sido objeto de promesas políticas, parece que no ha surtido el efecto que se esperaba. Para su éxito, se requiere no sólo un fortalecimiento e implementación real del principio de transparencia, sino también una mayor participación y colaboración de la ciudadanía con los poderes públicos. Es decir, los tres pilares en los que se sustenta la idea de Gobierno Abierto (transparencia, colaboración y participación) son imprescindibles para hablar de una verdadera regeneración de nuestros poderes e instituciones públicas. Para tal efecto, sería necesaria una mayor inversión en formación ciudadana, tanto en el uso de nuevas tecnologías, como en el conocimiento de valores democráticos. Asimismo, sería sin duda altamente positiva la promoción de esta regeneración fuera de nuestras fronteras, erigiéndose como modelo de autonomía transparente y abierta. Para ello, además de la recién aprobada Ley 2/2021, de 18 de junio, de lucha contra el fraude y la corrupción en Andalucía y protección de la persona denunciante, sería muy interesante presentar la candidatura de Andalucía para formar parte de los miembros no nacionales de la Alianza para el Gobierno Abierto (OGP por sus siglas en inglés – *Open Government Partnetship*), de la que España forma parte desde 2011. De esta forma, el gobierno andaluz estaría sujeto a realizar un Plan de Acción de Gobierno Abierto, complementario al Plan de Gobierno Abierto estatal, en el que poder plasmar los objetivos reales a corto plazo que afecten directamente a la sociedad andaluza en materia de Gobierno Abierto y, por ende, en materia de transparencia.

HACIA UNA NUEVA LEY VALENCIANA DE TRANSPARENCIA Y BUEN GOBIERNO: ANÁLISIS DE LA PROPOSICIÓN DE LEY DE TRANSPARENCIA Y BUEN GOBIERNO DE LA COMUNITAT VALENCIANA

ANDRÉS GOMIS FONS

Director general de Transparencia, Atención a la Ciudadanía y Buen Gobierno de la Generalitat Valenciana

I. LA INSTITUCIONALIZACIÓN DE LA TRANSPARENCIA EN LA COMUNITAT VALENCIANA. DE LA LEY 2/2015 A LA PROPOSICIÓN DE LEY DE TRANSPARENCIA Y BUEN GOBIERNO

Este estudio trata de contextualizar y analizar la que previsiblemente será la nueva ley de transparencia y buen gobierno de la Comunitat Valenciana, y el papel de esta en el proceso de institucionalización de la transparencia y la integridad en este territorio. Esta norma, que inicia la segunda generación de leyes de transparencia en España, sustituirá en todo lo relacionado con la transparencia y buen gobierno a la Ley 2/2015, de Transparencia, Buen Gobierno y Participación Ciudadana de la Comunitat Valenciana.

La Ley 2/2015 ha servido durante más de seis años para impulsar y desplegar las políticas de transparencia e integridad de la administración autonómica valenciana. La primera ley valenciana de transparencia se aprobó en abril de 2015, en el último pleno de les

Corts Valencianes de la VIII legislatura. El contexto era el de aquella "tormenta perfecta de la transparencia" de la que hablaba Guichot[1] en la que se produjo el primer impulso general de la transparencia en España, en un momento de crisis económica y política que fue especialmente acentuada en la Comunitat Valenciana.

Dos meses después se produjo un cambio de gobierno. El *Acord del Botànic*, acuerdo programático del nuevo gobierno de coalición, incluía como eje estratégico la regeneración democrática y la lucha contra la corrupción, y se creó una nueva conselleria con la misión de visibilizar y llevar a cabo estas políticas de transparencia e integridad.

En ese tiempo, a la vez que se ha trabajado en la institucionalización de la transparencia en el marco de esta ley, se ha llevado a cabo una intensa acción normativa.

En el ámbito de la prevención y lucha contra la corrupción, destacan la Ley 11/2016, por la que se crea la Agencia de Prevención y Lucha contra el Fraude, y la Ley 22/2018, que regula la inspección general de servicios y el sistema de alertas para la prevención de irregularidades. Por otra parte, se ha aprobado una nueva normativa de incompatibilidades y conflictos de intereses de los alto cargos con la Ley 8/2016 y el Decreto 65/2018 que la desarrolla, que ha supuesto la creación de la Oficina de Control de Conflictos de Intereses y la modernización y digitalización del sistema de gestión de las declaraciones de los altos cargos. Un paso más ha sido la regulación de la transparencia del *lobby*, con la Ley 25/2018, que regula la actividad de los grupos de interés, y su reglamento de desarrollo, el reciente Decreto 172/2021, de 15 de octubre.

Junto con ello, la Ley 2/2015 ha sido desarrollada por diversos reglamentos. El primero fue, en la parte relativa al buen gobierno y la ética pública, el Decreto 25/2016, por el que se aprueba el código de buen gobierno de la Generalitat, que establece los principios y parámetros de conducta que deben cumplir los altos cargos de la administración autonómica. Por otra parte, el Decreto 105/2017, de 28 de julio, desarrolla la ley en materia de transparencia y regula el

---

[1]   E. Guichot Reina, "El proyecto de ley de transparencia y acceso a la información pública y el margen de actuación de las comunidades autónomas", *Revista Andaluza de Administración Pública*, 2012, núm. 84, págs. 89-134, pág. 94.

Consejo de Transparencia. Este reglamento fue el primer -y, hasta el año 2021, el único- reglamento general de transparencia en aprobarse en España, y asumía la vocación de concretar la ley en el sentido más favorable a la transparencia dentro del margen que permite el rango reglamentario. Una de las novedades derivadas de esta norma era la obligación de contar con un plan estratégico de transparencia, mandato que se cumplió en abril de 2019 con la aprobación por el Consell del primer plan bienal de transparencia de la Generalitat 2019-2021.

Paralelamente, el Consejo de Transparencia de la Comunitat Valenciana ha tenido un papel importante a la hora de interpretar y perfilar la ley con su doctrina. Pese a las dificultades que, como gran parte de las autoridades de garantía, ha tenido que afrontar en su puesta en marcha y en su funcionamiento, el primer mandato de esta autoridad deja un volumen de actividad y de reclamaciones cada vez mayor y, sobre todo, un bagaje doctrinal muy destacable e innovador[2] en cuanto al derecho de acceso a la información.

Con toda esta evolución, durante la IX legislatura se impulsó la elaboración de una nueva ley con la que se buscaba recoger el resultado de todo este proceso y definir el modelo de gobierno abierto de la Generalitat. Este proyecto incluía también la regulación de la participación ciudadana, además de incorporar nuevos elementos de buena gobernanza como son la mejora normativa, la evaluación y rendición de cuentas de la acción de gobierno y la integridad institucional. No obstante, aunque se completó toda la tramitación administrativa[3], el anteproyecto de ley de gobierno abierto no llegó a remitirse a les Corts por la finalización de la legislatura. Ya en la actual X legislatura, y tras transcurrir los cinco años de mandato del Consejo de Transparencia, los grupos parlamentarios Socialista, Compromís y Unides Podem han presentado la Proposición de ley de transparencia y buen

---

[2]   Puede consultarse gran parte de esta doctrina en el informe del CTCV en R. Camp, dir., *Anuario de Transparencia Local 3/2020*, Fundación Democracia y Gobierno Local, Barcelona y Madrid, 2021, págs. 283-317. También en L. Cotino Hueso, "Criterios relevantes e innovadores del Consejo de Transparencia de la Comunidad Valenciana, *Revista Española de la Transparencia*, núm. 9, 2019, págs. 39-69.

[3]   Puede consultarse todo el expediente de tramitación en: <https://participacio.gva.es/es/anteproyecto-de-ley-o-proyectos-de-decreto-legislativo>

gobierno, que se encuentra en tramitación parlamentaria. Esta propuesta recoge gran parte del contenido de aquel anteproyecto de ley a excepción de lo relativo a la participación ciudadana, e incorpora novedades en ámbitos como la apertura de datos y la construcción de un sistema de integridad institucional.

La nueva propuesta aspira a culminar el proceso de institucionalización de la transparencia en la Comunitat Valenciana y, a la vez, plasmar en un nuevo marco integrador la visión del buen gobierno y la buena administración de la que quiere dotarse la Generalitat. Se trata de renovar, así, el compromiso con la regeneración institucional y el fortalecimiento de los vínculos de confianza con la ciudadanía para mejorar la legitimidad social de las instituciones.

Por tanto, esta renovación parte de la continuidad. Por una parte, se basa en la experiencia de esta primera etapa de la transparencia y la doctrina del Consejo de Transparencia de la Comunitat Valenciana, llevando al texto legal innovaciones que figuraban ya en el Decreto 105/2017 y teniendo en cuenta las propuestas de mejora que se han puesto de manifiesto en foros expertos.[4] Por otra parte, recoge nuevos estímulos derivados de la evolución entre los diferentes momentos de la transparencia, y complementa el enfoque regenerador y centrado en la ética y la lucha contra la corrupción con otros más vinculados a la transformación digital y la gestión de los datos.

Como ya ocurría en la Ley 2/2015, la mayor parte de la norma se dedica a la transparencia de la actividad pública, con más concreción y obligaciones. En este ámbito se regula la publicidad activa, el derecho de acceso, la planificación y organización administrativa en materia de transparencia y la apertura y reutilización de datos, además de establecer un sistema de garantías basado en el Consejo Valenciano de Transparencia y en el régimen sancionador. Seguidamente, se dedica un título al buen gobierno y la integridad institucional, en el que se

---

[4]   De forma especial destacan las propuestas de mejora de la normativa valenciana formuladas en la parte I de la publicación de A. Fernández Hernández (dir.) y I. Aymerich Ojea y R. García Mahamut (coords.), *Ética, transparencia, buen gobierno y sistema electoral. Propuestas de mejora de la normativa valenciana*, Tirant lo Blanch, València, 2019, págs. 17-214. Especialmente el capítulo de L. Cotino Hueso, "La transparencia y el derecho de acceso en la Comunitat Valenciana: desarrollo normativo y propuestas de regulación", págs. 143-180.

establecen principios de actuación para los cargos públicos, se refuerza la obligación de las entidades públicas de contar con códigos éticos y de conducta y se contemplan las bases para la construcción de un sistema de integridad institucional en la administración autonómica. Finalmente, se incide en la planificación y evaluación en la acción de gobierno, la regulación normativa y las políticas y servicios, reforzando el vínculo de la transparencia con la rendición de cuentas a través de la cultura de la evaluación.

Debe tenerse en cuenta que se trata de una propuesta normativa que se encuentra en tramitación parlamentaria y que, por tanto, puede sufrir cambios y modificaciones hasta su aprobación final. Partiendo de esta cautela, y tomando como referencia el texto de la Proposición de ley presentada por los grupos parlamentarios, este estudio repasa el contenido de la propuesta y las novedades que contiene respecto al marco normativo actual.

II. LA FUTURA NUEVA LEY DE TRANSPARENCIA Y BUEN GOBIERNO

1. Notas generales y ámbito de aplicación

La extensa exposición de motivos de la Proposición de ley de transparencia y buen gobierno ya deja ver aspectos interesantes respecto al conjunto de la propuesta y su fundamentación. Se incide en la noción de gobierno abierto, pero también se destaca la importancia de la ética pública y la integridad para generar confianza en la ciudadanía, las oportunidades de la transformación digital o el desarrollo de la cultura de la transparencia en la sociedad, recogiendo además las normas aprobadas en estas materias en los últimos años.

Tanto la Ley 2/2015 como esta propuesta se derivan del mandato del artículo 9 del Estatuto de Autonomía de la Comunitat Valenciana de regular mediante ley el derecho a una buena administración y el acceso a los documentos de las instituciones y administraciones valencianas. Si bien este mandato fue ya el antecedente de la Ley 2/2015, en esta nueva propuesta se da un paso más ya que, como se expone, "pretende articular con una visión más completa e integradora los aspectos fundamentales que definen una buena administración", con una vocación más amplia y ambiciosa.

Por otra parte, también destaca en la exposición la fundamentación constitucional de la transparencia y el derecho de acceso a la información, que no sólo hace referencia al artículo 105 de la Constitución sino también a su evolución conceptual y doctrinal en el ámbito internacional, y que relaciona también con los derechos a recibir información veraz y a la participación en los asuntos públicos, configurándose cualitativamente como un derecho fundamental.

Respecto al objeto de la ley, ya en el título preliminar, destacan la mención explícita al desarrollo de marcos de integridad pública y la concepción de la planificación y la evaluación como herramientas para la rendición de cuentas. De este modo se da cabida a la evaluación dentro del ámbito del gobierno abierto, reforzando la idea de entender la transparencia desde un punto de vista amplio que enlaza con la buena administración y la rendición de cuentas.

Esta voluntad de buscar una noción amplia del buen gobierno y la incorporación de la experiencia de estos años se percibe también en los principios generales. Así, se han incluido nuevos principios como la buena regulación o la integridad, y se ha dado un nuevo contenido a principios ya preexistentes. También se han añadido otros que han ido ganando una importancia creciente en la aplicación de la transparencia como son el principio de máxima transparencia, la transparencia desde el diseño o la comprensibilidad.

El ámbito de aplicación sigue el mismo esquema que la Ley 2/2015, con diferentes niveles de sujetos obligados. Se incluyen las entidades vinculadas o adscritas a las instituciones estatutarias como forma de dar cabida a la Agencia Antifraude, y también las federaciones deportivas en las mismas condiciones de las corporaciones de derecho público.

También hay novedades reseñables en los sujetos de naturaleza privada que también quedan obligados por la ley. Por un lado, se ha ampliado el ámbito de entidades obligadas a publicar la información sobre la propia entidad y a cumplir las obligaciones de publicidad activa que precisa la Ley 19/2013, de 9 de diciembre. En este sentido, además de las entidades que ya están obligadas por la percepción de los umbrales de subvenciones establecidos en la normativa básica, tendrán las mismas obligaciones que estas las que perciben más de 60.000 euros en subvenciones de administraciones públicas de la Comunitat Valenciana.

Por otra parte, está la obligación de las personas físicas o jurídicas que presten servicios públicos o ejerzan funciones delegadas o de control u otro tipo de funciones administrativas de suministrar, a la administración a la que estén vinculadas, la información que esta previamente le requiera para cumplir sus propias obligaciones de transparencia. Esta obligación, que se extiende a contratistas y beneficiarios de subvenciones, tiene carácter instrumental destinada a que la entidad u organismo público pueda cumplir sus obligaciones. Ello se complementa con una ampliación de las obligaciones de publicidad activa de las administraciones públicas relativas a la concesión de servicios públicos en el artículo 21.

Así pues, se ha optado por simplificar el régimen de obligaciones de las entidades perceptoras de contratos o subvenciones para agruparlas en estos dos supuestos, de diferente naturaleza, a la vez que se refuerzan y amplían las obligaciones de estos dos grupos de entidades. Debe tenerse en cuenta que el resto de obligaciones que recogía la Ley 2/2015 para entidades privadas o bien ya están previstas en la normativa de subvenciones (como la obligación de dar publicidad de la financiación pública de la actividad subvencionada) o bien han perdido parte del sentido que tenían debido a la existencia del Sistema Nacional de Publicidad de Subvenciones, que recoge ya todas las subvenciones y beneficiarios de subvenciones de las administraciones españolas.

Con este esquema, la ley también recoge expresamente en las disposiciones adicionales una serie de medidas para la aplicación de las obligaciones a los diferentes sujetos. Respecto a las instituciones estatutarias, se establece que por razón de su independencia deberán adaptar su normativa a los principios previstos en la ley, a partir de los mandatos específicos que se han establecido. Respecto al resto de sujetos, por su parte, se contemplan medidas específicas de colaboración y apoyo a diferentes niveles. Cabe destacar, por un lado, la asistencia expresa de las diputaciones provinciales y el impulso de un programa de apoyo entre estas, la Generalitat y la Federación Valenciana de Municipios y Provincias para el cumplimiento en las entidades locales, colaboración que se ha plasmado ya en un convenio de colaboración entre estas instituciones[5]. Por otro lado, se prevé el apoyo de la Generalitat para facilitar el cumplimiento de las entidades privadas, con guías o protocolos y medidas específicas a incluir en los convenios y convocatorias.

2. La transparencia de la actividad pública

Dentro de la regulación de la transparencia de la actividad pública, el nuevo texto recoge una serie de preceptos que son comunes a todo este bloque. Entre las novedades, se plasma el principio de máxima transparencia, y se precisa en la definición de información pública que esta se entiende como tal independientemente del momento en que haya sido elaborada o adquirida. Con ello se pretende evitar la posibilidad de limitar el acceso a la información por razón de su antigüedad, criterio confirmado por el Tribunal Supremo después de corregir una sentencia de la Audiencia Nacional que había amparado dicha limitación[6], tras un recurso de la Fundación Civio. También se establece la obligación de promover la cultura de la transparencia entre las organizaciones y la ciudadanía, y ahí cabe señalar la importancia de los instrumentos para la formación y sensibilización sobre las materias de la ley previstos en la disposición adicional quinta.

Junto con ello, se establece como elemento transversal que las administraciones deberán contar con una política de gestión documental que garantice la transparencia y apertura desde el diseño[7], y se regulan los mecanismos para garantizar, también desde el diseño y por defecto, la protección de datos personales en la publicación de información. En este sentido, se incorporan las herramientas derivadas de la nueva normativa de protección de datos personales, haciendo

---

[5]   Este convenio puede consultarse en: https://dogv.gva.es/portal/ficha_docv.jsp?L=
        1&signatura=2021%2F1330&L=0
[6]   STS 810/2020, de 3 de marzo de 2020.
[7]   Sobre la importancia de la gestión documental en la transparencia, puede consultarse A. Cerrillo i Martínez y A. Casadesús de Mingo, "El impacto de la gestión documental en la transparencia de las Administraciones públicas: la transparencia por diseño", Gestión y Análisis de Políticas Públicas. Nueva Época, núm. 19, mayo 2018, págs. 6-16.

énfasis en la disociación y la evaluación de impacto en los datos personales y dando un papel relevante de asesoramiento al delegado o delegada de protección de datos.

Cabe destacar que, pese a que la transparencia y la protección de datos personales tradicionalmente operan en una lógica contraria, en el texto se hace un esfuerzo por aplicar desde el diseño las técnicas desarrolladas en este ámbito para favorecer la transparencia y la apertura. Ello pasa por priorizar siempre, antes que la restricción o limitación, publicar o dar acceso de forma parcial o bien disociar los datos a partir del etiquetado e indexación previa.

2.1. La publicidad activa

En cuanto a la regulación de la publicidad activa, se incluye por primera vez su definición, ya que ni la ley estatal ni la Ley 2/2015 la definían desde el punto de vista conceptual, y para ello se toma el criterio del Consejo de Transparencia y Buen Gobierno estatal.[8]

Dada la amplitud del ámbito subjetivo y al hecho de que no a todos los sujetos se aplican todas las obligaciones, se precisan en las normas generales cómo se aplican las obligaciones de publicidad activa a cada tipo de entidad. En cualquier caso, las obligaciones de publicidad expresamente recogidas en la ley son mínimas y generales, y en el mismo texto se llama a las entidades a publicar toda la información y los datos que sean relevantes y de interés para la ciudadanía. Asimismo, se precisa que los sujetos obligados adapten las obligaciones de publicidad de la ley a sus particularidades organizativas, con un mandato en la disposición adicional tercera para que lleven a cabo las adaptaciones necesarias en sus organizaciones.

Igual que ocurría en la Ley 2/2015, las obligaciones de publicidad recogidas por la ley no se aplican a las entidades locales, las cuales continúan estando únicamente obligadas a publicar la información recogida en la normativa básica, sin perjuicio de las obligaciones que

---

[8]   CTBG, *Criterio 2/2019. Publicidad activa: concepto y naturaleza*, de 20 de diciembre de 2019, pág. 11. Disponible en: <https://www.consejodetransparencia.es/dam/jcr:4ba3c3d0-4776-46ff-a489-3acc53b2b33a/C2_2019_publicidadactiva_concepto.pdf>

establezcan en las normas y ordenanzas que las mismas entidades aprueben o de las que pueda establecer la ley reguladora de los gobiernos locales. En cualquier caso, lo que sí que se ha reforzado es la cooperación y la asistencia a los gobiernos locales para facilitar el cumplimiento de las obligaciones ya existentes. Así, se incluye la posibilidad de cumplirlas de manera asociada o con otras fórmulas de cooperación, y también con la asistencia de las diputaciones y de la Generalitat que expresamente se prevé en la disposición adicional segunda.

Por otra parte, dentro de las normas generales se incluye un artículo con criterios generales de publicación de la información, detallando criterios cualitativos en la organización y presentación de la información para garantizar que sea clara y comprensible, accesible, actual y reutilizable, además de incluir precisiones para garantizar la protección de datos personales directamente relacionadas con la publicidad activa. Gran parte de estos criterios ya estaban recogidos en el Decreto 105/2017 y se plasman ahora en la ley, como el uso de buscadores, la elaboración de gráficos o versiones que faciliten la comprensión de información compleja, el acceso a series históricas de información o la obtención de la información desde los mismos sistemas de información existentes. Otros se introducen por primera vez en esta propuesta, como la identificación y etiquetado de los contenidos para permitir la anonimización de datos desde el diseño de los sistemas de información o la indexación de los contenidos por los buscadores de internet.

En cuanto a los contenidos sujetos a publicación, la organización de los contenidos sujetos a publicidad sigue por lo general el mismo esquema que se derivaba de la Ley 2/2015 y el Decreto 105/2017, aunque recogiendo las materias por artículos para cada tipo de información. La información se clasifica en trece bloques temáticos: institucional, organizativa y de planificación; altos cargos y asimilados; de relevancia jurídica; de carácter presupuestario; endeudamiento; patrimonio; contratación pública; convenios, encargos de gestión, encargos de ejecución a medios propios y acción concertada; publicidad y promoción institucional; subvenciones; ordenación del territorio, urbanismo y medio ambiente; estudios, estadísticas y cartografía; e información solicitada por la ciudadanía.

A partir de esta clasificación de los contenidos, se han ampliado las obligaciones concretas de publicidad activa. Además de incluir algunas concreciones ya previstas en el reglamento, se han actualizado ítems de información que se derivan de otras normas, como las relacionadas con el absentismo laboral, la protección de datos o la actividad de los grupos de interés. Asimismo, se amplían las obligaciones de publicidad relacionadas con la contratación pública, y se deberá publicar más información de detalle sobre los servicios públicos prestados por entidades privadas. Por otra parte, la administración autonómica deberá publicar información tal como el currículum vitae del personal eventual (que ahora requiere su consentimiento), el orden del día de las reuniones del Consell, los acuerdos de los órganos colegiados de gobierno y administración de las entidades del sector público, la huella normativa desde el momento en que se soliciten los primeros informes preceptivos o las encuestas de carácter sectorial.

2.2. El derecho de acceso a la información

La proposición de ley regula con cierto detalle todo lo relativo al derecho de acceso a la información. Cabe recordar que la Ley 2/2015 recogía ya como principales novedades el silencio positivo y el hecho de no requerir la acreditación mediante certificación electrónica al formular la solicitud. El Decreto 105/2017 acotaba la aplicación de cada una de las causas de inadmisión incorporando la doctrina de las autoridades de garantía. No hay que olvidar que, como señala Martín Delgado[9], los datos muestran que la inadmisión es junto con el silencio administrativo el principal obstáculo al acceso, antes que los límites al acceso como tales. También se concretaban en el reglamento algunos aspectos de la formalización del acceso a la información para evitar obstáculos al acceso.

Regulados estos aspectos reglamentariamente, el nuevo proyecto normativo profundiza en criterios asumidos por el Consejo Valenciano de Transparencia, como son las diversas proyecciones del principio

---

[9]   I. Martín Delgado, "Los límites efectivos al derecho de acceso", L. Cotino Hueso y A. Boix Palop, coords., *Los límites al derecho de acceso a la información pública*, Tirant lo Blanch, València, 2021, págs. 65-98, págs. 75-81

de transparencia máxima y la visión antiformalista y favorable al ejercicio del derecho de acceso a la información desde el punto de vista procedimental[10].

Esta visión antiformalista se plasma ya en la definición del procedimiento, en el que se califica el procedimiento como especial y se establece que deben omitir las exigencias o requisitos que puedan obstruir o impedir el ejercicio del derecho, principalmente en lo que respecta a la identificación y firma. Igual que en la Ley 2/2015, se precisa expresamente que no será necesaria la acreditación por certificación electrónica, añadiendo que siempre que se garantice la identidad y sin excluir el uso de los sistemas de firma electrónica. Asimismo, en esta línea de facilitar el acceso, las administraciones deberán incluir el trámite de acceso a la información entre sus procedimientos telemáticos y llevar a cabo una asistencia y colaboración activa mediante guías orientativas y asistencia e información del personal, teniendo en cuenta especialmente a los colectivos afectados por la brecha digital.

Por otra parte, el principio de máxima transparencia también se aplica en relación con las posibles restricciones al derecho de acceso. Así, aunque los límites al derecho de acceso vienen determinados por la normativa básica, se precisa expresamente que sólo se mantendrán mientras perduren los motivos que justifican su aplicación, y se prioriza en todo caso la disociación de datos antes que la posible limitación. Así se expresa, por ejemplo, cuando la solicitud afecte derechos o intereses de terceras personas interesadas, supuesto en el cual no será necesario concederles audiencia si la información se puede facilitar previa disociación de datos personales.

Uno de los grandes avances derivados de la aprobación de las leyes de transparencia es que el ejercicio del derecho a la información no requiere motivación alguna. Sin embargo, el Consejo de Transparencia valenciano ha destacado en diversas ocasiones que el hecho de no motivar la solicitud puede tener consecuencias negativas en el caso de que concurra algún límite y resulte necesario ponderar. Además, las autoridades de garantía se van haciendo eco de la jurisprudencia internacional y del TEDH[11] según la cual el derecho de acceso a la in-

---

[10]   L. Cotino Hueso, "Criterios relevantes…", *Op. cit.*, pág. 42.
[11]   L. Cotino Hueso, "Criterios relevantes e innovadores…", *Op. cit.*, págs. 43-45.

formación se conecta o forma también parte del derecho a la libertad de información cuando concurren determinadas circunstancias y, por tanto, debe contar con la máximo protección en esos casos como parte de un derecho fundamental. Estas circunstancias están relacionadas con el hecho de que el acceso a la información resulte fundamental para el ejercicio del derecho a la libertad de recibir y difundir informaciones, y ahí entra la importancia del sujeto o la finalidad del acceso a la información.

La nueva propuesta de texto normativo asume esta preocupación y, por ello, partiendo de la no obligatoriedad de motivar la solicitud ni de invocar la ley para el ejercicio del derecho, se precisa que en caso de hacerlo será tenido en cuenta para ponderar el acceso. Además, se añade que, en estos casos, antes de resolver, el órgano competente deberá valorar si el solicitante tiene importancia singular en el control social de la acción pública, si la información que solicita puede tener relevancia e interés público o cuál es el tratamiento de la información que tiene previsto y su conexión con intereses que no sean únicamente particulares.

Asimismo, en relación con el deber de informar y motivar las resoluciones, se precisa que, cuando se deniegue el acceso debido a la existencia de derechos de propiedad intelectual o industrial de terceras personas, debe incluirse en la resolución la referencia a la persona titular de los derechos cuando sea conocida o, alternativamente, la referencia a la cedente de la que se haya obtenido la información solicitada.

Por otra parte, respecto a la tramitación del procedimiento, se introducen algunos aspectos del contenido que estaba ya previsto en el reglamento, incorporando al rango legal la interpretación más favorable a la transparencia. Además, se tiene en cuenta la doctrina de la autoridad de garantía[12] respecto al deber de informar sobre la existencia de la información estableciendo que, cuando la solicitud se refiera a información que no obra en poder de la administración pero que a priori sí que debería de estarlo, la administración deberá informar

---

[12] CTCV 19/2015, 28.10.2016, FJ 4º, recogido por L. Cotino Hueso, "La transparencia y el derecho de acceso...", *Op. cit.*, pág. 169.

de la causa de su inexistencia o de las acciones realizadas para poder localizar y facilitar la información.

Una novedad respecto a la redacción inicial de la vigente ley es el sentido negativo del silencio ante la falta de respuesta de las solicitudes de acceso a la información, por aplicación de la jurisprudencia del Tribunal Constitucional. El anteproyecto de ley de gobierno abierto que se tramitó durante la pasada legislatura mantuvo el silencio positivo igual que recoge la Ley 2/2015. Sin embargo, el Tribunal Constitucional en su Sentencia 104/2018, de 4 de octubre de 2018 anuló la regulación del silencio positivo de la ley aragonesa al declarar que la regulación del silencio administrativo en un sentido contrario al de la Ley 19/2013 invade las competencias del Estado. La autoridad de garantía ha asumido esta jurisprudencia y ello se ha incorporado en la Proposición de ley presentada. Es cierto que la regulación del silencio positivo en una materia como la transparencia debe tener importantes particularidades, y de hecho la vigente ley incluye algunas reservas para su aplicación. Pese a todo, no deja de ser un elemento importante para garantizar la obligación de resolver los procedimientos por parte de los órganos de las administraciones, por lo que en este caso supone un cierto retroceso. Es de esperar que este aspecto salga a relucir ante la anunciada reforma de la ley estatal de transparencia, un compromiso del IV Plan de Gobierno Abierto de España.

2.3. El sistema de garantías de la transparencia

a) El nuevo Consejo Valenciano de Transparencia

El modelo y el funcionamiento de la autoridad de garantía de la transparencia en la Comunitat Valenciana ha sido uno de los asuntos controvertidos desde la aplicación de la Ley 2/2015. El Consejo de Transparencia de la Comunitat Valenciana se ha consolidado, ha generado una doctrina importante e innovadora y cada vez resulta más conocido por la ciudadanía, como evidencia el volumen cada vez mayor de reclamaciones atendidas. Sin embargo, ha manifestado en sus memorias anuales sus dificultades para funcionar correctamente, que han imposibilitado ejercer algunas de sus funciones, como las relacionadas con la evaluación de publicidad activa y con el buen gobierno. Por eso una de las principales necesidades que justificaba impulsar un nuevo marco normativo era resolver las deficiencias del modelo de autoridad de garantía y asegurar que pueda ejercer todas sus funciones con eficacia y plena independencia.

Como señala Martín Delgado[13], del artículo 23 y la disposición adicional cuarta de la Ley 19/2013 en relación con el 112.2 de la Ley 39/2015 se extraen tres notas características exigidas por la Ley para las autoridades de transparencia: independencia, especialización y colegialidad. Para mejorar su funcionamiento, el nuevo modelo introduce elementos que pretenden reforzar cada una de estas tres características.

El Consejo Valenciano de Transparencia se define como la autoridad de garantía en materia de transparencia, que tiene como finalidad garantizar el derecho de acceso a la información y velar por el cumplimiento de las obligaciones de publicidad activa. Por tanto, se trata de un órgano especializado en la transparencia, que deja de asumir las funciones de buen gobierno que le atribuía la Ley 2/2015, tal como el mismo Consejo de Transparencia ha demandado en alguna ocasión. Además, en el texto se establecen una serie de principios de actuación que deben regir la actuación de este órgano, que son la objetividad, la independencia, la imparcialidad, la profesionalidad y el sometimiento al ordenamiento jurídico.

Respecto a la composición del órgano, se pasa de una comisión ejecutiva formada por un número de personas igual al de grupos parlamentarios y sin dedicación exclusiva a un órgano más reducido de tres miembros con dedicación exclusiva y rango de director o directora general. Esos miembros deben ser personas expertas en el ámbito de las funciones de la autoridad, de competencia y prestigio reconocidos en derecho público o administración pública y con más de diez años de experiencia profesional. Son elegidos por les Corts por mayoría de tres quintos, y el mandato de los miembros es de cinco años reelegible por un período más. Ahora bien, la persona que ejerza la presidencia, que es elegida por los miembros del mismo Consejo, sólo la podrá ejercer durante un mandato, pudiendo continuar

---

[13]   I. Martín Delgado, "La reclamación ante las autoridades de transparencia como garantía del derecho de acceso", *Transparencia y acceso a la información pública: de la teoría a la práctica*, Iustel, Madrid, 2019, págs. 147-184.

uno más como vocal. En definitiva, manteniendo la colegialidad y la mayoría cualificada requerida, se opta por garantizar la dedicación exclusiva como vía para asegurar la independencia desde el punto de vista material de los miembros, reforzando también la especialización mediante requisitos de experiencia, prestigio y área de especialización para la designación.

El Consejo Valenciano de Transparencia actuará con autonomía orgánica e independencia funcional y por tanto, en sus funciones no estará sometido a instrucciones jerárquicas. La Generalitat, y en particular la conselleria competente en materia de transparencia, es la que deberá dotar de medios al Consejo y prestarle apoyo técnico y administrativo mediante una oficina técnica con rango mínimo de servicio.

En la norma se establecen diversos mecanismos para garantizar esta independencia respecto de la administración, más allá de la dedicación exclusiva de los miembros. Así, se garantiza la autonomía normativa y organizativa, ya que se atribuye al Consejo la elaboración y aprobación de su reglamento de organización y funcionamiento, y se establece que la oficina técnica estará sometida a sus instrucciones y organización. También se prevé la existencia de un programa presupuestario propio y la elaboración por parte del Consejo de una propuesta anual de presupuesto a incorporar al anteproyecto de presupuestos de la Generalitat. Asimismo, una novedad es la participación del presidente del Consejo de Transparencia en el proceso de designación del secretario o secretaria que dirija la oficina técnica, el o la cual deberá ser una persona funcionaria de carrera.

Por otra parte, se refuerza la colaboración con el Consejo Valenciano de Transparencia para que pueda cumplir sus fines. En primer lugar, se garantiza la asistencia jurídica de la Abogacía de la Generalitat al Consejo Valenciano de Transparencia, consistente en el asesoramiento jurídico y la representación y defensa en juicio. Y, en caso de conflicto de intereses por tratarse de otro órgano de la Generalitat, se prevé la formalización de contratos o convenios para la asistencia jurídica externa. La existencia de casos en los que se recurre judicialmente resoluciones de las autoridades de transparencia -aunque ello se ha dado más en el ámbito estatal- justifican precisar estas cuestiones relativas al asesoramiento jurídico. Asimismo, en otro ámbito también se prevé la posible colaboración con la delegación de protección de datos de la Generalitat para el asesoramiento, con carácter no vinculante, en asuntos en que entren en conflicto la transparencia y la protección de datos.

Asimismo, en la disposición adicional sexta se incide en la evaluación del cumplimiento de las obligaciones de transparencia por parte de la autoridad de garantía, especialmente en materia de publicidad activa. Para ello, se prevé la adopción de un sistema de indicadores para la elaboración del cual el Consejo de Transparencia podrá colaborar con las administraciones, las universidades públicas y el resto de autoridades de garantía.

Es importante destacar el deber de todas las administraciones y sujetos obligados de facilitar los datos e informes que les solicite el Consejo de Transparencia y, expresamente, la obligación de colaborar para la evaluación del cumplimiento de las obligaciones de transparencia, siguiendo las directrices o indicaciones que se establezcan. Este deber de colaboración resulta importante puesto que la falta de colaboración supondría una infracción grave recogida en el régimen sancionador.

Cabe destacar que, en general, las referencias a las funciones del Consejo relativas a la publicidad activa son mayores y más concretas que en la vigente ley, tanto en relación con la evaluación como en la facultad de control del cumplimiento de las obligaciones por parte de los sujetos obligados y el modo de ejercerla, ya sea por iniciativa propia o por denuncia.

b) Régimen de impugnaciones para la garantía del derecho de acceso

En el recurso para la garantía del derecho de acceso a la información también hay importantes novedades. En primer lugar, cabe señalar que el Decreto 105/2017 ya reforzaba el carácter ejecutivo de las resoluciones de la autoridad de garantía y regulaba el deber de información sobre su ejecución y el seguimiento por el Consejo de Transparencia, además de establecer la publicidad de las resoluciones y de la información sobre su cumplimiento. En el nuevo texto se plasman también estas prescripciones ya previstas en el reglamento, ampliando además la información a publicar en el portal, con la indicación de las resoluciones que incluyan criterios de interpretación general.

A partir de ahí, una innovación relevante es el nuevo procedimiento de mediación para la garantía del derecho de acceso a la información, una vía que se fundamenta en el artículo 112.2 de la Ley 39/2015. Es cierto que en el ámbito del acceso a la información la mediación puede tener un encaje complejo desde el punto de vista conceptual porque la aplicación de los límites o causas de inadmisión son aspectos reglados que no dependen de la voluntariedad ni son susceptibles de negociación. Sin embargo, atendiendo a la práctica y a la experiencia catalana[14], esta vía puede resultar útil y tener efectos positivos por incluir un elemento de flexibilidad en el procedimiento que puede permitir a los participantes clarificar el alcance de la información solicitada o de los elementos que puedan justificar la inadmisión, facilitar el diálogo para acordar accesos parciales que cumplan las necesidades del solicitante o acordar vías para la formalización del acceso. Teniendo en cuenta que la solicitud de acceso a la información no requiere motivación, también puede operar de facto como una vía para formular subsanaciones o mejoras de una solicitud previa. En cualquier caso, su flexibilidad convierte a la mediación en una opción útil para las diferentes partes que no pone en riesgo la aplicación de la transparencia máxima, dado que es una opción para la persona reclamante complementaria a la reclamación ordinaria, y nunca una obligación.

Todo esto se ha tenido en cuenta a la hora de establecer garantías en el procedimiento. Cualquiera de las partes puede solicitar la mediación cuando se presente una reclamación, y el resto de las partes puede aceptarla o no, a excepción de la administración, que no puede oponerse si alguna de las partes lo acepta. Por tanto, se trata de una opción para el ciudadano y de una obligación para la administración. El procedimiento suspende la reclamación ordinaria y, una vez iniciado, debe sustanciarse en el plazo de un mes, pasado el cual continúa la tramitación de la reclamación si no hay acuerdo. Se evita, por tanto, un posible uso indebido que buscara dilatar el plazo para facilitar información. El acuerdo de mediación debe ser aprobado por las partes

---

[14] J. Mir Bagó, "La mediació en les reclamacions d'accés a la informació pública" *Blog de la Revista Catalana de Dret Públic*, 6 de mayo de 2020, 2020. Disponible en: <https://eapc-rcdp.blog.gencat.cat/2020/05/06/la-mediacio-en-les-reclamacions-dacces-a-la-informacio-publica-josep-mir-bago/>

y ratificado por el Consejo de Transparencia, cobrando el mismo carácter ejecutivo que las resoluciones de la autoridad de garantía. Además, puede haber acuerdos parciales y que el resto continúe por la vía de la reclamación ordinaria. Por tanto, se prevé un sistema garantista para el ciudadano o ciudadana reclamante que se complementa e integra con la vía ordinaria de reclamación, con la voluntad de que resulte una opción útil para la persona reclamante complementaria, y no sustitutoria, de la reclamación.

Por otra parte, en la disposición adicional primera se introduce una novedad muy importante sobre la aplicación de la ley a los regímenes especiales del derecho de acceso a la información pública, y que tiene que ver con la extensión y del sistema de garantías del derecho de acceso.

La aplicación de la supletoriedad de la normativa general cuando existe un régimen específico ha sido un asunto controvertido[15], y la redacción de la normativa básica ha dado lugar a interpretaciones divergentes en las diferentes autoridades de transparencia. El nuevo proyecto trata de resolver esta cuestión precisando que la aplicación del régimen específico tendrá como mínimo los mecanismos de garantía que establece a todos los efectos la ley de transparencia, que deben ser compatibles con los mecanismos previstos en la normativa específica.

De este modo, se confirma con rango legal la línea interpretativa, ya consolidada, del Consejo de Transparencia de la Comunitat Valenciana, por la cual concejales o sindicalistas pueden acudir a la vía general de la autoridad de garantía por la denegación de información solicitada en el ejercicio de su derecho fundamental y el régimen privilegiado de acceso a la información que conlleva. Con ello se pretende evitar que, en el ejercicio de un derecho privilegiado, tengan en la práctica menos garantías que cualquier ciudadano o ciudadana en el régimen general.[16]

---

[15] E. Guichot Reina, "El acceso de los representantes políticos a la información y la nueva normativa sobre transparencia y acceso a la información pública. En especial, la posibilidad de presentar reclamaciones ante las Autoridades de transparencia", *Revista De Estudios De La Administración Local Y Autonómica. Nueva época*, núm. 8, 2017, págs. 27–48.

[16] L. Cotino Hueso, "Los derechos fundamentales de acceso a la información pública, sus límites y la supletoriedad de la legislación general de transparencia",

c) El régimen sancionador

La última pata del sistema de garantías es, una vez constatado un posible incumplimiento, el régimen sancionador. El nuevo texto mantiene el mismo esquema que el de la Ley 2/2015. Es decir, un régimen sancionador aplicable al ámbito de la transparencia que recoge tres niveles de infracciones de tres tipos de sujetos: personal y autoridades de las administraciones públicas, entidades privadas sujetas a obligaciones de publicidad activa, y entidades privadas obligadas a suministrar información previo requerimiento.

Manteniendo este esquema, se ha buscado clarificar mejor las infracciones. En el caso de las administraciones, estas infracciones se basan, en general, en el cumplimiento de las obligaciones de publicidad activa y de las que se derivan del derecho de acceso a la información, así como en la colaboración con el Consejo de Transparencia, tanto para el ejercicio de sus funciones como en el cumplimiento de sus resoluciones y requerimientos. Además, se establece que las sanciones por infracciones graves o muy graves se publicarán en el portal de transparencia.

Respecto a la competencia, destaca en el ámbito local la competencia del pleno para poder incoar y resolver el procedimiento sancionador, como vía cuando la persona presuntamente infractora de la infracción sea el alcalde o alcaldesa. Por último, respecto al procedimiento, se recoge la posibilidad de que el órgano competente para incoar o instruir el procedimiento solicite un informe al Consejo de Transparencia para determinar la calificación de los hechos o sujetos responsables, reforzando así el papel de la autoridad de garantía. Sin perjuicio de ello, el Consejo continúa teniendo la facultad de instar la incoación del procedimiento cuando constate una posible infracción en el ejercicio de sus facultades de control y, cuando ello ocurra, el órgano competente está obligado a incoar el procedimiento y a informar al Consejo de las actuaciones realizadas y el resultado.

L. Cotino Hueso y A. Boix Palop, coords., *Los límites al derecho de acceso a la información pública*, Tirant lo Blanch, Valencia, 2021, págs. 22-63.

2.4. Organización administrativa y planificación en la Generalitat

La transparencia tiene carácter transversal y, por tanto, afecta a todos los ámbitos de la administración y requiere una movilización y organización interdepartamental dirigida a un cambio de cultura. Por ello, más allá de las obligaciones concretas que establece la ley, también son relevantes los instrumentos de gestión para garantizar o facilitar este cambio. En este sentido, una novedad relevante en el texto es la regulación, con un capítulo específico, de los instrumentos organizativos y de planificación de la administración autonómica para cumplir con las obligaciones y principios de la norma en materia de transparencia, estableciendo los roles dentro de la organización.

Es cierto que no se parte de cero, porque el Decreto 105/2017 ya desplegaba la regulación de las unidades y comisiones de transparencia en cada departamento y la comisión técnica de coordinación en materia de transparencia, órgano interdepartamental para la interlocución entre estas unidades y la dirección general competente en transparencia. También preveía la elaboración de un plan estratégico de transparencia como instrumento de planificación, que se ha plasmado en el primer y actual plan de transparencia 2019-2021.

Estas estructuras se llevan a rango legal con el nuevo texto y, como principal novedad, se crea, como órgano político de coordinación, la comisión interdepartamental para la transparencia. Este nuevo órgano de coordinación tendrá la facultad de dictar instrucciones y fijar criterios para la aplicación y desarrollo de las obligaciones en materia de transparencia, además de colaborar con el departamento de transparencia en la planificación y seguimiento. De este modo, mediante este órgano de carácter político se refuerza el liderazgo de alto nivel para el avance de la transparencia, y de él dependerá la comisión técnica actualmente existente. Junto con ello, también se prevé una mayor participación de la delegación de protección de datos en los órganos y comisiones de transparencia, en línea con lo previsto en todo el texto. Por último, también se regula con mayor detalle el contenido y sentido del plan estratégico, orientado a la rendición de cuentas y la mejora continua.

3. Bases para la apertura de datos de la administración

Uno de los ámbitos en los que más cambios ha habido desde el anteproyecto de ley de gobierno abierto a la Proposición de ley de transparencia y buen gobierno es el de los datos abiertos. Tiene que ver con ello, por un lado, la aprobación de la Directiva (UE) 2019/1024 del Parlamento Europeo y del Consejo de 20 de junio de 2019 relativa a los datos abiertos y la reutilización de la información del sector público, y de otros documentos relacionados con la gobernanza del dato. Y, por otro, la importancia creciente que ha ido ganando la gestión y apertura de los datos, especialmente con la pandemia de la COVID-19. No en vano, uno de los tres compromisos de la Comunitat Valenciana en el IV Plan de Gobierno Abierto de España 2020-2024 es una estrategia valenciana de apertura y reutilización de datos, y en marzo de 2021 el Consell de la Generalitat acordó la adhesión a la Carta Internacional de los Datos Abiertos y el inicio de la elaboración de esta estrategia. Ello se suma a la creación, el pasado año, de un nuevo portal de datos abiertos de la Generalitat. Por tanto, la gestión y apertura de los datos se ha convertido en una de las líneas más prioritarias dentro de la agenda de la transparencia y el gobierno abierto.

Cabe señalar, además, que la regulación de la Ley 2/2015 era mínima respecto a los datos abiertos y que, aunque el Decreto 105/2017 la amplió regulando el catálogo de datos abiertos, el margen para la mejora es mayor. En la proposición de ley se recoge una regulación más completa, que se estructura en criterios para la apertura, normas para la reutilización, catálogos de datos y, por último, lo relativo a la información producto de la investigación científica y técnica.

En primer lugar, se incluye la definición de la apertura de datos y el mandato y orientación general de abrir en formato reutilizable progresivamente todos los datos que se generen, teniendo en cuenta lógicamente las posibles restricciones existentes. A partir de ahí, para la apertura de los datos se plasma expresamente el principio de apertura desde diseño y por defecto desde los mismos sistemas de información. Respecto a qué datos y cómo, se incide en la publicación de los metadatos y la interoperabilidad y estandarización, se recoge la noción de conjuntos de datos de alto valor al que se refiere la Directiva para priorizarlos en este proceso de apertura, y se prevé la georreferenciación de los datos susceptibles de territorialización. Junto con ello, también se fomentan las cláusulas *open data* en los contratos e instrumentos en los que se plasme la relación de la Generalitat con terceros, para garantizar así la apertura de los datos que se deriven de ellos.

Los datos abiertos deben recogerse en los catálogos de información pública reutilizable. Respecto a ello, se regula el portal de datos abiertos de la Generalitat con una orientación más interactiva. En este sentido, tendrá como objetivos prioritarios la difusión y promoción no solo del catálogo de datos sino también de las iniciativas de reutilización, y por ello debe incorporar un espacio para realizar propuestas y sugerencias sobre los datos o sobre el portal, sin perjuicio de otros mecanismos para la colaboración y consulta con la comunidad de reutilizadores.

Por otra parte, respecto a otras administraciones se prevén medidas de colaboración y federación de datos entre entidades e instituciones, y se recoge expresamente la elaboración de una estrategia valenciana de datos abiertos como instrumento para la planificación estratégica en este ámbito.

4. La integridad pública para el buen gobierno

La Ley 2/2015 incluía ya un título relativo al buen gobierno, con una serie de principios de actuación y el mandato al Consell de aprobar un código de buen gobierno, el cual se aprobó mediante el Decreto 56/2016. Durante este tiempo se han llevado a cabo acciones de difusión, formación y sensibilización sobre el código, que comporta la adhesión individualizada de los cargos públicos de la administración autonómica y que voluntariamente puede asumir el personal directivo del resto de administraciones e instituciones valencianas.

La proposición de ley, manteniendo en el título el buen gobierno, incorpora la noción de integridad pública, que en los últimos años ha ido ganando relevancia y desarrollándose desde el punto de vista conceptual. Si la ley vigente se refería fundamentalmente a los cargos públicos y se limitaba a la adopción de un código ético o de buen gobierno, el nuevo marco adopta una visión más amplia que busca completar los códigos con toda una infraestructura ética coherente para garantizar la prevención y el refuerzo de la carga ética de lo público.

Las novedades en este ámbito se concretan fundamentalmente en tres ámbitos. En primer lugar, un mayor énfasis en la rendición de cuentas ante la ciudadanía dentro de los principios de actuación en el ámbito del Consell y de las corporaciones locales.

En segundo lugar, la extensión de la ética pública y la integridad a diferentes ámbitos e instituciones. Aquí se establece la obligación de todos los sujetos obligados por la ley de, a partir de los principios que recoge la ley, elaborar con un código ético y de conducta para sus cargos públicos que determine las consecuencias del incumplimiento, con los mecanismos de difusión y garantía para la aplicación y el seguimiento del código. Las entidades pueden adherirse al código de buen gobierno del Consell o adaptar su contenido a las características de la entidad, pero en ese caso deberá aprobarlo previamente el órgano de gobierno de la entidad.

Junto con ello, también se prevé que los sujetos obligados incorporen, en los contratos y subvenciones, los principios éticos y reglas de conducta que deberán seguir los contratistas y personas beneficiarias de subvenciones, y que promuevan la adopción de códigos de conducta dirigidos al personal empleado público que participe en el proceso de adjudicación de contratos y de concesión de subvenciones.

Y, en tercer lugar, ya en el ámbito de la administración autonómica, se establece expresamente que el Consell deberá impulsar e implantar un sistema de integridad institucional como marco para la mejora de la cultura ética de la institución, lo cual es también uno de los compromisos de la Generalitat en el IV Plan de Gobierno Abierto. Este sistema deberá incluir los códigos éticos o de conducta que definan los valores y normas, pero también mecanismos de formación y sensibilización; vías para formular consultas, dilemas o quejas en la aplicación; instrumentos de garantía del cumplimiento con la posible participación de personas externas a la administración; y mecanismos de seguimiento, evaluación y rendición de cuentas.

Por tanto, se establecen las bases del que deberá ser un marco de integridad basado en la autorregulación y que persigue no tanto la represión de la mala conducta sino más bien la prevención y la mejora ética en el conjunto de la institución. Un modelo que atiende tanto a la experiencia propia como a otras iniciativas destacadas y que sigue el esquema de lo que Jiménez Asensio[17] llama el "camino lento" para la prevención de la corrupción. Este sistema deberá ser complementario con los elementos para la integridad ya existentes en la normativa y la arquitectura institucional valenciana, como la Agencia Antifraude, la Oficina de Control de Conflictos de Intereses o el sistema de alertas para la prevención de malas prácticas de la Inspección General de Servicios. El hecho de tratarse de un marco de autorregulación que apela a la conducta individual con la misión explícita de fortalecer la ética pública diferencia este marco del resto de instrumentos, aunque será fundamental la buena coordinación entre ellos.

5. Avanzando en la cultura de la planificación y evaluación

El último bloque es el referido a la planificación y evaluación, una novedad que ya incluía el anteproyecto de ley de gobierno abierto y que mantiene esta nueva propuesta. Se trata de elementos que entran dentro de las nociones de buen gobierno y buena administración y que, cada vez más, se relacionan con la transparencia a través de la rendición de cuentas.

Esta regulación de la planificación y evaluación se proyecta en tres ámbitos distintos. Uno es la acción de gobierno, y ahí se establece por primera vez la obligación de elaborar durante los seis primeros meses de cada legislatura un plan de gobierno del conjunto del Consell. Este plan, que deberá remitirse a les Corts, desarrolla el programa de la investidura e incluirá objetivos, líneas de actuación e indicadores y, como instrumento vivo y dinámico, puede ser modificado. El plan deberá ser objeto de seguimiento rindiendo cuentas semestralmente en el portal de transparencia sobre su grado de desarrollo y ejecución, y en este sentido deberán tenerse en cuenta las oportunidades que abre la gestión de los datos y el desarrollo e implantación de herramientas de cuadros de mandos para mejorar la visualización y la rendición de cuentas.

El plan de gobierno opera como un compromiso con la ciudadanía, que permite reforzar el contenido de la transparencia orientándola a

---

[17]   R. Jiménez Asensio, *Cómo prevenir la corrupción. Integridad y transparencia*, Catarata, Madrid, 2017, págs. 77-98

la evaluación sobre la acción de gobierno. Ya existen en el actual sistema político e institucional instrumentos para plasmar compromisos políticos, como son el programa de gobierno para la investidura, los acuerdos públicos entre fuerzas políticas para conformar los gobiernos de coalición o, en el caso valenciano, los compromisos semestrales asumidos en los llamados "seminarios de gobierno"[18]. Sin embargo, el plan de gobierno va más allá, porque supone aplicar la metodología de la planificación estratégica, requiere una visión del conjunto del gobierno y está orientado a la rendición de cuentas. También supera la vocación de los planes estratégicos sectoriales de la administración, dado su carácter de compromiso público y político del máximo órgano de gobierno.

El segundo ámbito es el de la mejora normativa, una tendencia de la buena administración que está también ganando fuerza progresivamente en nuestro entorno. Esta parte incluye principios de buena regulación cuyo cumplimiento debe justificarse en la parte expositiva de las normas, y prescripciones generales respecto a la simplificación y la consolidación de textos.

También se incide en la evaluación de impacto de las normas, tanto *ex ante* y *ex post*. Por un lado, se establece la elaboración de memorias de evaluación de impacto normativo previas a la aprobación de las normas, y a tal efecto se podrán elaborar guías o recomendaciones, así como realizar pruebas piloto previas a la aprobación de la norma. Por otro lado, deberán desarrollarse herramientas para evaluar la aplicación de las normas, su grado de cumplimiento y la conveniencia de modificarlas, y se prevé la evaluación periódica de los resultados de una norma o de un conjunto de normas dirigidas a un ámbito concreto. Tanto en la evaluación *ex ante* como en la *ex post*, deberán establecerse mecanismos para garantizar la participación de la ciudadanía.

Por último, se regula la obligación de aprobar anualmente el plan normativo que recoja las leyes y reglamentos que deban aprobarse durante el año, y que debe incluir también la valoración del cumplimiento del año anterior y la evaluación de resultados de las normas

---

[18]   Respecto al Consell, pueden consultarse estos diferentes documentos en: <https://gvaoberta.gva.es/es/compromisos-de-govern>

que se hayan realizado. Cabe señalar que en este título se recogerán con rango de ley en la normativa autonómica gran parte del contenido incluido en la Ley 39/2015 y que, a raíz de la STC 55/2018, de 24 de mayo de 2018, dejó de aplicarse a las comunidades autónomas y a sus anteproyectos de ley.

Finalmente, el tercer ámbito se refiere con carácter general a la planificación y evaluación en las políticas y servicios. En este punto, las administraciones públicas deberán fomentar una cultura de la planificación y evaluación mediante la sensibilización, la formación del personal y la formación de equipos de trabajo y redes de conocimiento.

Además, en el ámbito de la Generalitat se establece la obligación de evaluar los planes y programas que guíen su actuación. Para ello, las consellerias deberán implantarse sistemas de medición con indicadores que permitan evaluar el complimiento y el nivel de calidad de los servicios, y los resultados de la evaluación deberán ser públicos. En ello deberán tenerse en cuenta los instrumentos y previsiones que prevé el Decreto 41/2016, de 15 de abril, del Consell, por el que se establece el sistema para la mejora de la calidad de los servicios públicos y la evaluación de los planes y programas en la Administración de la Generalitat y su sector público instrumental.

III. REFLEXIONES FINALES

En este capítulo se han estudiado el contenido y las novedades que recoge la Proposición de ley de transparencia y buen gobierno de la Comunitat Valenciana que están actualmente tramitando les Corts Valencianes, así como su papel en la evolución del proceso de institucionalización de las políticas públicas de transparencia en la administración autonómica y en la Comunitat Valenciana.

Este proyecto normativo, que tiene su origen en el anteproyecto de ley de gobierno abierto tramitado durante la pasada legislatura, incorpora los conocimientos y la experiencia de este proceso de implantación práctica e institucionalización de la transparencia. Esto se percibe, por un lado, en el importante peso de las líneas interpretativas del Consejo de Transparencia de la Comunitat Valenciana en las novedades del texto. Pero también en el énfasis que hace la norma ya no sólo en las obligaciones a cumplir sino también en cómo avanzar en la transparencia de forma continua de acuerdo con los principios de la ley, dando especial relevancia a la gestión de la información. Aspectos como la transparencia desde el diseño y la gestión documental, los criterios para la apertura de datos o la importancia de la planificación estratégica muestran el objetivo de implantar la cultura de la transparencia en las organizaciones, y de pasar a entenderla de forma dinámica como una palanca para la transformación digital y la modernización de la administración, a la vez que se vincula con la rendición de cuentas.

Pasado el momento de impulso inicial de la transparencia, la propuesta y su enfoque conceptual sitúa nuevos horizontes de avance en la agenda de la integridad y el buen gobierno, renovando el compromiso con la transparencia y articulando estímulos y líneas de mejora en el conjunto de las administraciones valencianas. La usabilidad y comprensibilidad de la información, la apertura y gobernanza de los datos, los planes de gobierno y las herramientas de rendición de cuentas, la mejora normativa o el desarrollo de sistemas de integridad pasan a convertirse en elementos ineludibles de un buen gobierno.

La proposición de ley se encuentra actualmente en tramitación y, por tanto, puede sufrir modificaciones que modulen o cambien aspectos concretos de la propuesta. Aún con ello, puede decirse que la futura ley valenciana de transparencia y buen gobierno de la Comunitat Valenciana, ya de segunda generación, aspira a ser, por una parte, un instrumento clave en la agenda del gobierno abierto, la integridad y la mejora de la administración en las instituciones valencianas y, por otra, una de las referencias ante futuras leyes y reformas normativas en el conjunto del Estado, especialmente teniendo en cuenta la futura, y ya anunciada, reforma de la ley estatal de transparencia.